東大連続講義

歴史学の思考法

東大連続講義

歴史学の思考法

東京大学教養学部歴史学部会=編

岩波書店

はじめに

　金田一耕助という探偵がいる．横溝正史の推理小説の主人公だが，ある世代の人たちにとってはむしろ石坂浩二，渥美清，古谷一行らが演じた映像の金田一のほうが記憶に鮮明であるにちがいない．いずれにせよ，いまの学生諸君のほとんどは知らないだろうし，知らないからどうだというわけでもない（ちなみに漫画『金田一少年の事件簿』は金田一耕助の孫という設定の高校生が主人公であり，こちらなら知っている人もいるだろう）．さてこの金田一耕助，謎解きは完璧だが，事件を未然に防ぐということに関してはおよそ無力なキャラクターである．たいてい田舎の大きな旧家で猟奇的な連続殺人事件がおこるのだが，殺されるべき人は残らず殺されてしまい，一人も助からない．事件の全容が解明されるのはいつもすべての殺人が完遂されたあとである．おまけに得々と事件の謎解きをしているあいだに，犯人にも毒を飲まれたり，身投げされたりして死なれてしまう．一言でいえば，過去を説明することには長けているが，未来は何ひとつ変えられない．世の中には歴史学というものを，この金田一のようなものだと考えている人も少なくないのではあるまいか．

　本書は東京大学教養学部前期課程（1・2年生）の歴史学のテキストとして編まれたものである．前期課程における歴史学の授業はかならずしも専門家の養成をめざすものではない．もちろん受講生には，研究者や教員をめざして後期課程（3・4年生）や大学院において歴史学を専攻する学生も当然含まれるわけだが，彼らは全体のごく一部であり，残る大半の学生は，ここでの授業を最後に，その後はいっさい歴史学との接点をもつことなく社会に出てゆくことになる．社会に出たのち

も，歴史小説や教養番組といった娯楽としての「歴史」ならともかく，体系的な学問としての歴史学に接する機会はほとんどないだろう．つまり，ここでの授業が彼らにとって本物の歴史学に触れるほぼ最後のチャンスになるわけである．そういう学生にたいして，前期課程の歴史学教員はどのような授業を提供すべきだろうか．そのことについて私たちはずいぶん長い時間をかけて議論してきた．

　歴史学を専攻しようという学生にたいしてであれば，古文書の読み方を手ほどきするなど，より専門性の高い知識や方法論を授ければよく，後期課程では実際にそのような授業が中心になるわけだが，そうでない学生にとっては，それらはさしあたり必要のない技術である．

　では歴史学は専門家以外にはまったく無用なものだろうか．私たちはけっしてそうは考えない．技術的な面はひとまずおくとして，歴史学的なものの見方・考え方は，歴史家にかぎらず，誰もがしっかりと身につけ，そして必要なときにいつでも起動できるようにしておかねばならないものと考えている．歴史学的なものの見方・考え方の具体的な中身については以下の各章で触れてゆくことになるが，その核心にあるのはつねに物事を長期的な視野でみる姿勢である．この姿勢を身につけることにより，私たちは一時的な衝動に駆られて行動したり，短期的な利益に惑わされたりすることを免れるであろう．

　また，私たちの目の前にある人類や社会のありようを唯一無二のものとは考えず，いったん相対化してみること，つまり別の選択もありえた／ありうるのではないかと疑ってみる姿勢も大切である．この姿勢を身につけることにより，私たちは頑迷で独りよがりな考えに陥ることを免れ，他者を認めることができるようになるだろう．つまり歴史学的思考は，過去を振り返るときだけでなく，人類の現在と未来を考えるときにも，否そういうときにこそ本領を発揮してくれるものと私たちは確信するのである．しかもそれは，歴史家にかぎらず，すべ

ての人びとに開かれているものでもあろう.

　私たちは以上のような認識を共有したうえで，歴史学的思考とは何かを知ってもらうためのオムニバス授業をはじめた.　そして，それと並行してこの授業のエッセンスをまとめたテキストもつくることにした.　このテキストは，したがって第一義的には受講生向けのテキストとして成ったものであるが，それ自体完結した読み物として読めるものにつくりあげたつもりである.　だから多くの一般読者にもぜひ手にとっていただきたい.　中高の先生や会社帰りに書店で本書を見かけた社会人のみなさん，ちょっと早熟な高校生諸君も大歓迎である.

　ただし，一点だけ注意していただきたいのは，本書はあくまでも歴史学のテキストであって，歴史のテキストではないということである.　だから本書を通じて歴史の知識を仕入れようとはくれぐれも思わないでいただきたい.　本書で言及される断片的ないくつかの史実は，歴史学的なものの見方・考え方をわかりやすく解説するという目的に奉仕しているにすぎない.

　くり返し述べているように本書は大学1・2年生を第一の読者として想定してはいるが，その内容はむしろ彼らが3・4年生となり，さらに社会人となったのちにこそ活きてくると思われるし，また活かしてほしいと願っている.　だから本書は，いつ読みはじめても遅いということはないし，一度きりでなく，二度三度とくり返しひもといていただけるだけの不変的価値があると確信している.　本書をふたたび開くタイミングは人それぞれでよいが，世の中の動きに「おや？」という違和感を覚えたときはひとつのチャンスだろう.　歴史学的思考とはそういうときにこそ起動されるべきものなのである.

著 者 一 同

目　次

はじめに

第Ⅰ部　過去から／過去を思考する

第1章　歴史に法則性はあるのか
　　　──歴史と変化の理論………………………… 桜 井 英 治　2

　1　成長モデル──一度かぎりの歴史　2
　2　周期モデル──歴史はくり返す　12

第2章　過去の痕跡をどうとらえるのか
　　　──歴史学と史料 ………………………… 渡 辺 美 季　21

　1　歴史学の営みと史料　21
　2　歴史学の「歴史」と史料　27
　3　狭義の史料と広義の史料　32

第3章　時間をどう把握するのか
　　　──暦と歴史叙述 ………………………… 田 中　創　40

　1　暮らしを取り巻く時間　40
　2　暦と歴史叙述　47

第Ⅱ部　地域から思考する

第4章　人びとの「まとまり」をとらえなおす
　　　──歴史の中の国家と地域 ………………… 杉 山 清 彦　58

　1　世界史と「国家」　59
　2　「地域」からとらえる歴史　66
　3　ふたたび「国家」へ──歴史の中の国家と社会　69

第5章　現代社会の成り立ちを考える
——グローバリゼーションの歴史的展開　…　黛　　秋　津　77

1　グローバル社会の形成過程　78

2　歴史的グローバリゼーションの展開——近代移行期のバルカンを例として　83

3　グローバルな歴史のとらえ方——グローバル・ヒストリー　90

第6章　植民地主義と向き合う
——過ぎ去らない帝国の遺産　………………　岡　田　泰　平　95

1　近代と帝国主義　95

2　植民地主義と植民地研究　100

3　世界史の中の脱植民地化　104

第Ⅲ部　社会・文化から思考する

第7章　世界像を再考する
——イスラームの歴史叙述と伝統的世界像
………………………　大　塚　　修　114

1　中東イスラーム地域における歴史　115

2　中東イスラーム地域における伝統的世界像　121

第8章　内なる他者の理解に向けて
——儀礼と表象，感性の歴史学　…………　長谷川まゆ帆　132

1　人類学の誕生と歴史学への浸透　133

2　「棲み分け」から対話へ　135

3　歴史の動的過程の理解に向けて　142

第9章　当たり前を問う，普通の人びとを描く
——日常史と民俗学　………………………　岩　本　通　弥　151

1　民俗学とは何か　152

2　日常史の誕生と展開　158

第IV部　現在から／現在を思考する

第10章　「近代」の知を問いなおす
――歴史学・歴史叙述をめぐる問い …… 井 坂 理 穂　170

　1　歴史学を問いなおす　171

　2　南アジア近代史の分野での模索　176

　3　歴史学・歴史叙述のあり方をめぐる模索　181

第11章　アナクロニズムはどこまで否定できるのか
――歴史を考えるコトバ ……………… 山 口 輝 臣　190

　1　否定されるアナクロニズム　191

　2　アナクロニズムは排除し切れるのか　195

　3　アナクロニズムと向き合う　200

第12章　「私たちの歴史」を超えて
――ともに生きる社会のために ……… 外 村 　 大　207

　1　歴史が作り出す「私たち」　207

　2　国史が生み出す対立と抑圧　211

　3　他者理解としての歴史学　215

装丁　間村俊一
（イラスト　123RF）

第Ⅰ部

過去から／過去を思考する

第1章 歴史に法則性はあるのか
——歴史と変化の理論

桜 井 英 治

　歴史学は変化を扱う学問だという言い方もできよう．その変化には大きく分けて二つのパターンがある．一つは"一度おきたことは二度とくり返さない"，あるいは"一度通過した時点には二度と立ち帰らない"という変化のパターンであり，一回的，一方通行的な歴史といえよう．もう一つはいわゆる"歴史はくり返す"という言葉で表現される変化のパターンであり，こちらは循環的，反復的な歴史ということができる．

　歴史学ではこれら二つの変化のパターンをいずれも実在的なもの＝実際におきた現象としてとらえている．一方，哲学や社会学では同様の問題がしばしば認識論の問題＝私たちの見方や考え方の問題として扱われる．そこでは，時間認識は時代や地域，文化によって異なるものとされる．たとえば私たちは，時間というものを一回的，一方通行的なものとして考えることに慣れているが，これはじつは近代固有の時間認識であり，原始社会ではむしろ，昼→夜→昼，雨季→乾季→雨季，あるいは冬至→春分→夏至→秋分→冬至のように，時間はさまざまな周期を経て同じ時点に帰ってくるものという認識のほうが優勢であったという［真木 1981］．

　時間認識の方法が時代や地域，文化によって異なることはたしかだろう．歴史学における歴史認識もそうした多様な時間認識の一つといえなくもない．ただ歴史学においては，これをたんなる認識上の問題とは考えずに，実際にも歴史はこれら二つの変化のパターンを描きながら歩んできたと考えるのである．本章では，変化をめぐるさまざまな歴史理論を紹介していこう．

1　成長モデル——一度かぎりの歴史

1.1　発展段階論

時間の流れのとらえ方

　私たちがよく使う「年表」は，歴史を一回的，一方通行的な変化のイメージ

で表現したものである．そこでは縦書きなら右から左へ，横書きなら上から下へ時系列的に出来事が書き継がれていき，全体は長大な帯状を呈することになる．このイメージにもとづくと，過去の出来事は映画のエンドロールのように次々に巻き取られていって二度とふたたび目の前にあらわれることはない．それに対し，循環的，反復的な変化のイメージで歴史を表現するとすれば，さしずめ円盤のような形状になろうか．それは年表というよりは一定周期で同じところに針が帰ってくる時計のイメージに近い．

次に，同じ一回的，一方通行的な歴史のなかにも，世の中はだんだんよくなると考える進歩史観をとる文化もあれば，逆にだんだん悪くなると考える衰退史観をとる文化もある．近代社会は——そして近代歴史学も同様だが——多くは前者，すなわち進歩史観，**成長モデル**で世の中の変化をとらえてきた(ただし，この場合はたんなる文化や認識の違いばかりともいいがたい．人口増加や経済成長は実際におきているからである．ただ，それをよいことと考えるかどうかは文化や個人によって異なるだろう)．

グラフのx軸に時間をとったとき，右肩上がりの線を描くのが成長モデルである．たとえばy軸に平均寿命をとれば，直線的成長に近い線が得られるであろうし，人口や二酸化炭素排出量などをとれば，指数関数的成長に近い曲線が得られるであろう．

一方，社会制度のようなハードなものの成長を考える場合には，純粋な統計とは異なり，イメージの領域になってくるけれども，先人たちの多くはこれを，直線や曲線ではなく，階段状のイメージでとらえてきた．いわゆる**発展段階論**である．もっとも単純なものとしては原始→未開→文明という三段階区分があるが，逆にもっとも精緻なものといえるのがマルクス主義歴史学の発展段階論，いわゆる**社会構成体論**(社会構成史・生産様式論とも)である．

マルクス主義歴史学

マルクス主義歴史学には「下部構造が上部構造を決定する」という有名な公式がある．それをマルクス(1818-1883)自身が明快に説明したのが『経済学批判』の「序言」である[マルクス 1956]．それによれば，時々の社会の構造を決定しているのは経済，とくに生産力であり，法律や政治，精神生活(宗教・思想・

文化)などは経済という土台(下部構造)のうえに立脚する上部構造にすぎない.

　下部構造は,その時々の生産力に応じて異なるかたちをとり,これを**社会構成体**とか**生産様式**とよぶ.そして,その交代は次のようなメカニズムでおこるとされる.すなわち,一つの社会構成体は,一定の生産力の発展段階に対応しているから,生産力がさらに発展すれば,逆に足かせになる.このとき社会革命がはじまり,下部構造だけでなく,それに規定された巨大な上部構造も崩壊に向かう.

　ただし,マルクスはこうもいっている.

　　一つの社会構成〔体〕は,すべての生産諸力がそのなかではもう発展の余地がないほどに発展しないうちは崩壊することはけっしてなく,また新しいより高度な生産諸関係は,その物質的な存在諸条件が古い社会の胎内で孵化しおわるまでは,古いものにとってかわることはけっしてない.

＊〔　〕は引用者による補足(以下同).

　一つの社会構成体は,それが許容しうるだけのすべての生産力が発展しきったとき,新しい,より高次の社会構成体にとってかわられる.生産力と社会構成体との関係は水と容器にたとえるとわかりやすいかもしれない.生産力という水をどんどん注いでいっても容器に余裕があるうちは何もおこらないが,ある日容器の容量を超えたときに一気に決壊する.そのとき古い容器は捨てられて,ひとまわり大きな新しい容器にすげかえられるのである.要するに,社会構成体の交代は,徐々にではなく,急激におこることが想定されているのであり,そうである以上,それはおのずから直線や曲線でなく,階段状のイメージにならざるをえないだろう.

社会構成体論のめざしたもの

　では,人類はこれまでにどれほどの社会構成体を経験してきたのだろうか.これについて,「序言」では「大ざっぱにいって,経済的社会構成〔体〕が進歩してゆく段階として,アジア的,古代的,封建的,および近代ブルジョワ的生産様式をあげることができる」と述べるだけだが,マルクスが人類の最古の段階に原始共同体(原始共産制)を,そして近代ブルジョワ的生産様式の次に共産主義社会(社会主義社会)の到来を展望していたこともわかっているので,この

二つを加えれば,

> 原始共同体→ アジア的生産様式(総体的奴隷制, 貢納制とも)→ 古典古代
> 的生産様式(奴隷制とも)→ 封建的生産様式(農奴制とも)→ 近代ブルジョ
> ワ的生産様式(資本制とも)→ 共産主義社会

という合計六つの社会構成体が浮かびあがってくる.

　ただし, 各社会構成体はかならずしも一本のきれいな線上に並ぶわけではない. たとえば, アジア的生産様式のもとで生産力がいくら発展をとげても, 古典古代的生産様式に移行したりはしない. アジア的生産様式から封建的生産様式まではひとつの社会で連続的におきたことではなく, いくつかの社会から取り出してきた類型を理論的に配列したものと考えたほうがよい.

　それに対し, 実際に一つの社会(具体的には西欧社会)で連続的におきた, ないしは将来おこるとマルクスが考えていたのは, 封建的生産様式から近代ブルジョワ的生産様式を経て共産主義社会にいたる後半の過程である. そして, この過程は市民革命(ブルジョワ革命)と共産主義革命(プロレタリア革命)という二つの革命を経て進行するものと考えられていた.

　この社会構成体論は, マルクス主義の中心的な理論として日本にも早くから紹介され, とくに**戦後歴史学**においては主要なパラダイムとなった. 上の発展図式は「世界史の基本法則」とよばれ, 日本の歴史も, アジア的特質をまといつつも, 大枠ではこの「法則」にしたがうだろうとの想定のもとで多くの研究がなされた. そのなかで戦前には日本資本主義論争, 戦後には封建制論争(太閤検地論争)に代表される, いくつかの論争が戦われたが, いずれも日本の歴史の各段階が上の発展図式のどの段階に相当するかをめぐる論争であり, 上の発展図式そのものを否定するものではなかった.

近代主義歴史学／大塚史学

　一方, 日本ではこれと似たものに, マルクス主義陣営からはやや批判的に近代主義歴史学とよばれた立場がある. 主唱者である大塚久雄(1907-96)[1]の名をとって**大塚史学**ともよばれるが, 大塚はマルクスに加え, マックス・ヴェーバーの理論も大幅に取り入れた. ヴェーバー(1864-1920)は『プロテスタンティズムの倫理と資本主義の精神』で知られるように, 宗教を上部構造に位置づけた

マルクスの理論を批判し，むしろ宗教が経済の発展を牽引するケースもあることを主張した．大塚も近代の担い手になりうる「人間類型」や，その精神である「エートス」を重視したが，これはヴェーバーの影響である．

　社会構成体論に対する大塚のスタンスは，原始共同体の存在は認めるものの，近代ブルジョワ的生産様式（資本主義社会）の次に共産主義社会が来るとはかならずしも考えておらず，ここでマルクス主義歴史学と袂を分かつことになるが，この点と先ほどの宗教の位置づけを除けば，社会構成体論にむしろ忠実であった．大塚は，資本主義がもっとも早く生まれ，順調に発達したイギリスの近代化を理想型とし，これを基準に比較史的検討をおこなうことで，日本の歴史の特殊性を浮かびあがらせようとした．つまり，日本の近代化がイギリスのように行かなかったのはなぜかを問うたのである［大塚 1956；大塚 1966］．

マルクス主義歴史学の終焉

　ところが，戦後歴史学はほぼ1970年代前半をもって終焉を迎えることになった．マルクス主義歴史学も，そこから分岐した近代主義歴史学もこれ以後急速に下火になっていき，それとともに社会構成体をめぐる議論もあまり聞かれなくなった．かつては高校教科書の章タイトルにも使われていた「封建制」などの用語もほとんど使われなくなった．

　その原因を一言で説明するのはむずかしいが，一つには**実証的研究**の深化がマルクス主義歴史学を引退に追いこんだ側面があろう．私の専門である日本中世史から一例をあげれば，封建制のメルクマールとされてきた“土地に緊縛された農民”というものが，研究の進展の結果，どうやら中世日本では一般的でなく，当時の百姓の多くは移動の自由をもっていたことが次第に明らかになってきた．それと似たようなことは日本史の他の時代でも，また西洋史や東洋史でもおきていた．要するにマルクスの理論が史実と合わなくなってきたのである．

　もう一つは，社会構成体論は社会の内的な経済成長を重視した理論であったから，ともすれば国際的契機を考慮しない，いわゆる一国史観に陥りがちであったという問題点もあげられよう．もちろんマルクス主義歴史家のなかにも石母田正（1912-86）[2]や江口朴郎（1911-89）[3]のように国際的契機を重視する人たちもいたが，少数派であったことは否めない．1970年代前半といえば，国際的

契機こそがむしろ社会のデザインにとって決定的な役割をはたしたと主張する
アメリカの歴史家イマニュエル・ウォーラーステイン (1930-2019)（第 5 章参照）
の**世界システム論**(1974 年)も産声を上げる時期だが，そのような趨勢にあって，
あたかも培養器のなかで育てたかのような歴史像を提示する一国史的な発展段
階論が支持を失っていったのも無理からぬことのように思われる.

　まして多くの社会主義国家が解体し，人類の成長もほぼ頭打ちになったこと
が明らかな現代からみれば，発展段階論は，過去についてはともかく，未来に
ついてはもはや有効な理論とはいえなくなってしまった. 未来社会を見通した
実践的な理論としてスタートしたマルクス主義がその実践力を失ったというこ
とである.

　では発展段階論的な見方がまったく不要になったかといえばそうではない.
少なくとも私たちは，この世から歴史教科書が消えないかぎり，好むと好まざ
るとにかかわらず，発展段階論から逃れられないだろう. 歴史教科書の章立て
には時期区分が不可欠であり，時期区分をおこなおうとすれば，かならず発展
段階論的思考を作動させなければならないからである. そしてその思考の多く
が暗黙のうちに依拠しているのが，依然としてマルクス主義歴史学における発
展段階論，すなわち社会構成体論であることも否定しがたいように思われる.

1.2　変化の階層性

　とはいえ歴史家の思考は頑なではない. 社会構成体論が概して革命的＝急激
な歴史的変化を想定していたのに対して，歴史の流れというものをそのように
一様にとらえるのでなく，水面に近いところと水底に近いところでは，流れの
速さにもおのずと差が出てくるだろうと柔軟にとらえたのがフランスの歴史家
フェルナン・ブローデル (1902-85)[4]である.

　『地中海』の邦題で知られるブローデルの大著は，原題を『フェリペ二世時
代の地中海と地中海世界』といい，もともと 1949 年に博士論文として書かれ
たものであったが，そのなかでブローデルは**歴史の時間を三層に区分**し，三部
構成よりなる同書の各部をその各層の叙述にあてた.

　同書の「序文」によれば，三層構造の基底をなし，もっとも変化しにくい層
が「地理的な時間」（「長期持続」「長期の歴史」とも）である. これについては「ほ

とんど動かない歴史」「人間を取り囲む環境と人間との関係の歴史」「ゆっくりと流れ，ゆっくりと変化し，しばしば回帰が繰り返され，絶えず循環しているような歴史」と説明している．この層は後述する**環境史**に相当するといえよう．

　その一つ上の層が「社会的な時間」（「社会史」とも）である．これについては「この動かない歴史のうえに緩慢なリズムをもつ歴史が姿をあらわす．こういう言い方がその本来の十全な意味から逸れていないのだとすれば，〈社会の〉歴史〔社会史〕と言っておきたい．つまりさまざまな人間集団の歴史であり，再編成の歴史である」と述べている．

　そして三層構造のもっとも表層に位置するのが「個人の時間」（「出来事の歴史」とも）である．あるいは**政治史**といいかえてもよいだろう．これについては「伝統的な歴史」「人間の次元ではなく個人の次元での歴史」「歴史の潮がその強力な運動によって引き起こす表面の動揺であり，波立ちである．短く，急であり，神経質な揺れを持つ歴史である」と評しているように，「地理的な時間」を重視するブローデルにとって，それはせいぜい「波立ち」や「揺れ」程度のものにすぎなかった［ブローデル 2004: I 巻］．

　同書の「結論」（『地中海V』）においてもこう述べている［ブローデル 2004: V 巻］．

　　私が自分の全責任において，見ようとしている歴史的な説明のなかで，最終的に勝ちを収めるのは，つねに長期の時間である．長期の時間は無数の出来事を否定する．自分自身の流れに引き込むことのできない出来事をすべて否定し，容赦なくすべての出来事を遠ざける．その意味で，長期の時間はたしかに人間の自由と偶然そのものの余地を制限する．

偉大な歴史哲学には，人間の意思や主体性が歴史を動かしてゆくと説くものと，人間の意思の無力さや個人という存在のはかなさを説くものの二種類があるように思われる．ブローデルがいずれに属するかはすでに明らかであろう．

1.3 移行期という考え方

　さまざまな歴史的事象のうち，変化のスピードの速いものと遅いもの，すぐに変化するものとなかなか変化しないものがあることは，ブローデルの指摘を俟つまでもなく，誰もが経験的に気づいているのではなかろうか．たとえば幼少のころの生活と現在の生活とをくらべてみても，大きく変わったところもあ

れば，ほとんど変わっていないところもあろう．話をごく単純化すれば，そういうことである．

　したがって時期区分も，分野ごとに違う時期で区切ったほうがよい場合もあれば，分野によっては線で区切るのでなく，ある程度幅をもたせて考えたほうが好都合な場合もあろう．変化が緩慢で，その開始から完了までに相当な時間がかかる場合がそれである．そこから出てくるのが移行期という発想だが，ブローデルが提唱したもう一つの有名な概念である「長期の16世紀」もその一つといえよう．

長期の16世紀

　西ヨーロッパは1450年ごろから1650年ごろにかけて約200年間におよぶ価格上昇期を迎え，それが西ヨーロッパにおける物質生活上のさまざまな発展を助長したとして，ブローデルはこの約200年間を「長期の16世紀」とよんだ．ブローデルは，価格上昇の原因については明瞭に述べていないが，その始期を1450年ごろにおいていることからうかがえるように，少なくとも従来のように新大陸の金銀が原因とは考えていなかったことはたしかである．なお「長期の16世紀」という概念は，ブローデルに傾倒していたウォーラーステインの世界システム論にも継承され，ウォーラーステインの用法では「世界経済」の成立期として読み替えられてゆくことになる．

　ところで1450年ごろから1650年ごろというと，じつは日本史における中世から近世への移行期ともほぼ一致する．応仁・文明の乱(1467-77)後にいち早く近世への変化が兆してくる分野もあれば，江戸時代に入っても17世紀後半ごろまで中世的な要素を引きずっている分野もあるからである．そういうことから，日本史においても15世紀後半から17世紀後半ごろまでをブローデルにならって「長期の16世紀」とよぶことも実際におこなわれている．

　このような変化のタイムラグは，異なる分野間ではもちろんだが，しばしば同一分野内においても生じた．日本の中近世移行期についていうと，経済史にかぎってみただけでも，中世信用経済の終焉(中世後期の典型的な手形である割符の消滅)は16世紀初頭，中世市場経済の終焉(代銭納制から米納年貢制への転換)は16世紀後半，そして中国銭経済の終焉(銭貨の完全国産化)は17世紀後半と，前

後150年以上にまたがって複数のエポックが見いだせる［桜井 2013］.

変化の速度を考える

　ブローデルの三層構造のうち,「個人の時間」にくらべれば「社会的な時間」における変化は概して緩慢だといえようが, そのなかにもなお分野による遅速の差はある. とくに変化が遅れがちな分野としては言語史や精神史にかかわる領域があげられよう.

　日本中世史家の勝俣鎮夫は, 中世から近世にかけての「サキ」と「アト」という語の用例を吟味した結果, 中世以前の「サキ」がすべて過去を,「アト」が未来をさしていたのに対し, 近世以降は意味が入れ替わって「サキ」が未来を,「アト」が過去をさすようになることを明らかにし, その背後に時間認識, 歴史認識上の大きな転換があったことを推測しているが, そのさかいは17世紀初頭から前半ごろにあるという［勝俣 2011］. 政治史上は1568年の織田信長の上洛以後を近世とみるのが一般的だから, それよりも大きく遅れたことになる.「長期の16世紀」という時間の切り取り方は, このように変化が緩慢にしかあらわれない分野においてとくに有用である.

　このような変化の遅速がどのようなメカニズムによって生じるかについては, 個々の事象ごとに説明されねばならないが, 一例として国語学者野村剛史が明らかにした興味深い現象を紹介しよう. 野村は, AD1500年と現在のあいだの500年間よりも, それ以前の500年間, すなわちAD1000年から1500年のあいだのほうが日本語の変化の速度が速かったという意外な事実を指摘し, 変化の速度を緩慢にさせた原因として書き言葉の普及をあげている. 書き言葉が「話し言葉の変化を押しとどめる方向の力として働く」からだという［野村 2011］. このような正典（カノン）＝参照すべき見本の成立がそこからの逸脱を抑制し, 結果的に変化の速度を緩慢にさせるというメカニズムはわかりやすい. それは国家や社会において儀礼がはたしていた安定化機能とも共通するものであろう.

変化の質を考える

変化の速度ばかりでなく, 質の問題も重要である. 東洋史家三上次男（1907-

図1-1　現代の土器・陶器・磁器（筆者撮影）
手前は土器（熊野那智大社の杯），左奥は陶器（備前焼の湯呑），
右奥は磁器（有田焼の鉢）．

87)[5]は陶磁器の歴史から日本文化の特徴がその累積性にあることを指摘した．
多くの国々では，新しい技法による陶磁が生まれると，まもなく従来のものを
駆逐してしまうのに対し，日本では，新たな陶磁が生まれても，従来のものを
駆逐せず，両者は併行して生産され，使用されたところに特徴があるという．
日本では陶器が生まれても土器は消滅せず，磁器が生まれても陶器は消滅しな
かった（図1-1）．それぞれ新しい時代に居場所をみつけていったからである．
そしてそれは陶磁器の歴史にかぎったことではなく，日本の文化ないし歴史全
般にわたる特徴であろうと三上はいう［三上 1967］．

　三上のいうとおり，文化には**移り変わる文化**と**累積する文化**という二つのタ
イプがありそうである．そして日本の歴史が多くの面で後者の特徴を強く示し
ていることも否定しがたいところだろう．そこでは古い要素が保存される傾向
が強い．過去に使える革袋があれば，わざわざ新調したりはせず，古いものを
そのまま使いつづける傾向があるのだ．同じような態度は過去の文物だけでな
く，しばしば海外の文物にも向けられた．たとえば中世日本人が磁器や銭を国
産化しなかったのは技術的な問題よりも，動機そのものの欠落によるところが
大きかったであろう．彼らは輸入によっていくらでも手に入るものをわざわざ
自分の手でつくろうとはしなかったのだ．中国や朝鮮のように王朝交代がひん
ぱんにおこった国と日本のようにそれをほとんど経験しなかった国の差がなぜ
あらわれるかも，この問題とあながち無関係ではないように思われる．

2　周期モデル──歴史はくり返す

2.1　環境史の視点

周期的変動

　以上のような一回的，一方通行的な変化のパターンのほかに，歴史にはもう一つ "歴史はくり返す" という言葉で表現されるような循環的，反復的な変化のパターンがある．そこには一定の周期性が認められることも多いが，それが何年ぐらいの周期を描くかは当然のことながら事象によって異なる．たとえば，私たちに比較的身近な景気循環一つをとっても，もっとも短いとされる「キチン循環」の 40 カ月周期からもっとも長いとされる「コンドラチェフの波」の 50 年周期まで，相当な幅がある．

　歴史の周期的変動は，成長モデルをグランドセオリーとしていた戦後歴史学の時代が終わりを告げて以降，にわかに脚光を浴びてきたように感じられるが，このような周期的変動のなかでも，その存在が広く認知されているのが**気候変動**であろう．それは地殻変動や地磁気の変動など，自然界に存在するもろもろの周期的変動のなかで，人類史ともっともかかわりの深いものである．

　気候変動と聞いて誰もがまず思い浮かべるのが氷河期と間氷期ではないかと思われるが，その交替周期は人類史にとってはやや波長が長すぎる．氷河期／間氷期という大きな気候変動とは別に，じつは間氷期のなかにも，子細にみると，比較的寒冷な時期と比較的温暖な時期のくり返しがみられ，前者を**小氷期**または小海退期，後者を**温暖期**または小海進期とよぶ．そして，人類史の射程にかかってくるのはむしろこの小さな気候変動のほうである．もちろん小さいといっても数百年単位であるから，あくまでも自然史のスケールで小さいという意味であって，人類史のスケールでみればむしろ長期的変動に属する．それは，ブローデルが「しばしば回帰が繰り返され，絶えず循環している」と評した「地理的な時間」とほぼ一致すると考えてよい．

気候変動を歴史学で考える

　このような**古環境学・古気候学**の研究は，当然世界的規模で進められているが，戦後歴史学の終焉後は，歴史学サイドからもそうした成果が盛んに参照さ

れるようになり，そのなかからフランスの歴史家エマニュエル・ル＝ロワ＝ラデュリの『気候の歴史』（原著1967年）のような大著も生まれた．日本史分野で広く読まれたのは山本武夫『気候の語る日本の歴史』（1976年）である．とくに同書によってはじめて日本に紹介されたといってもよい通称「フェアブリッジ教授の海水準曲線」（フェアブリッジ曲線）は，いまもなお農業史や飢饉史の分野において参照されつづけている．

　オーストラリア出身の古気候学者でコロンビア大学教授であったR. W. フェアブリッジ（1914-2006）は，世界各地で海進／海退の痕跡（カキの死骸，水没森林，塩湖等々）を探し，それらを ^{14}C 年代測定法にかけることによって過去2000年間の気候変動を1枚のグラフに落としこんだ．これがフェアブリッジ曲線（図1-2）とよばれるものだが，このグラフは日本史におけるさまざまな事象もうまく説明してくれた．平安時代後期はフロンティア開発が進展した時代で「大開墾の時代」ともよばれるが，その時期はちょうどフェアブリッジ曲線にいうロットネスト海進期にあたり，逆に日本では 寛正 の飢饉という冷害型の飢饉がおきた15世紀は，フェアブリッジ曲線にいうパリア海退期にあたっていた．これらの符合は多くの日本史研究者を納得させるに十分であり，その結果，フェアブリッジ曲線は日本の古代・中世史研究においても広くうけいれられるところとなった．

　一方，開始期については後述のように諸説あるものの，19世紀前半に終わる世界的な「小氷期気候」があり，それが日本では天明・天保の飢饉の原因になったとみられているが，この「小氷期気候」はフェアブリッジ曲線には明瞭にあらわれてこない．ただ，ル＝ロワ＝ラデュリによれば，ヨーロッパにおける氷河の前進等によって，また山本によれば，イギリスの南西風頻度データやオランダの1月気温データによって1800年ごろをピークとする「小氷期気候」の存在が裏づけられるという．

　ただし気候変動というものはつねに地球的規模であらわれるとはかぎらない．たとえば，フェアブリッジ曲線にいうローマン＝フロリダ海退期は，基本的に寒冷期でありながら，地中海沿岸だけは，北欧寒気団が亜熱帯気団の北上をせきとめた結果，温暖多雨の気候となり，それがローマ帝国の繁栄につながったという．また，日本でも北海道・東北地方の夏季気温と南西諸島のそれとはシ

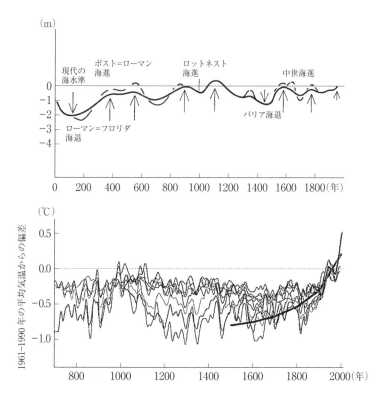

図1-2　フェアブリッジ曲線（上）と過去1300年間における北半球の平均気温変動（下）　出典：上［山本 1976: 127］，下［中塚 2012: 45］.
フェアブリッジ曲線は海水面の上昇・下降の痕跡から過去の気候を復元するアプローチだが，近年は樹木の年輪や浅海に堆積したプランクトンの死骸の厚みなどから過去の気候を復元するアプローチもおこなわれている．下図は1998～2006年に発表されたさまざまなアプローチによる復元結果を合成したもの．多くの研究がAD1000年前後に温暖期の存在を認めていることがわかる.

ーソー関係にあり，一方が上昇すれば他方は下降する関係にあった．古気候学者たちは，グローバルな変化だけでなく，このようなローカルな変化も見落としていない．

飢饉の時代の気候変動をとらえる

　では近年の研究動向はどうであろうか．なかにはフェアブリッジや山本の研究成果を全面的に否定しようとする主張もみられるが，それはやや極論であろう．現在知られている地球規模の気候変動は，AD1000年前後を中心とする時期とAD1700年前後を中心とする時期の二つが知られている．田村憲美によ

れば，前者は「中世温暖期」(Medieval Warm Period)とよばれ，近年は「中世気候異常期」(Medieval Climate Anomaly)ともよばれているそうだが，**図1-2**（下）をみると，AD1000 年前後に温暖期を認めるのは多くの研究者の一致した見解といえよう．一方，後者は「小氷期気候」(Little Ice Age)とよばれ，主として北米，ヨーロッパの氷河研究から 16 世紀中期〜19 世紀中期のあいだに最高潮に達したとされる．後者をめぐっては，1991 年に東京で「「小氷期の気候」国際シンポジウム」が開催され，その場でおこなわれたアンケートの結果，終了期に関しては 19 世紀(1850 年 ±50 年間)で一致したものの，開始期に関しては 13 世紀(1275 年 ±60 年)とする見解と 16 世紀(1510 年 ±50 年)とする見解に二分したという[田村 2015]．どちらがより妥当かは今後の研究に俟つほかはないが，いずれの見解をとっても寛正の飢饉，天明の飢饉，天保の飢饉という日本の代表的な飢饉はすべてこの「小氷期気候」のなかに収まることになる．

　このような気候変動の影響をもっともダイレクトにうけるのは農業分野であり，そこには当然飢饉も含まれる．とくに農業技術というと，従来の日本史教科書ではつねに右肩上がりに発展するもののように書かれるのが一般的であったが，近年の研究によって，これまで中世に生まれたと考えられていた稲の品種のほとんどが，じつは古代までさかのぼることが明らかになるなど，古代の農業技術の到達点の高さと，逆に中世農業技術の停滞性とが浮き彫りになりつつある．これまでもっぱら農業技術の発展という文脈で紹介されてきた水田二毛作も，最近では稲凶作への救荒的対応としてはじまったもので，表作である稲の減収を慢性化させる負の作用もおよぼしたことが指摘され，かならずしも発展という文脈ばかりでは説明できないことが明らかになってきている．そして，その背景に気候の寒冷化があったことは疑う余地がない．環境史という視点の導入によって通説が大きく塗りかえられつつある現状が理解されよう．

2.2　贈与論の視点

人類史における周期性

　周期性を示すのは自然界の出来事ばかりではない．人類の歴史にもさまざまな周期性が認められるのであり，ここではその一例として蕩尽と緊縮のサイクルについて触れてみたい．

図 1-3　姫路城(提供：姫路市)
白漆喰の優美な姿から「白鷺城」ともよばれる．現在の大天守は江戸時代初期
の慶長 14(1609)年に建築されたものだが，このように城郭が巨大化，壮麗化
し，権力のあからさまな示威装置となるのは中近世移行期に特有の現象である．
一方，古代から中世への移行期にあたる院政期にも，当時の建物は現存しない
ものの，多くの大寺院や離宮がつくられ，同じく示威装置として機能していた．
白河天皇が洛東白河の地に造営した法勝寺には高さ 80 m を越える八角九重の
塔が存在し，一種のランドマークとなっていたことが知られている．東国から
京都に入った旅人たちはみなその壮大さに圧倒されたことだろう．

　日本文化の歴史を振り返ると，豪勢な建築物や美術・工芸品はいつの時代に
も出てくるわけではなく，出てくる時期と出てこない時期があることに気づく．
出てくるときにはいっせいに出てくるのに，出てこないときにはさっぱり出て
こない．そういう偏り，間欠性があるのだ．
　前近代でいえば中世の最初(院政期)と最後(織豊期)に大きな山があり，鎌倉
末から南北朝期にも小さな山が認められる．まず，院政期には上皇たちの発願
による大寺院の建設ラッシュがあり，「源氏物語絵巻」「鳥獣戯画」「伴大納言
絵巻」「信貴山縁起絵巻」の四大絵巻が制作されたのもこの時代であった．対
する織豊期は，同じ大建築でも城郭建築が主流となり，その壁や襖を飾ってい
たのは狩野派のこれまた豪勢な金碧画であった(図 1-3)．鎌倉末〜南北朝期も
院政期に次いで絵巻物の名品が多い時代であり，「春日権現験記絵」などがこ
の時代に制作されている．現存する建築では足利義満の鹿苑寺金閣が代表格だ
ろう．
　では院政期，鎌倉末から南北朝期，織豊期に共通するのはどのような点だろ
うか．それは，いずれも権力の交代期にあたっているということだろう．この

ような時期には自己顕示欲の強い——パフォーマンス性が高く，派手な演出を
おこない，金遣いが荒い——権力があらわれる傾向が強く，逆に安定期にさし
かかると権力は緊縮に転じる傾向がある.

　そのメカニズムを考えてみよう．権力の交代期とは，古い権力のもとで形成
された身分秩序が古い権力とともに解体し，しかし新しい権力も新しい身分秩
序もまだ生まれていない段階である．要するに，一時的に身分的流動性が高ま
るのである．そのような時期には，古い秩序のもとでは下位身分にくすぶって
いた者にも上昇のチャンスが生まれる．とりわけ次代のリーダーの地位をうか
がう者は，自分こそがその地位にふさわしいことを宣伝する必要があり，その
ための有効な手段となったのが，権力・財力を目にみえるかたちで誇示するこ
とであった．このような消費のあり方を「**ポトラッチ的消費**」とよんでおきた
い.

政治と文化の周期性をとらえる

　ポトラッチ[6]とは北米先住民のあいだでおこなわれていた儀礼的な**贈与競争**
であり，その競争に打ち勝った者には身分的上昇が約束された．ポトラッチが
「リーダー制の起動装置」といわれるゆえんである．したがって，それは身分
的流動性の高い社会に固有の風習ということができる．前近代の日本社会は基
本的に身分制社会であり，これみよがしの贈与や消費などはむしろ嫌う社会で
あったが，権力交代期には身分的流動性が高まるために，そのようなポトラッ
チ的消費が一時的に許容され，リーダー候補者たちは自分が次代のリーダーに
ふさわしいことを示すために，気前のよさをみせつけようとした．中世の最初
と最後に出現する大建築や豪華な美術品がそうした権力の示威装置であったこ
とは明らかである．けれども，その時期がすぎ，次代のリーダーが確定すると，
今度は一転して権力・秩序の固定化がはじまり，2代目，3代目ごろには権力
はもはや気前のよさを示さなくなる．気前のよさを示さなくても権威を失わな
い段階に入るからである．この時期には大建築や豪華な美術品は影をひそめ，
文化事業の中心は新しい作品を生み出すよりも，すでに生み出された作品(古
典)の注釈や研究に注がれることになる.

　このような政治と文化の周期性は，中世だけでなく，近世や近代にもあては

まるであろうし，日本以外の諸外国の歴史にもおそらく見いだせるのではなかろうか.

＊　　　＊　　　＊

　実際の歴史は，一回的，一方通行的な歴史だけでもなければ，循環的，反復的な歴史だけでもなく，いわば両者の複合としてあらわれる. 二つの波が相殺しあうこともあろうし，相乗することもあろう. 今後は，歴史学の研究においてはもちろん，人類がこれから歩むべき道を見定めるうえでも，これら二つの動きをにらみながら研究することが不可欠である.

　最後に少しだけ歴史学の将来も占っておこう.

　「百年河清を俟つ」という故事成語を知っているだろうか. この「河」とは黄河のことであり，百年待ってもその水が澄むことは望めないから，無駄に待つことのたとえとして使われる表現である. だが，歴史学の将来に関しては，百年待てば案外川の水は澄んでくるのではないかという気もしている.

　長く信奉してきた経済発展の神話が崩壊し，人類はいま未知の領域へと踏みだそうとしている. 現在はちょうどそのような潮目の変わる時期にあたっているのだ. 何もかも不透明で遠い未来などまったく見通せそうにないという時期がもうしばらく続くだろうが，あと百年ぐらいすれば，さすがに人類の次なる方向性もみえてくるだろうし，そうなれば新たな長期理論が登場することも可能になるだろう. ただし，それがどのような理論かはまだわからない. 資源問題も環境問題も一気に解決するような大きな技術革新でもおこれば，新たな成長モデルが描かれる可能性もあるが，そうではなく，まったく別種の理論が生まれる可能性もあるだろうし，結局のところ周期モデルだけが生き残る可能性もあろう. いずれにしても新たな長期理論が登場するまでは，数年から数十年程度の変化を説明するような中期理論が主役をつとめる時代がしばらく続くのではなかろうか. もちろん，すべては人類の歴史がまだまだ続くと仮定しての話であるが.

●注

1)　大塚久雄：西欧経済史家．東京大学経済学部教授．マルクス主義歴史学にヴェーバーの理論を組み入れたその理論と学風は大塚史学とよばれ，戦後日本の経済史学に一大潮流を築いた．著書に『共同体の基礎理論』，『欧州経済史』，『社会科学の方法──ヴェーバーとマルクス』など．

2)　石母田正：日本古代・中世史家．法政大学法学部教授．戦後マルクス主義歴史学の主導者．『日本の古代国家』では，古代国家形成期における国際的契機の重要性を指摘した．

3)　江口朴郎：専門は西洋近代史・国際関係論．東京大学教養学部教授．『帝国主義と民族』では，世界のある地域における資本主義の発展が後進的，封建的な地域を生みだしたことをいち早く指摘し，ウォーラーステインの世界システム論を先取りする議論として近年注目を集めている．

4)　フェルナン・ブローデル(Fernand Braudel)：フランスの歴史家．コレージュ・ド・フランス教授．学術誌『社会経済史年報』を拠点とする社会史研究者の一大グループ，通称アナール派の第二世代として中心的役割を果たした．『地中海』のほか，『物質文明・経済・資本主義』全 6 巻の大著もある．

5)　三上次男：東洋史家・考古学者．東京大学教養学部教授．東北アジアの墳墓研究と東洋陶磁研究で知られる．著書に『陶磁の道──東西文明の接点をたずねて』など．

6)　北米先住民のあいだには，相手より多くのものを贈ることで相手を打ち負かそうとする慣行があり，これをポトラッチ(potlatch)と称した．ときには贈るのでなく，自分の財物を焼いたり，破壊したりすることで財力を見せつけることもおこなわれた．マルセル・モース『贈与論』等参照．

●参考文献

石母田正『日本の古代国家』岩波書店，1971 年／岩波文庫，2017 年．

ウォーラーステイン，I(川北稔訳)『近代世界システム』全 2 巻，岩波書店，1981 年（原著 1974-80 年）．

江口朴郎『帝国主義と民族』東京大学出版会，1954 年．

大塚久雄『共同体の基礎理論』岩波書店，1955 年／岩波現代文庫，2000 年．

大塚久雄『欧州経済史』弘文堂，1956 年／岩波現代文庫，2001 年．

大塚久雄『社会科学の方法──ヴェーバーとマルクス』岩波新書，1966 年．

勝俣鎭夫『中世社会の基層をさぐる』山川出版社，2011 年．

桜井英治「中世史への招待」『岩波講座 日本歴史 6　中世 1』岩波書店，2013 年．

田村憲美「自然環境と中世社会」『岩波講座 日本歴史 9　中世 4』岩波書店，2015 年．

中塚武「気候変動と歴史学」平川南編『環境の日本史 1　日本史と環境──人と自然』吉川弘文館，2012 年．

野村剛史『話し言葉の日本史』(歴史文化ライブラリー)，吉川弘文館，2011 年．

ブローデル，フェルナン(村上光彦訳)『物質文明・経済・資本主義』全 6 巻，みすず

書房，1985-1999 年（原著 1979 年）.

ブローデル，フェルナン（浜名優美訳）『地中海』（普及版）全 5 巻，藤原書店，2004 年
　（原著 1949 年）.

真木悠介『時間の比較社会学』岩波書店，1981 年／岩波現代文庫，2003 年.

マルクス（武田隆夫ほか訳）『経済学批判』岩波文庫，1956 年.

三上次男「日本陶磁の特質」『日本の美術　別巻　陶器』平凡社，1967 年.

三上次男『陶磁の道――東西文明の接点をたずねて』岩波新書，1969 年.

モース，マルセル（森山工訳）『贈与論　他二篇』岩波文庫，2014 年（原著 1925 年ほ
　か）.

山本武夫『気候の語る日本の歴史』そしえて，1976 年.

ル＝ロワ＝ラデュリ，エマニュエル（稲垣文雄訳）『気候の歴史』藤原書店，2000 年
　（原著 1967 年）.

▶▶▶ より深く知るために————————————————————

・大塚久雄『欧州経済史』弘文堂，1956 年／岩波現代文庫，2001 年.
　　いわゆる大塚史学にもとづく西欧近代経済史の通史．同じ大塚の『共同体の基礎
　理論』と並んで，マルクスの社会構成体論についての概説書にもなっている.

・磯前順一，ハリー・D・ハルトゥーニアン編『マルクス主義という経験　1930-40
　年代日本の歴史学』青木書店，2008 年.
　　マルクス主義を迎え入れたばかりの戦前日本の歴史学界や思想界の動向をさまざ
　まな角度から分析した論文集．難易度はやや高いが，時代の雰囲気もぜひ感じて
　ほしい.

・桜井英治『贈与の歴史学』中公新書，2011 年.
　　贈与原理を巧みに利用した中世日本の税制・財政の特質を論じたものだが，その
　なかで蕩尽と緊縮のサイクル，ポトラッチ的消費についても触れている.

第2章 過去の痕跡をどうとらえるのか
——歴史学と史料

渡 辺 美 季

　ある年のある月のとある日に，大学生であるあなたが，キャンパス内の学生食堂で味噌ラーメンを食べたとしよう．2時限目の講義が終わった後，食堂に駆け込んだあなたは，どうにか空いている席を見つけ，一人で急いでラーメンをすすり，隣の図書館へと移動した．そしてあなたがラーメンを食べたことは，またたく間に**過去の事実**となった．

　この過去の事実を，現在（いま），私たちはどのようにして知ることができるだろうか．たとえば，記憶にもとづくあなたの説明，食堂であなたを見かけた友人の証言，あなたが食事中に投稿したSNS(Social Networking Service)のメッセージなどがあれば，話はかなり簡単である．あるいは学食の防犯カメラに食事の様子が記録されているかもしれない．もしあなたが後で日記や手紙にこの日の昼食について書いたならば，それも有力な手がかりになるだろう．しかしこうした**過去の痕跡**が伝えてくれるのは，いずれも過去の事実そのものではない（動画でも映らない角度はあるし，においや温度までは再現できない）．少なくとも今のところ，私たちは何らかの過去の痕跡を通じて，過去の事実を間接的／部分的に知ることしかできないのである．

　これらの過去の痕跡を，歴史学では**史料**(広義の史料)と呼ぶ．史料は私たちが過去の事実にアクセスするための唯一の「回路」である．本章では，この史料と歴史学との"切っても切れない"関係を，様々な角度から論じてみたい[1]．

1　歴史学の営みと史料

1.1 事実と史料

大学の歴史学

　ところで歴史学とはそもそも何をする学問なのだろうか．高校までは，教科書を理解し，その内容を基礎知識として覚えることが，「歴史学」だったかもしれない．しかし大学で専門的に展開される歴史学は，それとは大きく異なっ

ている．

　たとえば鉄砲（火縄銃）の伝来について，高校の日本史教科書では次のように説明されている．

　　　1543（天文 12）年にポルトガル人を乗せた中国人倭寇の船が，九州南方の種
　　　子島に漂着した❶．これが日本にきた最初のヨーロッパ人である．島主の
　　　種子島時堯は，彼らの持っていた鉄砲を買い求め，家臣にその使用法と製
　　　造法を学ばせた．　　　　　　　　　　　❶ 1542（天文 11）年とする説もある．

　　　　　　　　　　　　　　　　　　　　　　（『詳説日本史 B』山川出版社，2018 年）

　高校生はこの記述から，鉄砲伝来という過去の事実を知り，また前後の記述
を合わせて読むことで伝来の背景や影響といった，その事実の歴史的意味を学
び，さらに試験対策として「以後予算が増える鉄砲伝来」（そして脚注❶のせいで
「以後死人が増える鉄砲伝来」も！）といった語呂合わせで年号を覚えたりするこ
とになるわけである．

　ところが大学の歴史学では，細かい年号や人名の暗記はまず求められない
（まさに「あの苦労は何だったの？」状態である）．また歴史に関する書籍を読み，
そこから知識や情報を得ることは必要だが，それだけでは研究の進展に貢献し
たことにはならず，学問的にも評価されない．これらはいずれも誰かが提示し
た歴史像を受け入れる（＝消費する），いわば二次的な作業であって，歴史学の
核となる営みではないからである．

歴史学の営み

　では歴史学の核となる，最も重要な営みとは何だろうか．ひとことで言えば，
それは自らの歴史像を提示する（＝生産する）ことである．そのためには次の四
つの作業ステップを踏む必要がある．

　　　作業①**過去への「問い」**：自らの何らかの関心にもとづいて，過去に対す
　　　る問いを立てる．

　　　作業②**事実の認識**：関連する史料を通じて，過去の諸事実を認識（特定・確
　　　認）する．

　　　作業③**事実の解釈**：その諸事実を組み合わせ，その時代における意味を考
　　　える（解釈する）ことによって，歴史の部分像を描く．

　……作業②・③を繰り返す……

　作業④歴史像の提示：歴史の部分像をつなげ，最初の問いに答えるような，より全体的な歴史像を描き，オリジナルな成果として論文・書籍などの形で発信する.

　この作業①〜④を具体的にイメージできるように，鉄砲伝来を例とした作業モデルも作成してみた[2].　以下に挙げるので参考にしてほしい.

　作業①：「鉄砲伝来は日本国内にどのような影響を及ぼしたのか」という問いを立てる.　→**作業②**：関連史料にもとづき，ⓐ「1570年，堺が織田信長の直轄地となった」，ⓑ「1573年，堺の豪商千利休が信長に鉄砲の玉千個を贈った」などの事実を一つ一つ認定する.　→**作業③**：特定した事実同士の関係を考え「信長は鉄砲や火薬を扱う堺の商人を支配下に置き，軍備を充実させた」と解釈する（＝歴史の部分像を描く）.　→**作業④**：作業②・③を繰り返すことで得られた歴史の部分像を組み合わせ，「鉄砲伝来は，織田信長の軍備を近代化させ，日本統一事業の推進力の一つとなった.それは日本の，ひいては東アジアの"軍事革命"[3]の端緒となった」という歴史像を構築・提示する.

　作業①〜④と並行して，さらにもう一つ，必ず行うべき重要な作業がある.それは**先行研究（従来の研究）の調査・確認**である.　学問の世界では，既知の上に未知を開拓することが求められる.　このため，すでに何が明らかにされていて，自分の研究はそれとどのように違うのかが，明確にわかる形で成果を発信しなくてはならない.　これは歴史学にかぎらず，すべての学問に共通するルールである.

　なお「先行研究がまったくないテーマ」というものは，実のところそう滅多にあるものではない.　このため多くの研究は，100％新しい歴史像を生み出すというよりは，先行研究が示した歴史像にある程度依拠しつつ，部分的な反論・修正・補足を行う（＝新たな知見を加える）ものとなっている.　そしてそれでも歴史学では十分にオリジナルな研究成果だと見なされるのである.

過去の事実と史料批判

　さて歴史学の営みのなかで史料（過去の痕跡）と最も関わりが深いのは，作業

②である．この作業では，「いつ・どこで・ヒトやモノが・どうであったのか」という過去の事実を，できるだけ「正しく」認識(特定・確認)しなくてはならない．「正しく」と言っても，過去を直接見ることはできないので，「なるべく多くの人が納得できるように」かつ「誰にでも検証できる形で」という意味である．そしてその「正しさ」を支えるのが史料なのである．

とはいえ史料があればそれでよし，というわけではもちろんない．そもそも，それは本物の史料なのだろうか(偽物ではないのだろうか)．仮に本物だとしてもオリジナルな姿のままなのだろうか(欠損したり改竄されたりしていないだろうか)．あるいは文字で書かれた史料の場合，書き手の誤解，嘘や誇張・妄想が含まれているかもしれない．いつ・どこで・誰が書いたのか，直接の情報か間接の情報か，どのような状況下でいかなる思想や信仰にもとづいて書かれたのかといった点によっても，記述の性格は変わってくる．

そこでこうした疑問や疑惑をできるかぎり払拭し，事実を「正しく」認識するためには，史料を鵜呑みにせず，一つ一つその価値を吟味し，信憑性・有効性を見極める**史料批判**という作業が不可欠となってくる．さらにこの史料批判を的確に行うためには，時代状況・史料上の言語・書体・度量衡・暦法・地理などについての知識も身につけなくてはならない．大学で専門的に歴史を学ぶ場合には，通常まずこの知識(特に語学力！)の習得にかなりの時間と労力を割くことになる．

ところで，ある過去の事実について史料がまったく残っていなかったら，その事実は認識できるのだろうか．——できないのである．このような場合，その事実が過去に確かに存在したとしても，現在，私たちはその事実を認識できない．歴史学では，こうした事実は研究の対象にはならない．

つまり歴史学の対象となりうるのは，過去の事実のすべてではなく，認識可能な(誰もが納得できる形でその事実を認識しうるに足る史料が存在する)事実に限定されるということになる．そしてその存在を前提とした上で，実際に認識された事実が，作業③＝事実の解釈の対象となるのである(要するに「すべての事実＞認識可能な事実＞認識された事実」となる)．

1.2 歴史像と史料

歴史像の在り方

　歴史学の営み(作業①〜④)は，多くの研究者によって日々繰り返されている．そこでは様々な事実が認識され，それにもとづく解釈がなされ，多様な歴史像が描き出される(あるいは既存の歴史像に修正や補足がなされる)．たとえ同じ問いからスタートしても，同じ歴史像が生み出されることはなく，同じ史料でも視角が変われば，往々にして違う事実が認識・解釈される．

　——こう書くと「歴史像がしょっちゅう変わったり，矛盾する歴史像(や事実認識・解釈)が存在したりするのは問題なのではないか」と感じるかもしれない．しかし，ある歴史像が変化したり，一致しない歴史像が同時に複数存在することは，歴史学では必ずしも問題とはならない．

　そもそも学問ルール上，誰かが提示したものとまったく同じ，「二番煎じ」の歴史像を描いてはいけないのであるし，新たな／異なる歴史像といっても，通常は図2-1の①のようにバラバラな状態ではなく，②のような形で出現ないしは存在するので，がらっと変わったり，極端に矛盾したりすることはあまりない．そして②に示したように多くの像が重なり合うところが定説となり，さらに絞り込まれて教科書に記載されるのである．

　もちろん，定説も一度定まったらそれで「完了」というわけではなく，歴史像(や事実認識・解釈)の更新に連動して変化する．たとえば鉄砲が日本に伝来した年については，日本側史料(南浦文之『鉄炮記』)を根拠に長らく1543年とする説が普及していた．しかし一方で，ポルトガル人の初来日を1542年とするヨーロッパ側史料(A.ガルヴァン『新旧発見記』など)にもとづき1542年説を唱える研究は早くからあり，既存の史料の新たな解釈や関連史料の発見によって，これを再評価する説も現れた[村井 1997]．とはいえ，さらなる異論もあり[中島 2009]，今なお決着をみていない．

　先に挙げた高校の日本史教科書の記述では，鉄砲が初めて日本に伝来したのは1543年であるとしつつ，注で「1542年とする説もある」と記している．この注が掲載されるようになったのは2006年だが，それは近年の研究状況の変化を反映しているのである．

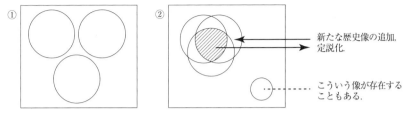

図2-1　歴史像（または事実認識・解釈）の在り方のイメージ図

歴史学と「現在（いま）」

さらに昭和の時代が終わる頃の教科書の，これまた鉄砲伝来に関する記述を
見てみよう．

> 1543（天文12）年，ポルトガル人の乗った船が，九州南方の種子島に漂着し
> た．この時日本にはじめて鉄砲が伝えられた❶．
>
> ❶島主の種子島時堯はポルトガル人から鉄砲を買いうけ，家臣にその使用法と製
> 法を学ばせた．

（『詳説日本史』山川出版社，1987年）

これを読めば普通は「ポルトガルを出航した西洋の帆船が種子島に漂着し
た」と思ってしまうだろう．しかし現在の教科書は「ポルトガル人を乗せた中
国人倭寇の船が漂着した」と記しており，大分歴史像が変わってしまう．この
記載内容は，百年以上前から研究に用いられてきた二つの主史料（『鉄炮記』・
『新旧発見記』）の記事から総合的に導かれたものだが，同じ史料にもとづいてい
るにもかかわらず，なぜかつての教科書ではポルトガル人は「中国人倭寇の船
に乗って来なかった」のだろうか．

1980年代頃，戦後体制の崩壊・冷戦構造の変容・グローバル化の進展とい
った世界情勢の変化を背景に，日本ではそれまで主流だった「国家の枠組みを
前提とした歴史研究」の限界が強く意識されるようになった．そしてこの限界
と向き合うなかで，1990年前後に，国境をまたぐ「東アジア海域」全体の歴
史像をとらえようとする研究視角が生まれ，以後この視角からの研究が盛んに
なった［桃木編 2008；羽田編 2013］．

東アジア海域史研究では，倭寇を単なる「海の荒くれ者」と見なすのではな
く，国境をまたぐ地域間の交流・商業を担っていたという側面に目を向け，ポ

ルトガル人の来日もこうした倭寇の活動と連動してとらえるようになった(ちなみにかのザビエルも中国人倭寇の船で来日している).つまり新たな視角による歴史像の再解釈のなかで,今まで注目されていなかった事実(＝ポルトガル人は中国人倭寇の船に乗ってきた)の重要性がクローズアップされたのである.

　言うまでもないことだが,歴史学の営みが行われるのは現在である.現在を生きる人間が,その時代の価値観や情勢を背景に,ある問題について関心を持ち,そこから過去に対する問いを立てるのである.その意味では,歴史学は現在がなければ存在しない,現在と不可分の学問なのだ.そしてある時点での現在は直ちに過去になってしまうので,そうするとその時点での現在から,過去はまた問い直されることになる.歴史学とは,その絶え間ない繰り返し——イギリスの著名な歴史家カー(1892–1982)[4]の言を借りるならば「現在と過去との間の尽きることを知らぬ対話」——の総和なのである[カー 1962/2022].

2　歴史学の「歴史」と史料

2.1　前近代の歴史叙述

歴史叙述のはじまり1：オリエントとイスラエル

　ここまで歴史学とは何をする学問なのかについて述べてきた.ではこうした歴史学は,いつ,どのようにして生まれたのであろうか.

　現在,私たちが大学で学ぶ歴史学は,19世紀にヨーロッパで確立した近代歴史学に連なる学問である.ではそれ以前に歴史学はなかったのだろうか.近代歴史学という意味で言えば,それは当然「なかった」ということになる.しかし過去の事実を記述し,国・地域・民族あるいは出来事の歴史像を叙述すること自体は,古くから様々な時代・地域で行われ,それを当時の人々が「歴史学」と呼ぶこともあった.そうした前近代の歴史叙述のうち,ここでは最も早期の叙述の特徴をいくつか概観してみたい[5].

　まず文字の使用が最も早く始まった古代オリエントの例を見よう.オリエントでは,文字は最初,宮廷・神殿における税や給与などの財務収支リストの作成に主に用いられた.つまり文字は「覚えておきづらいが後で参照したい」知識や情報を記録するために使われ始めたのである.やがて王による強力な専制政治が展開するなかで,支配者層を中心に行財政に関わる各種の日誌や,王一

代の功績を喧伝する年代記風の碑文類が作成されるようになり，前7〜前6世紀頃には，こうした記録を用いて一地域や一国の歴史叙述が，王の治世年を追う形で編纂されるようになった（その嚆矢となったのは「バビロニア年代記」と総称される文書群である）．いわば支配者による／支配者のための「修史」の慣行が成立したのである．

　これと重なる時期，オリエントの一角においてイスラエル人（ヘブライ人／ユダヤ人）が，特色ある歴史叙述（旧約聖書）を成立させた．それは亡国・捕囚という民族の苦難を整合的に説明する必要性から歴史（過去の事実）を解釈し直したもので，「神に選ばれ契約を結んだものの，正しい信仰の道を歩まなかった（＝契約に違反した）ために神の懲罰を招いた．しかし正しい道に戻るなら神の救いが約束される」という語り口で綴られている．オリエントの「支配者層の歴史叙述」とは異なる，民族のアイデンティティの拠り所としての歴史叙述[6]である．

歴史叙述のはじまり２：ギリシアと中国

　他方，古代ギリシアでは，前5世紀にヘロドトスとトゥキュディデスが，それぞれペルシア戦争とペロポネソス戦争の経緯を『ヒストリアイ（「調査・探求」を意味するギリシア語の複数形）』という同名の書物にまとめた．どちらも自身の見聞，特に自ら接した人々への聞き取りを主なソースとして，個人的・自発的に記述された同時代史かつテーマ史である．無数のポリスが分立し，中央集権的な専制支配が出現しなかったギリシアでは，言語や宗教などの諸文化を色濃く共有しながらも，イスラエルのような「民族の歴史」は創出されず，オリエントのような「支配者の歴史」が編まれることもなかった．

　かくして個人が自らの関心にもとづいて調査・探求し歴史像を描くという，現在の歴史学に通ずる営みが出現したのである．やがて遅くとも前4世紀にはヒストリアイが「すでに起こったことを語る」学問と見なされるようになり，その先駆的存在であるヘロドトスをローマの文人キケロ（前106-前43）は「歴史の父」と呼んだ．ただし二つの『ヒストリアイ』には，「事実に限定せず（聞き取り調査で）聞いたままを記す」（ヘロドトス），「いずれ同様の事件が起こった際の教訓とするために記す」（トゥキュディデス）など，現在の歴史学とは異なる叙

述姿勢も確認できる［桜井 2006：桜井・本村 2010］．

　古代オリエントやギリシアと同じ頃，中国でも記録を掌る官僚——これを史／史官という——の手によって歴史が叙述され始めた．その先駆的存在である魯の国の年代記『春秋』（内容的には前 722～前 481 年の出来事をカバーする）は，同国出身の孔子が編集に関わったとする伝承があり，儒教の重要な経典である五経の一つとされている．この『春秋』を継承する形で，前 1 世紀頃，前漢の史官であった司馬遷が「天下」（中国）の通史『史記』（原名『太史公書』）をまとめたが，これも『春秋』の類書と見なされた．つまり古代中国における歴史叙述とは儒教的な道徳・教訓を示すものであり，より具体的には“天命を受けて「天下」を統べる君主を頂点とした秩序構造”の遵守と維持を要求するものだったのである．そのことは司馬遷が考案し，後に定型化した中国の歴史叙述スタイルである「紀伝体」からもうかがえる．そこでは，君主の事績を年代順に記した「本紀」を中心軸として，臣下から周辺民族までを扱う「列伝」が組み合わされている．やがて 7 世紀頃には経・史・子・集[7]の四部分類が成立し，歴史叙述は史書（＝史官の記録）に分類されるようになったが，儒教道徳的な要素はその後も残った．

2.2　近代歴史学の成立と展開

近代歴史学と史料

　このように前近代に編まれた歴史叙述では，支配者の正統性や神の摂理，あるいは道徳・教訓のために，過去の事実が「使用」される傾向が強かった．またそこにはしばしば「根拠」を伴わない記述も含まれていた．これに対して創造や空想，あるいは不正確な情報を排した「事実の厳密な記述」を最も重視したのが，19 世紀前半のヨーロッパ（主にドイツ）で成立した**近代歴史学**（**実証主義歴史学**）である．

　その代表的な推進者であり，「近代歴史学の父」と称されるランケ（1795-1886）[8]は，当時の人々が書き残した記録を，厳正な史料批判を加えた上で「根拠」として用いれば，作りごとではない過去の事実を示すことができると考えた［ランケ 1948］．今では当たり前のことのように思えるかもしれないが，それ以前の歴史叙述の在り方を振り返ると，これがいかに画期的な考えだったかが

わかるだろう［大戸 2012］. そしてランケは外交や政治に従事した当事者たちの報告や手記を活用して, 『プロイセン史』をはじめとした各国の近代史を執筆していった.

教育面では, ベルリン大学教授として 1833 年に史上初の歴史学のゼミナール(演習)[9]を開設し, 19 世紀後半にはランケ流の歴史学が, そのゼミナール方式とともに弟子たちを通じて国内外の大学に広がっていった. また 1859 年にはその弟子がベルリンで専門的学術雑誌『ヒストリッシェ・ツァイトシュリフト(史学雑誌)』を創刊し, やがて英・仏・伊・米などでも同様の雑誌が次々と創刊された. 近代歴史学は, 高等教育機関における学習・研究の場と, その成果を討議する学術空間を得て, 一学問分野として専門化・制度化されたのである.

折しもヨーロッパは国民国家の形成・発展期にあり, 各国家において自国のアイデンティティとなり得る, かつ国民の一体化に寄与するような歴史が必要とされていた. またその歴史は, 19 世紀における実証主義的な科学観の展開とも相まって, なるべく多くの人にとって納得のいく, 「客観的」で「揺るがない」ものであることが望まれた. こうした気運と需要のなかで成立した近代歴史学は, それゆえに「国民国家の歴史学」としての性格を強く帯びていた. そこでは国家・国民を中心とした歴史(一国史)——とりわけ政治史や外交史——がひたすらに追究され, 国家に関わる文書(公文書)のみがもっぱら「史料」と見なされたのである.

近代歴史学と日本

近代歴史学は日本にも移植された. 1887 年にランケの弟子 L・リース(1861-1928)が来日し, 明治政府のお雇い外国人として東京帝国大学の史学科(同年 9 月創設)の教師となったことが, その大きな契機となった［関 2014］. リースは 1902 年まで世界史——今で言う西洋史——や史学研究法を講義し, その尽力で 1889 年には『史学会雑誌』(現在の『史学雑誌』)も創刊された.

ただし日本の場合, ヨーロッパ中心の歴史学を「直輸入」しただけでは国民国家としての自らの歴史は描けない. そこでリースの建議もあり, 1889 年に帝国大学に新たに国史(日本史)学科が増設された. またリースが日本を去った

後，1910年には史学科が国史学・東洋史学・西洋史学の3専修学科体制となり，東洋史という枠組みも設定された．そこには，日本が日露戦争(1904-05年)の勝利により大陸進出の足がかりを得たという現実政治の展開が大いに関係していたのであるが，ともかくこうして「日東西」(日本史・東洋史・西洋史)という日本独特の歴史学3学科体制ができあがったのである[羽田 2011]．この3区分は，「日本史は東洋史の一部なのでは？」「アフリカの歴史はどこで学ぶのか？」など，突っ込みどころを数多く残しながらも，今なお(しばしば批判を受けつつ)維持されている．

近代歴史学の問い直し──社会史と言語論的転回

　さて国民国家の形成・発展と連動して成立した近代歴史学であったが，時代が変われば，人々の関心の方向性も，過去に対する問いもまた変化する．すると近代歴史学では対応できない，あるいはその射程を越えた視点や要素が多分に意識されるようになり，新たな研究のアプローチが模索されると同時に，国家の枠組みを前提とした政治史・外交史の優勢が問い直されることになった．

　その動きを代表するのが，20世紀前半のフランスで起こったアナール派を起源とする**社会史**の研究である．それは国家の政治や外交ではなく，その奥にある社会に着目して，人間の生活文化をより全体的にとらえようとする試みで，旧来の歴史学では対象とされなかったテーマ──庶民の日常生活，家族，性愛，ジェンダー，におい，病気，気候など──が次々と開拓された[10]．すると用いられる史料も多様化し，それまで顧みられることのなかった「国家に関わる文書」以外の文字史料，さらには絵画や道具など文字以外のモノまでもが歴史学の重要な素材と見なされるようになった．

　近代歴史学に対する問い直しの動きはまた，歴史学のなかの主観的要素(主体の影響)にも向けられた．過去の事実そのものは客観的な存在である．しかし歴史学の営みは，現在を生きる人間(＝研究する主体)が，過去に対して主体的に問いを立てることで成り立つ．ならば歴史学が対象とする過去の事実は，研究する主体が，その問いや視角，すなわち主観に応じて選択的に認識するものではないか──こうした批判の声が20世紀前半には広く聞かれるようになったのである[小田中 2004]．

さらに第二次世界大戦を経た 20 世紀後半，特に 1980 年代から 90 年代にかけて盛んになった「言語論的転回」「構造主義」「ポストモダニズム」などと呼ばれる議論において，「事実の認識など不可能である」とする究極の批判が現れた．それは言語学者ソシュール(1857-1913)[11]の理論を援用したもので，ごく簡単に言うと次のような主張である[12]．——人は，言語というある種の「枠組み」に従って物事をとらえている．例えば日本では虹は 7 色だが，これはあらかじめ日本語で虹が 7 色と区分されているためで，ありのままの現実をとらえているわけではない(だから別の国や地域では虹は 3 色だったり 5 色だったりする)．歴史学も，主に言語で記された史料を通じて，言語を用いて事実を認識するのだから，そこから得られるのは主体(史料の書き手や読み手)の言語によって規定された事実にすぎず，事実そのものではあり得ない．——

　これらの批判(特に後者)は，そのすべてが「正しい」と見なされているわけではない——そもそもランケは「作りごとではない事実」を示そうとしたのであって「事実そのものを示そう」としたのではない——し[13]，また全体として議論が「客観(客体)か主観(主体)か」という二元対立論に陥ってしまっている感もある[大戸 2012；樺山 1998]．

　とはいえ確かに，近代歴史学は研究する主体および史料を書き残した主体の存在や役割に無自覚なところがあったし，「史料に書いてあるから事実だ」と短絡的に断じてしまうことも多かった(はじめに書いた通り，史料が伝えてくれるのは過去の事実そのものではないのである)．批判はそうした点への自省を促し，過去の事実と史料との関係は，主体の存在を前提に，その位置づけも含めて，より多角的に把握することが目指されるようになった．つまり「客体か主体か」ではなく「客体も主体も」ととらえて，両者の関係性をより意識的に吟味しようとする方向性である[松原 2017]．その試行錯誤と模索のなかから，少しずつ新しい成果を蓄積している段階が「歴史学の現在」であると言えよう[14]．

3　狭義の史料と広義の史料

文字史料と歴史学

　文字のない時代を意味する「先史時代」という呼称や，「有史以来」「歴史時代」などの語からうかがえるように，歴史学が対象とする「過去」は，おおむ

ね，文字の出現から現在の寸前までということになっている．これは，近代歴史学が「当時の人々が書き残した記録」を通じて展開する学問としてスタートしたことによる．このため当初，**史料**(historical material)と言えば文字史料／文献史料のみを指していた(**狭義の史料**)．

　しかしヒトの歴史の全体像という点から見ると，文字史料のみに依拠した過去へのアプローチには自ずと限界がある．ヒトの歴史は文字の出現のはるか以前から存在していたし，文字の出現後もすべてのヒトがこれを用いていた／いるわけではない．また，文字を持たない社会でも歴史は語られてきた[15]．このように「歴史学ではフォローできない歴史」の探究に，大きな役割を果たしてきたのが**考古学**である．考古学は，ヒトによる文字以外の遺物・遺跡・遺構を主な素材として，文字の出現以前のみならず以後の「過去」も対象とする，広い意味での「歴史学」である(ちなみに恐竜の化石はヒトによる遺物ではないので，考古学の対象外である)[鈴木 1988]．さらにフィールド調査を重視する**民俗学**や**文化人類学**なども，歴史学と相互補完的な関係にある．

史料の多様化

　このように，隣接する諸学と素材や対象による「棲み分け」を行いつつ，歴史学は文字史料をその中心的素材として据え置いてきた．ただし，当初は史料(文字史料)と言えばもっぱら国家に関わる文書(公文書)を指したものが，今では新聞・雑誌，庶民の日記，無名の人々による「落書き」など，あらゆる文字記録が歴史学の史料として用いられるようになっている．

　さらに文字以外のヒトに関わる過去の痕跡(＝**非文字資料**)も，歴史学の素材として重視・活用されるようになった．非文字資料は，ごく大ざっぱにいって，①道具や建造物，景観や環境など「モノ」自体と，②地図や絵画(**図2-2**参照)，音声や映像などヒトの意図やメッセージを表すものに二分できる．

　この非文字資料と文字史料とを包括する概念としては，多くの場合，**資料**(source)の語が用いられるが，両者を合わせて**史資料**と呼ぶこともある．あるいは史料の本来の語義の通り，すべての過去の痕跡＝歴史学の素材を指して史料と呼ぶこともある(**広義の史料**)(**表2-1**)．ちなみに本章では一貫してこの立場から史料の語を用いている．

図2-2　琉球国王 尚 敬 (在位 1713–51) の肖像
画(御後絵)写真(沖縄県立芸術大学附属図書
館・芸術資料館所蔵, 鎌倉芳太郎撮影)
両側に控える臣下の数倍ほどに描かれた国王の
姿は, その権威を伝える「無言のメッセージ」
を強烈に発している.

表2-1　広義の史料

1. 自然・自然物
   　宇宙・地球・大気・海洋・地形・気候・
   　生物…
2. 何らかの人為が加わっているもの
   ①文字史料　―狭義の史料
   　　有形　記録・書簡・文書・日記・典籍・
   　　　　　碑文・帳簿…
   　　無形　音声資料(録音)・聞き取り・伝
   　　　　　承資料…
   ②非文字資料
   　　モノ　景観(都市・集落など)・建造物・
   　　　　　用具や機器(生産・生活・運搬・
   　　　　　移動・戦争などの用具や通信機
   　　　　　器)…
   　　表象　絵画・彫刻・写真・地図・図面・
   　　　　　映画・動画…

[福井 2006: 17]を参照して作成.

歴史学の細分化

　問いや史料の多様化は, 歴史学の領域内部における細分化を招いた. 日本における国史(日本史)・東洋史・西洋史の三分化はその早期の一例だが, 現在ではさらに細かく, アメリカ史・フランス史・中国古代史・日本中世史などのように地域や時代で区切るケースが一般的である.

　ほかにも扱う分野ごとに経済史・政治史・法制史・思想史・美術史などの区分が生まれ, それらは歴史学の一部をなすと同時に, 近接する他の学問の一部でもある. したがって多くの場合, 大学の歴史学系の学科だけではなく, 該当する諸学の学部や学科でも専門的に学ぶことが可能である(例：経済史→経済学部, 法制史→法学部). また古文書学・アーカイブズ学・文化資源学のように, 史料そのものを対象に独自の学問領域を築いている分野もある.

横断的・学際的研究の進展

　細分化が進む一方で, 一国史観への反省や加速するグローバル化の影響から, 地域(特に国家)・時代・分野の枠組みを超えた横断的な歴史学研究も試みられ

図2-3　左：海中から回収された碗の欠片（片桐千亜紀氏撮影・沖縄国際大学蔵）
　　右：同じ碗（円内）で食事をするアメリカの中国人　出典：[Pastron 1981]，
　　Fig. 9. 03
　　白地に青い紋様の碗（左）は，清末に主に広東で製造された陶磁器で，アメリ
カで鉄道建設などに従事した中国人移民（苦力）の代表的な食器であったことが
わかった．右は1890年代，カリフォルニアの農場において，この碗で食事を
する中国人労働者の写真である．
　　1870年のアメリカの中国からの輸入額は，茶が67％，米・米粉が3.6％で
あった[Schran 1986]．ベナレス号の積荷記録（茶・砂糖・米）はこうした貿易
状況をほぼ反映しているとみられるが（＝文字記録による歴史像），それだけで
はなく石材や下層労働者（苦力）の食器までも運んでいたのである（＝水中考古
学による歴史像）．いずれも急速に進んでいたサンフランシスコの都市開発や
西部開拓を支える「モノ」であったのだろう．

ている．グローバル・ヒストリー研究（第5章参照）や海域史研究は，その代表
的存在である．そうした研究では史料も横断的に用いる必要があり，複数の国
や地域の史料（つまり複数の言語の史料）を複眼的に扱う**マルチ・アーカイバル**（**マ
ルチ・リンガル**）・**アプローチ**が積極的に実践されている．

　また歴史学の枠組みに留まらず，民俗学・社会学・政治学・建築学といった
他の学問領域と協業・融合する形態での研究（**学際的研究**）も進展している．こ
うした動きのなかで，素材や対象による諸学の「棲み分け」はより緩やかなも
のとなり，史料についても柔軟な利用がなされるようになってきた．

　とはいえ，融合すれば万事解決というわけでは決してない．たとえば私も参
加した歴史学と水中考古学の共同研究では，1872年に沖縄で沈没したイギリ
ス船ベナレス号（香港からサンフランシスコへ向かう途中だった）に関して，水中考
古学的に明らかにされた積載物——バラスト（船体の重しを兼ねた荷）とおぼしき
中国産花崗岩（板状の石材）廉価品とみられる中国製陶磁器（**図2-3**）など——と，
歴史学的に解明された文字記録上の積載物（茶・砂糖・米）はまったく一致しな
かった[南西諸島水中文化遺産研究会編 2014]．後者が海中に残存しにくいものだ

ったこともあるが，文字記録を用いれば遺物の詳しい情報が得られるはずだ，という当初のもくろみは見事に外れ，少なくとも積載物に関しては水中考古学・歴史学それぞれが相当異なる二つの歴史像を描いてしまったのである[16]．ただしこれらの歴史像は，歴史学だけではとらえきれない，想定より大きな歴史像のA地点とB地点であると考えると，それ自体が新たな発見であり，大きな成果である．一筋縄ではいかない学際的研究ではあるが，歴史学の「境界」開拓のためにも，引き続き大いに取り組まれていくべきであろう．

＊　　　＊　　　＊

　繰り返しになるが，史料は私たちが過去の事実にアクセスするための唯一の「回路」である．しかしどんな史料からも過去の事実そのものを見る／知ることはできない．史料が伝えてくれるのは極めて限定的で不完全な「過去」である．その制約とはがゆさに，私などはしばしば昔の人に本気で電話がしたくなるほどだ．それでも史料という小窓から，間接的／部分的に過去の事実を見出し，その意味を考え，思考力や推測力を駆使して歴史像を描く作業(＝歴史学の営み)は，その労苦に見合うだけの，知的刺激に満ちた過程である．

　読者のみなさんのなかには，すでに様々な歴史像があるだろう．それらはこれまで主に「こういう歴史があったんだ」という知識として，受け止め，蓄積されてきたものかもしれない．しかしこれからはぜひ，そうした歴史像が，どのような史料にもとづき，いかなる思考の過程を経て描き出されたのか——そこに目を向けてほしい．そしてできれば一つでよいので，その歴史像の「根拠」となった史料も見てみてほしい(幸いインターネットの発達・普及で，それはかなり容易になった)．それを繰り返すことで，"歴史学的にみる・考える"力は，養われ，鍛えられていくのである．

●注
1)　本章では全体にわたって[アーノルド 2003；福井 2006；遅塚 2010]を大いに参照している．
2)　作成にあたっては[岸本 1998]を参考にした．
3)　16世紀後半〜17世紀前半に世界各地で起こった軍事技術の刷新(小銃・弓矢の普

及や各種火器の導入，戦略の複雑化など)を指す.

4)　エドワード・ハレット・カー(Edward Hallett Carr)：イギリスの歴史家，国際政治学者，外交官. その代表的な著作『歴史とは何か』(原著 1961 年)は，歴史学の最も基本的なテキストの一つとして現在でも広く読まれている.

5)　以下，オリエント・イスラエル・ギリシアに関しては[蔀 2004]に，中国に関しては[竹内 2002]に全面的に依拠している.

6)　第 12 章で言うところの「私たちの歴史」である.

7)　「経」は儒教の経典，「子」は諸子百家の書，「集」は詩など文学を指す.

8)　レオポルト・フォン・ランケ(Leopold von Ranke)：1825-71 年にベルリン大学で教鞭をとった，ドイツの歴史家. 徹底した史料批判にもとづく実証主義的な近代歴史学を確立し，歴史学教育の礎を築いた.

9)　大学などで，教員の指導下で少数の学生が発表・討論を行い，主体的に自らの専門的な研究を進める授業，またその教授方式.

10)　第 8 章および第 9 章も参照のこと.

11)　フェルディナン・ド・ソシュール(Ferdinand de Saussure)：スイスの言語学者. ジュネーブ大学教授. 死後に出版された『一般言語学講義』で展開された言語学理論は，諸科学における構造主義の源泉となった.

12)　その詳細については第 10・11 章を参照のこと.

13)　ランケは「ただ事実は本来どうであったか語ろう／示そう」という有名な言葉を残しているが，これは事実を教訓や道徳として「使用する」ことに対する批判の文脈で書かれたものである[佐藤真一 2009].

14)　新しい成果については[長谷川 2016；松原 2017]などを参照のこと.

15)　文化人類学者の川田順造は，文字を持たない西アフリカのある部族が太鼓を叩いて王の系譜を伝承することを明らかにした[川田 2001].

16)　同様の現象は，歴史民俗学(歴史学＋民俗学)による別の研究事例でも確認されている[福田 2006].

●参考文献

アーノルド，ジョン・H(新広記訳，福井憲彦解説)『1 冊でわかる　歴史』岩波書店，2003 年(原著 2000 年).

大黒俊二「史料の読みはどう変わったか――「真なるもの＝作られたもの」と「起源の偶像」を手がかりに」歴史学研究会編『第 4 次 現代歴史学の成果と課題 3 歴史実践の現在』績文堂出版，2017 年.

大戸千之『歴史と事実――ポストモダンの歴史学批判をこえて』京都大学学術出版会，2012 年.

小田中直樹『歴史学ってなんだ？』PHP 新書，2004 年.

カー，E・H(清水幾太郎訳)『歴史とは何か』岩波新書，1962 年／(近藤和彦訳)『歴史とは何か 新版』岩波書店，2022 年(原著 1961 年).

樺山紘一「歴史の知とアイデンティティ」樺山紘一ほか編『岩波講座 世界歴史 1

世界史へのアプローチ』岩波書店，1998 年.

川田順造『無文字社会の歴史——西アフリカ・モシ族の事例を中心に』岩波現代文庫，
　2001 年（初出 1976 年）.

岸本美緒『東アジアの「近世」』（世界史リブレット），山川出版社，1998 年.

岸本美緒「近代東アジアの歴史叙述における「正史」」『史苑』77-1，2016 年.

神山四郎『歴史入門』講談社現代新書，1965 年.

桜井万里子『ヘロドトスとトゥキュディデス——歴史学の始まり』山川出版社，2006
　年.

桜井万里子・本村凌二『世界の歴史 5　ギリシアとローマ』中公文庫，2010 年（初出
　1997 年）.

佐藤真一『ヨーロッパ史学史——探究の軌跡』知泉書館，2009 年.

佐藤卓己『ヒューマニティーズ　歴史学』岩波書店，2009 年.

蔀勇造『歴史意識の芽生えと歴史記述の始まり』（世界史リブレット），山川出版社，
　2004 年.

鈴木公雄『考古学入門』東京大学出版会，1988 年.

関幸彦『「国史」の誕生——ミカドの国の歴史学』講談社学術文庫，2014 年（初出
　1994 年）.

竹内康浩『「正史」はいかに書かれてきたか——中国の歴史書を読み解く』（あじあブ
　ックス），大修館書店，2002 年.

遅塚忠躬『史学概論』東京大学出版会，2010 年.

中島楽章「ポルトガル人日本初来航再論」『史淵』146，2009 年.

南西諸島水中文化遺産研究会編，片桐千亜紀・宮城弘樹・渡辺美季著『沖縄の水中文
　化遺産——青い海に沈んだ歴史のカケラ』ボーダーインク，2014 年.

西嶋定生「中国における歴史意識」『岩波講座　世界歴史 30　現代歴史学の課題』岩
　波書店，1971 年.

長谷川貴彦『現代歴史学への展望——言語論的転回を超えて』岩波書店，2016 年.

羽田正『新しい世界史へ——地球市民のための構想』岩波新書，2011 年.

羽田正編『東アジア海域に漕ぎだす 1　海から見た歴史』東京大学出版会，2013 年.

ハント，リン（長谷川貴彦訳）『なぜ歴史を学ぶのか』岩波書店，2019 年（原著 2018
　年）.

福井憲彦『歴史学入門』岩波書店，2006 年.

福田アジオ『歴史探索の手法——岩船地蔵を追って』ちくま新書，2006 年.

松原宏之「カルチュラル・ターン後の歴史学と叙述」歴史学研究会編『第 4 次　現代
　歴史学の成果と課題 1　新自由主義時代の歴史学』績文堂出版，2017 年.

村井章介「鉄砲伝来再考」『東方学会創立 50 周年記念東方学論集』東方学会，1997
　年.

望田幸男・芝井敬司・末川清『新版　新しい史学概論』昭和堂，2002 年.

桃木至朗編『海域アジア史研究入門』岩波書店，2008 年.

ランケ（山中謙二訳）『ローマ的・ゲルマン的諸民族史』（ランケ選集［第 2］・上），千

代田書房，1948 年（原著 1824 年）．

Pastron, Allen G., Gross, Robert, and Garaventa, Donna, "Ceramics from China-town's Tables: An Historical Archaeological Approach to Ethnicity," in Pastron, Allen G. (ed.), *Behind the Seawall: Historical Archaeology along the San Francisco Waterfront*, Vol. 2, San Francisco: San Francisco Clean Water Program, 1981.

Schran, Peter, "The Minor Significance of Commercial Relations between the United States and China, 1850–1931," in May, Ernest R., and Fairbank, John K. (ed.), *America's China Trade in Historical Perspective: The Chinese and American Performance*, Cambridge: Harvard University Press, 1986.

▶▶▶ より深く知るために

・E・H・カー（清水幾太郎訳）『歴史とは何か』岩波新書，1962 年／（近藤和彦訳）『歴史とは何か 新版』岩波書店，2022 年（原著 1961 年）．

　　歴史学の最も基本的なテキストの一つ．「現在」（原著が刊行された 20 世紀半ば）の主体にとっての「歴史とは何か」を論じる．その 21 世紀版と評される『なぜ歴史を学ぶのか』[ハント 2019]とあわせて読むことを勧めたい．

・東京大学教養学部歴史学部会編『史料学入門』岩波テキストブックス，2006 年．

　　かつて東大教養学部で開講されていた「史料論」という科目のために，歴史学部会の教員を中心に編まれたテキスト．多種多様な史料の「読み解き」を紹介しながら様々な歴史像に "熱く" 迫っていく．

・福田アジオ『歴史探索の手法──岩船地蔵を追って』ちくま新書，2006 年．

　　18 世紀前半に関東で突然大流行し，今も各地に残る岩船地蔵の歴史像を，民俗学と歴史学──フィールドワークと文字資料──という二つの手法を用いて組み立てる過程が披露される．

第3章 時間をどう把握するのか
——暦と歴史叙述

田 中　創

　歴史を勉強するときに，数字の語呂合わせなどを使って，ひたすら年号を覚えたという苦々しい経験はないだろうか．そのせいで歴史が嫌いになったという人もいるかもしれない．それくらい，歴史の勉強と時間の把握は密接なつながりをもっている．しかし，そもそもなぜ年号を覚える必要があるのだろうか．あまり問われることのない疑問であるが，この点は少し踏み込んで考えてみる価値があるかもしれない．なぜなら，それは同時に時間のとらえ方と歴史の叙述方法について，見つめ直す機会を与えてくれるからである．私たちは年号を参照するという過程を経ることでどのような思考的枠組みに囚われることになるのだろうか．本章では，歴史研究にあたって避けて通ることのできない「暦」を一つの切り口として，時間と人間の生活との関連性，そして，時間理解と歴史叙述との関係性，この二点を考えてみたい．

1　暮らしを取り巻く時間

1.1　暦の多様性

暦とは何か

　そもそも暦とは何だろうか．試みに『日本国語大辞典』(第2版，2001年，小学館)の「暦」の項目を引いてみると，以下のような説明が出てくる．

> 時の流れを，一日を単位として年・月・週などによって区切り，数えるようにした体系．また，それを記載したもの．昼夜の交替による日の観念から出発し，月・太陽の運行と季節感との関係などに注目して発達した．太陰暦・太陰太陽暦・太陽暦などに分けられる．現在用いられているのはグレゴリオ暦．なお，現在日常用いられる暦表には，月ごとに曜日と対照させたものや，日めくりの類がある．

——難しい．しかし簡単にまとめれば，①時間の区切り・数え方の体系，②それを記載したもの，この二つを指すと説明している．しかし，暦によって表さ

れるものは本当にその二つだけだろうか.

太陽暦と太陰暦

　暦にとってまず一つの重要な観念は，時の流れを何がしかのものを単位として区切り，数えられるようにすることである．例えば，無人島に無一物で流れついて，救助を待つときのことを考えてみよう．自分が島に来てから経過した時間を調べるのに，どのような手段があるだろうか．一つには昼と夜の移り変わりを考える，「日」という概念が手軽なものとして思いつくだろう.

　しかし，救助がなかなか来なくて，日数が多くなってきたときにはどうだろう．そのようなときにもう一つの助けになりそうなのが，お月様だ．三日月や満月などその相貌を変える周期から，日数の概算ができそうである．この月相の周期が「月」の発想の根源にある．ただし，月の周期を日で換算すると，29.53 … 日と整数にならないし，実はこれは平均値でしかなく，周期自体が一定していない．だから，「日」と「月」の単位を両方用いようとする場合には，ひと月を 29 日にしたり 30 日にしたりすることでずれを最小限にすることが多い．29 日の月を「小の月」，30 日の月を「大の月」という具合である.

　それでも救助が来なかったらどうだろう．昼夜の気温も植物の様相も変わってくる．夜空に見える星座も様変わりする．しかし，長く持ちこたえれば，いずれ気候も星の見え方も元に戻る．このような季節や星空の見え方の周期，より正確に言えば，地球が太陽のまわりを一周する周期がある．これを通常は「年」と呼ぶ．なお，この周期も厳密には 365.242 … 日と整数にならないので，もし「日」と「年」を両立させたいなら，様々な工夫が必要になる．現在の私たちのように，1 年が 366 日の閏年を 4 年に一度入れたり，100 年に一度は閏年を入れないようにしたり，400 年目には入れたりするのはその例である.

　さて，太陰暦や太陽暦，太陰太陽暦といった暦は，上で述べた「日」「月」「年」の三つのうち，計りやすい「日」を使うのは共通しており，それより長い単位を表すときにどれをどのように使うかに，それぞれの暦の違いが現れてくる．少し乱暴に言えば，太陰暦は月のサイクルを重視し，季節の周期を考慮しない．「年」の概念がないわけではないけれども，その「年」は季節や星空とは直接的には関係がなく，通例は機械的に 12 カ月を 1 年にするため，季節

とのずれが往々にして生じる．他方で，太陽暦はこれまた少し乱暴に言えば，
1年を365日にして，季節感と暦が合うことを重視する．この場合，月の満ち
欠けは暦の上に反映されないことになる．

　そのため，極端な太陰暦だと，季節感と暦がずれることがある．有名な例は，
イスラーム圏で採用されている**ヒジュラ暦**である．この暦だと1年が354日と
なる．したがって，長期的な断食を行うラマダーン月の期間を毎年ニュース報
道などで追っていれば，日本の暦で7月に行われていたラマダーンが，数年後
には6月に行われるようになっていたということも起こるわけである．

太陰太陽暦

　月の満ち欠けは見た目に分かりやすく，漁撈や航海，遊牧などの活動にも便
利なため，大抵の地域では時間を区切る単位として「月」を月相と合わせてい
く太陰暦を用いてきた．しかし，それでは季節感とのずれが生じてしまい，と
りわけ農耕にとっては都合が悪いため，1年ができるかぎり季節の移り変わり
と合うように調整された．これが太陰太陽暦である．

　四季の変化は肌で感じとれても，天体の運行周期を計算して，その数値を正
確に割り出すのは困難な作業である．しかし古代以来，人びとは自分たちの
の「月」の周期を天体運行と合わせるよう様々な便法を編み出した．例えば，
太陰暦だと1年が約354日になり，太陽暦の365日とは11日のずれが起こる
ため，2年に1回，22日の**閏月**を挟むことで調整するという方法がある．複雑
だが，より正確なものとしては，19年のうちに7回閏月を挟むという方式が
あり，これを古代ギリシアでは**メトン周期**と，中国では**章法**と呼んでいた．こ
のように言うと，東西で共通の原理があったと聞こえるかもしれない．しかし，
どの機会に閏月を挟むか，あるいはひと月を何日にするのかなど，暦の実際的
な運用は地域によって千差万別であり，単なる合理的計算だけでは済まなかっ
た．

　よく考えると，身近な私たちの暦にも自明でないことは多い．例えば，ひと
月には30日と31日の二種類があり，それらが不規則に並んでいる．2月だけ
は28日しかない．1週間が7日なのも必然的なことではない．ほかにも，年
始をどこに置くのか（ちなみに，SeptemberやOctoberは元来「第7月」「第8月」

という意味だが[1]，私たちの年始ではそれは「9月」や「10月」になってしまう），休日をどこに置くのか，いつを紀元とするのかなど，次々と不思議な点は浮かんでくる．

　そもそも，太陽暦，太陰暦，太陰太陽暦といった言葉は単に大まかな計測の基準を表しているだけであり，それ自体では，地域ごとの運用方法の違いを示すことはない．むしろ，先ほど挙げたような自明ではない事柄に暦のもう一つの重要な特質が隠されているように思われる．すなわち，暦には，いかなる集団としての記憶を築きたいかという地域ごとの歴史的選択や，各地域における人と文化の交流や慣習の歴史が込められているのだ．ローマ共和政期の暦を例に挙げれば，王の追放，首都ローマ建設など国家の成り立ちに関わる出来事が該当する日付の横に記載されているところは記憶の歴史的選択の事例と見なせる．その一方で，1週間が8日であることや，民会開催可能日などと日付を対応させていくところには多分に慣習的な要素が認められる（図3-1）．

　実際，一つの地域に暦が一つというわけでもなく，複数の暦を用途に応じて使い分けることもあるし，暦という言葉で年月日の計算のことを意味するときもあれば，記念日や紀年法を含意するときもある．そして，紀元となる年を基にして歴史的事件に「年号」を付して配列していく営みにも，それぞれの暦の考え方が強く表れ，著しい多様性が認められる．暦という語が単に時間を区切る体系だけでないことは，先に挙げたヒジュラ暦という名称を取り上げても，感じ取れるかもしれない．このヒジュラ暦という名称には単に太陰暦であるということだけでなく，「聖遷」と訳されるヒジュラ，すなわち預言者ムハンマドがメッカからメディナに移住した西暦622年7月16日を紀元とする歴史観も込められている．また，ラマダーンの月には断食を行うというように，生活規範を律する力もある．先行する一神教であるユダヤ教が太陰太陽暦を，キリスト教が太陽暦を用いていることも鑑みれば，イスラームが太陰暦を選択したことに戦略的な意味も読み取れよう．暦には，時間の区切り方とそれを記載したものという定義だけでは収まりきらない要素が含まれているのだ．

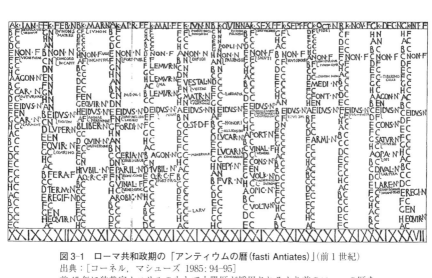

図 3-1　ローマ共和政期の「アンティウムの暦(fasti Antiates)」(前 1 世紀)
出典：[コーネル，マシューズ 1985：94-95]
前 45 年に独裁官カエサルのもとで太陽暦が採用されるより前のローマの暦を
示す貴重な史料．1 行目に，Ian, Feb, Mar など，現在の January, February,
March にあたる月名が示され，最下行には XXIX(＝29)，XXIIX(＝28)，
XXXI(＝31)などその月の日数が示されている．月を示す列が 13 列あること，
すなわち 1 年が 13 カ月あり，27 日分の「閏月」(一番右端の列)によって季節
感とのずれを調整していたことが分かる．また，各月の最左列にある A から
H(1 行目にも及んでいるので注意)は曜日を示し，1 週間が 8 日だったことが
分かるほか，民会の開催可能日であるかどうかの注記や，国家行事に関わる歴
史的な祭典も記載されており，古代ローマ人がどのような歴史・神話の記憶を
重視していたのかを知る手掛かりにもなる．

1.2　空間と時間の支配

人びとを支配する時間

　「正朔を奉ずる」という言葉があるが，これは「臣下となる」ということを
意味する慣用句である．「正朔」とは暦のことであるから，「正朔を奉ずる」を
現代風に直訳すれば「カレンダーを採用する」といったところだろう．この慣
用句は，被支配者が帰順を示すために支配者の暦を採用するという漢字文化圏
の慣行から生まれた．カレンダーと支配との結びつきは現代人にはいささか突
拍子もなく聞こえるかもしれない．しかし現実には，「臣下になる」ことを意
味するほどに，暦は支配原理と結びついていた．他にも月食や日食といった天
象を正確に予測することや，暦と天体運行を一致させること(例えば，新月と月
初が重なるようにする)は支配者の権威を示す上で極めて重要であった一方，予
測の間違いや目に見えてわかるずれの発生は，政治的な失点となりえた．

　暦の正確さを担保するためには，天体現象を把握したり，時の経過を測定し

たりする科学技術力が必要である．このため，天体観測や計時の道具を開発する高度な技術が求められ，それらは権威の表象とも密接に関わることになる．西洋世界におけるこのような象徴的な計時道具の在り方として，中世史家ル＝ゴフ(1924–2014)[2]は教会の時間を象徴する教会の鐘が，商人の時間を象徴する機械仕掛けの時計塔に代わっていったという14世紀の現象を挙げている．これは単に用いる計時道具が変わったことを意味するだけでなく，社会の有力者層と，社会を構成する支配的理念が変容しつつあったことを象徴している．

拡大する空間，せわしない日々

　長距離移動を伴う商業活動の発達に応じて，時計は労働力や物資輸送の管理のためにその必要性を増していった．このことは，時間にこれまでにない価値が与えられる契機も生みだした．効率的な金銭や資材の運用の中で，時間の経過に伴う利子という概念にも積極的な価値が見出されるようになり，それまで利殖行為に否定的だった教会の教義もそれを肯定的にとらえる形に変容する．

　長距離移動手段の発達はとりわけ，計時技術の精密化を要求する．広い空間を効率的に横断するためには，定時的な運行と，その運行計画に合わせた物資，燃料，輸送要員の準備が必要となる．航海技術の発達はもちろんのこと，とりわけ近代に鉄道が発達したことで，ヒトやモノの移動する空間は大きく広がり，これらをよりよく統御するために統一した時間がもうけられるようになる．現在私たちは「時差」や「**世界標準時**」という観念に慣れ親しんでいるが，これらもその必要から発明されたものである．現在ではイギリスのグリニッジ時が世界標準になっているものの，かつては標準時をめぐる英仏の攻防が存在したし，日本の中でも地域間の時差が存在した．現在の比較的統一された世界の時間秩序がグローバル化の所産であることは明らかだ．

　長距離移動を可能にする交通手段の出現とそれに伴う計時概念の浸透は，人びとの生活パターンや考え方にも変更を迫ることになる．例えば，「日本人は時間に正確である」などという言説が出回ることもあるが，江戸幕府が開国した直後に日本を見た西洋人たちの記録からは，むしろ時間にルーズな日本人の姿が現れる．時間を守らねばならないという概念が浸透するのは，鉄道を多くの人びとが利用するようになる社会環境や，定時の出勤を社員に厳しく求める

近代的な会社の存在があってのことであった．また，時間を守ることのできる手段が存在するからこそ生じる慣習もあった．年初に初詣を行うという慣習は日本に元々あったものではなく，正月三が日に利益を上げようとする鉄道会社が沿線の神社と提携したことで生まれ，定着していったことが指摘されている．

グローバル化と時間

　古代以来，時間を計測するための技術は刻々と進化を遂げている．地中海の海底から発見されたアンティキティラの機械からは，既に前2世紀頃のヘレニズム世界でも，複雑な歯車装置を使って年ごとの月の満ち欠けや惑星運動を予測できたと推察される．現在のコンピュータにもつながる計測装置の技術発展は，天体の運行を把握し，時間を生活に利用しようという人間の願望と表裏一体となったものである(図3-2)．そして，人間は時間を計る単位を天体のみに頼っていたわけではなく，砂時計や水時計に見られるように，一定の物体がある運動をするのにかかる時間を単位とすることもあった．近年では原子時計[3]のように，より精密な時間計測を可能にする技術が発明されてきている．なお，時間は物質の運動と関わる相対的なものなので，物体の位置や運動速度に応じて時間の経過も変わってしまう．将来，人類の活動域が地球の外に出て，超高速移動をするようになったら，そもそも日や月という単位の必要性も薄れ，全く新しい時間単位が生まれるかもしれない．

　このような技術の進化は，今でも時間の在り方に影響を与えている．閏秒を挟むというイベントが時々報道されることがある．私たちの日常感覚では必要性を感じない，秒を挟むという細かな調整が必要とされるのは，GPSの普及など人類の利用空間が宇宙にまで広がる一方で，コンピュータや携帯電話で私たちの生活ががんじがらめにされている現状があるからだ．私たちが「スローライフ」という言葉に郷愁的な響きを感じるのは，時間秩序に支配された現代生活に対抗するユートピアを求めていることにもよろう．

　計時と同様に，時間秩序の一環である年号の設定も，人びとの考え方，ひいては歴史観を支配している．現在，数々の技術が発達し，紛争が減少したことで，世界の距離感は縮まり，共通の年代表記もますます必要になっている．私たちが「西暦」として用いてきたA(nno)D(omini)「主(=キリスト)の年」や，

図 3-2 「世界最初のコンピュータ」アンティキティラの機械(想像復元図)
出典：[Freeth 2013], Fig. 3
環状に記された複数の盤面には，本文中で触れたメトン周期や，4 年に 1 回開かれるオリュンピア祭(現在のオリンピックの起源)を基準としたオリュンピア紀などを示す目盛りがある．現存するのは錆びた部品の断片のみのため，機械の用途などにはまだ不明な部分も多いが，前 2 世紀頃に作られた道具で，天体運行や暦の計測に使われたと推測されている．物体の運動，時計，暦，コンピュータなどは一見すると互いに無縁のもののように思われるが，これらは密接に関わり，人間生活を規定している．

B(efore)C(hrist)「キリスト以前」といった表記は，そのキリスト教的な色彩の強さから，近年の欧米では C(ommon)E(ra)や B(efore)C(ommon)E(ra)といった表記に改められ，その普遍性を高めつつある．しかし，その一方で，地域ごとの慣習・世界観と密接に関わっていた各地の暦はその存在意義が改めて問われつつある．日本において，天皇の交代期にしばしば元号のあり方の議論が再燃するのは，文書管理の事務のみならず，日本の歴史観にも関わる問題だからである．このような議論は世界の一体化と広がりの中で，今後ますます複雑になるだろう(第 5 章も参照)．

2 暦と歴史叙述

2.1 歴史叙述と時間の把握

ランケと批判的歴史学

　話を歴史学に戻そう．歴史上の様々な地域での暦の在り方を調べ，それを分析するのが，暦学と呼ばれる歴史学の一分野である．前節で見たように，暦を調べるということは，太陰太陽暦か，太陽暦かといった原則に始まり，紀元は

いつに置かれているか，月はどのような並びで何日から成るか，祝日はどこか，太陰暦から太陽暦への切り替えがあったならそれはいつかなど，多岐にわたる調査を必要とする．そして，暦について明確な説明を施してくれる史料は少なく，複数の暦が併記されている貴重な史料などを頼りにしながら，地道な情報の積み重ねと整序が必要となる．特に古代や中世などの古い時代では地域ごとの暦の運用の差が激しく，いまも解明されるべきところは多く残っている．

　様々な暦の原理を利用しても常に出来事の日付を確定できるとは限らない．同じ出来事の年代が複数の史料で食い違うこともしばしば起き，その**年代決定問題**について何本もの研究論文が書かれることもある．私たちが歴史教科書や年表で手軽に歴史的事件の発生年を知ることができるのは，このような基礎的な研究のおかげである．ただし，年表に記載されている年号は往々にして解釈の結果導き出された一つの説であり，絶対的なものではないことに注意せねばならない．これは古い時代の出来事であればあるほど顕著である．

　さて，冒頭で述べたように，歴史を学ぶにあたって，年号の問題は避けて通れないが，なぜ年を重視するかというと，複数の出来事の時間的**前後関係**が物事の**因果関係**を考察する上での重要な手掛かりとなるからである．しかし，このことは当たり前のようでいて，それほど当たり前のことではない．

　近代歴史学の祖ランケ(第2章参照)は『ローマ的・ゲルマン的諸民族史』(1824年)の序文で「それは実際にどうであったか」を調査することを強調し，出来事をありのままに記述すれば事実が歴史を語ってくれると主張した．現在そのままでは通用しないような素朴さがこの表現にはあるが，近代歴史学が確立する19世紀末頃には，このことを主張せねばならないような時代的背景があった．それは，道徳的・観念的な歴史論や，キリスト教の**摂理史観**が強かったことによる．

摂理史観と観念的歴史哲学——歴史に込められた目的

　歴史は道徳と結びつきやすい．人が過去になした善行と悪行を材料にして，それを自らの行動を正すための鑑とする発想は，洋の東西を問わず見られた．歴史は倫理の素材を提供する格好の鉱脈であり，君主の鑑，人生訓としての道徳的歴史には絶えず需要があった．人間の過去の行動を教訓とするのは歴史の

重要な役割であり，このこと自体はそれほど不自然なことではない．問題は，事象の分析を越えて，理念や理想が独り歩きするときである．

　その例として，世界史の展開の中から，世界を統御する意思や理性を読み取ろうという試みがあった．近代では特にヘーゲル（1770–1831）[4]の**観念的歴史哲学**が有名であるが，その背景には，人類が時間の経過とともに進歩していくという発展史観があった．また，キリスト教の著作家の中には古代から，歴史の中に神の摂理を読み取ろうとする知的潮流も見られた．その作業において，一つの重要な役割を果たしたのが，年代記と呼ばれる，古代末期から中世にかけて発達した歴史ジャンルである．

　年代記とは，私たちが持つ年表に近いもので，歴史的な出来事を年代順に並べることによって，世界で起きた出来事を通覧できるようにしたものである．年代記の試みは古くから存在したが，現在までその作品内容が伝わっているもので，後代にも大きな影響を及ぼしたものとして，以下では3世紀後半から4世紀初頭のローマ帝国で活躍したエウセビオスによる年代記を紹介したい．

歴史を並べる意味

　エウセビオスは，古代ギリシアの神話やユダヤ教の聖典に伝わる人間界の出来事や，古代の歴史家が記載している数々の事件，王の系譜などを年表のように並べていった．今でこそ，私たちは世界史という分野になじんでおり，世界中の歴史が並列されていることに違和感を持たないが，歴史書の多くは限られた地域の歴史を扱うのが一般的であり，様々な暦を共通の年代に換算してそれらを統合する試みは限られていた．そして，エウセビオスの年代記の特色は，ペルシア，マケドニア，ユダヤ，ローマといったように，発生した出来事を国別に，列を分けて並べたことである．現代の世界史年表でも中国の列と日本の列，ヨーロッパ各国の列というように，縦軸に時間を取るなら，横軸は地域で分けて，年表上で時間と空間が配置分けされるが，エウセビオスはそれと同じことをしたわけである．

　しかし，私たちの年表はそれを見たところで明確な物語はあまり現れてこない．これに対してエウセビオスがこのような編集を取ったことには意図があった．一つは，ギリシア人やローマ人たちの歴史よりも，ユダヤ人たちの歴史が

古いこと，とりわけ聖書の歴史的伝統がギリシア・ローマの知のそれよりも古いことを示す点にあった．ローマ世界では，ギリシア哲学，キリスト教神学など，様々な知の伝統が互いに競い合っていたが，その中で由来の古さを主張することは，自分たちの考えが借りものではないことを示す上で重要であった．

　それ以上に重要な目的は，王国の盛衰の過程を可視化し，キリスト教預言の正しさを示す証拠とすることであった．キリスト教徒の間では，黙示文学などを通じて，世界の終末とその際に現れる救世主という思想が発達した．現在でも聖書の中に含まれている『ダニエル書』などの預言書には，世界を支配する王国の移り変わりと世界終末の到来が寓意的に表現されている．エウセビオスの年代記は，単に王国別に歴史事象を並べるだけでなく，時代が経つにつれて王国が交代し，その支配域がローマ帝国という王国に吸収されていったことを視覚的に示す構造になっている．いわばキリスト教預言の図示化と言えよう．

　暦を把握し，人間の歴史的営みを並べるという行為には，歴史に内在する意思を明確にしようという目的があった．エウセビオスは古代における一つの特殊な例であるが，歴史の展開に究極的な原理を認めようとする考え方が宗教的解釈と結びつき，後者が優先されてしまうことは，時代を問わず見られた．ランケは，証明したいことを先行させるのではなく，史料を批判的に解釈することで歴史的事実をより客観的に抽出することを主張したのである．ランケ史学の方法論には批判もなされてはいるが，史料を批判し，史料に基づいて実証的に歴史を再構築する営みは，現在もなお歴史家にまず要求される資質である．

2.2 暦と歴史叙述の変化——歴史をどのように書くか

ローマの二つの紀年法

　暦はそれ自体に歴史観や世界観を伴うものであるために，ときに歴史叙述と深く関係する．ここでは，ローマ史の記述方法をもとにしながら，**紀年法**と歴史叙述の変化の関係性を見ていくことにしよう．

　共和政ローマでは，コンスルと呼ばれる政務官を毎年2名選出し，国家の最重要任務に充てていた．その任期が1年であることから，ローマでは「誰々と誰々がコンスルの年」という形で年を表記するのが慣例だった．同一人物がコンスルに重任するのは稀だったので，コンスルは特定の年の出来事と密接に関

連されて記憶されただろう．ローマではコンスル表と呼ばれる，歴代コンスル
一覧が作られ，それによって，年の前後関係が分かるようになっていた．

　毎年2名のコンスルの選出とそれによる年表記は帝政期に入っても続けられ
た．しかし，帝政期に入る頃には，コンスルの着任について，皇帝あるいはそ
の親族や腹心による独占傾向が見られるようになる．他方で，イタリアから離
れた東方属州では，従来のヘレニズム諸王国下での慣例に倣って「皇帝某の統
治第何年」という紀年法がコンスル年と並んで広く用いられた．またイタリア
を含めた西方でも，皇帝が毎年更新する護民官職権という権限について，その
更新回数が公式の文書でしばしば記録され，それが実質上の皇帝の統治年を示
すという慣例が広まっていった．帝政期を通じて二つの紀年法は並行して用い
られ，コンスル年が廃れるには紀元6世紀まで待たねばならなかった．それ以
後は，皇帝の統治年や，インディクティオと呼ばれる15年周期の収税サイク
ルが主として用いられるようになる．

ローマ史をどのように書くか

　このような紀年法の推移と並行して，ローマの歴史叙述にも二つの系譜が認
められる．一つは特に共和政の歴史を描く場合がその典型であるが，コンスル
年をもとに編年的に叙述する方式である．この叙述方式は，古くは神官団の記
録方式に由来し，共和政の歴史を描いたリウィウスや，帝政初期の歴史を書い
た元老院議員タキトゥスなどの歴史家によって採用された．

　しかし，その一方で帝政期になって発達し，編年的な叙述を圧倒するのが，
皇帝を軸にした歴史叙述である．歴代皇帝の顕著な事績や振る舞いを伝記的に
紹介し，それを連ねることでローマの歴史となる．この結果，ローマの歴史を
通覧する著作では，共和政期は編年的な叙述なのに対し，帝政期に入ると皇帝
治世ごとの叙述に切り替わるという傾向が見られるようになる．このような記
述方式は実は現在の私たちのローマ史記述にも影響を及ぼしている．皇帝が不
在になっただけで，元老院は健在であった476年以降の西ローマについて，あ
たかもローマ史がないかのような状態になってしまっているのはその一例であ
ろう．

　皇帝の伝記的な歴史叙述が採用されるようになったことに加えて，ヘレニズ

ム・ユダヤ教的な歴史叙述の影響が及ぶと，為政者の美徳や敬神が国の繁栄や対外的な勝利に関係するという叙述も入り込むようになってくる．この思想を発展させたキリスト教史では，皇帝の治世ごとに叙述するという時間把握の発想に加えて，皇帝のキリスト教への傾倒あるいは弾圧が帝国全体に生じる幸福や災厄と照応するという記述がなされるようになる．歴史を把握する時間的枠組みとそれに付随する思想が，叙述のあり方を大きく規定するのである．

注意を促したいのは，キリスト教史的な叙述と類似の束縛を，私たちも多かれ少なかれ受けているということである．人物と歴史を密接に関連させる考え方としては，一世一元の制を採用している近代日本で，明治時代の発展史が明治天皇という人物と結びつけて記憶されやすいことなどが挙げられる．また，「○○の 20 世紀」のように「世紀」という区切りがあたかも自明で客観的なものであるかのようになされるのも，よく考えると不思議なことなのである．

アナクロニズムと歴史の伝承

キリスト教史のような皇帝治世ごとの叙述方式になると，皇帝の敬虔さが帝国の勝利や安寧をもたらすという因果関係を優先させるあまり，物事の時間的前後関係がずらされるという事態も生じてくる．これと併せて見出されるのが，**アナクロニズム**（時代錯誤）の問題である．アナクロニズムとは，現在の考え方を過去に当てはめてしまうことを示す言葉である．この言葉は，歴史事実を無視して，現代的解釈を適用する姿勢を批判する形で用いられることが多い．

実際，歴史家自身の時代背景はその問題関心のみならず，史料の解釈にも影を投げかけることがある．すなわち，歴史家は自分の理解できる形で過去の出来事をしばしば解釈してしまうため，その歴史記述は過去の忠実な描写よりも，著作家の時代文脈に合わせた形になってしまうことがある．ただし，このような時代錯誤は，無意識になされてしまうものもあれば，意識的に行われるものもある．最後にそのような事例を一つ取り上げてみよう．

キリスト教を公認したことで有名なコンスタンティヌス帝（在位 306-337）は，治世初期にローマ市近郊で合戦を行った．相手方の圧倒的兵力に不安を覚えていた帝は，神からの啓示を得て，戦勝のためにその神のしるしを兵士たちの盾に描かせたという．これが，皇帝がキリスト教に「改宗」した経緯である．さ

らに，勝利を収めてローマ市に入った帝は，キリスト教への信仰を示すために
ローマ教皇から洗礼を受け，その見返りに膨大な寄進を行ったという．また，
コンスタンティヌス帝が三位一体の「正統」信仰を擁護し，異説を唱えたアリ
ウスを異端としたという説明も教科書で目にしたことがあるかもしれない．

　しかし，同時代に近い史料を見るかぎり，コンスタンティヌス帝が洗礼を受
けたのは死の直前であり，しかもその洗礼を授けたのは，いわゆるアリウス派
の聖職者たちだったと推測される．「正統」信仰の擁護者アタナシウスも皇帝
の治世晩年には追放措置にあっていた．

　このような情報の食い違いは，コンスタンティヌス帝の事績が伝えられる中
で後代の解釈が加わったために起こった．例えば洗礼は，死の直前など，罪か
らの清めを最も必要とするときに行うのが，帝の時代には普通だった．それに
対し，後世ではキリスト教を信じたら，すぐ洗礼を受けるのが普通だったので，
帝の洗礼の時期は前にずらされた．また，敬虔なキリスト教皇帝が異端の聖職
者たちと密接に交わり，洗礼まで授けられたというのは，「正統」とされたア
タナシウスの信仰を信奉していた後世の人びとには受け入れがたいものだった
から，ローマ教皇が洗礼を施したことに改変される．このように後の時代の慣
習や考え方が，史実を意図的に，あるいは無意識のうちに塗り替えてしまうこ
とは歴史では広く起きうることである．さらに，このアナクロニズムは，洗礼
を受けたことへの感謝として帝がローマ教皇に西方の実質的な支配権を譲った
というコンスタンティヌス帝の寄進伝説へと発展していき，中世教皇権を理念
的に支えるものとなっていく．ここまでくると，アナクロニズムは単なる間違
いを通り越して，一つの政治的言説として新たな生命を与えられたと言えよう
（図3-3）．

　これだけを述べると，史実とはかくも不確定なものかと思われるかもしれな
い．しかしここで強調しておきたいのは，歴史というのは常に引き継がれ，人
の手が加えられていくものであり，その伝承の過程には，加工を施した人びと
の考えや信念が間違いなく投影されているということである．このようなアナ
クロニズムは古代人や中世人ばかりではなく，現在の私たちもしばしば行って
おり，後世の人びとが史実と考えた物語が人びとを結束させて動かす原動力に
なることさえある．史実の発生年，史料の作成年，アナクロニズムへの理解を

図3-3 コンスタンティヌス帝の洗礼（ラファエロ作，1517年，ヴァティカン
　　美術館蔵）
出典：Wikipedia（The Baptism of Constantine）
長い冠をかぶった画面中央のローマ教皇が，ひざまずく半裸の皇帝に洗礼を授
けている．教皇をはじめ，周囲の人びとの服装には16世紀から見たアナクロ
ニズムが入っている．ローマ教皇によるコンスタンティヌス帝への洗礼とそれ
に伴う皇帝からの寄進は史実としてはフィクションであるが，ローマ教皇庁が
西方世界で影響力を行使する根拠として長らく利用され，現実の政治関係を再
定義するためにしばしば喚起された．したがって，このアナクロニズムは現在
と古代を重ね合わせるために意識的に行われたものであり，暦を超越した歴
史・世界理解が反映されている．なお，教皇の謁見の間に描かれたこの絵は，
今もヴァティカンに飾られている．

深めることは，人びとによって操作・加工・信奉されやすい歴史という素材に
対して真正面から向き合い，人間がいかなるものをその時々で信じるのかとい
う観察眼を深める立脚点になろう（第11章も参照のこと）．その際，暦を通じた
時間の前後関係の把握を丁寧に行い，因果関係を考える根拠とすることは，歴
史学において，基礎的にして極めて重要な一歩となっている．それは，単に史
実の細部をあげつらうという些末な用途に使うためではなく，人間という移ろ
いやすい生き物を理解するという崇高な目的に使うための知なのである．

＊　　　＊　　　＊

歴史は時間を扱う学問であり，年号が歴史的事実を判断する上での基礎とな
るのは間違いない．しかし，年号を覚えるのが目的となっては意味がないこと
は強調しておきたい．時間の前後関係からどのような事件の関係性が見えてく
るか，どのような暦の仕組みを読み解く必要があるか，史料を作成した人や史

料を用いた歴史家がどのような時代背景・時間感覚をもって記録・記述してい
るか，といった年号から見えてくる事柄が大切なのである．多様な暦の存在や
時間理解を知ることは，人間の社会生活と認識の多様性を理解し，自分の枠組
みを広げることにつながる．みなさんも身近な暦や時間単位を自明とはせず，
時々立ち止まって，それの成り立ちや意味するところを考えてみてはいかがだ
ろうか．

●注
1)　本来，ローマの暦では 3 月が年始で，英語で言うところの March を基準として，
「第 7 月」「第 8 月」といった名称をつけており，1 年も 10 カ月しかなかった．し
かし，その後の暦の改革で英語の January と February にあたる二つの月が追加さ
れて，さらに年始も January に移された．このため，年内の月の順番と月の名称
に一見したところの齟齬が生じることとなった．
2)　ジャック・ル＝ゴフ(Jacques Le Goff)：フランスの歴史家．学術雑誌『アナー
ル』の編集委員を務めるなど，20 世紀後半以降のアナール派で主導的な役割を果
たした中世史家．『煉獄の誕生』，『聖王ルイ』，『アッシジの聖フランチェスコ』な
ど多くの著作が日本語にも翻訳されている．
3)　原子や分子のスペクトル線の周波数を基準とする時計．様々な方式を採用した時
計があるが，現在ではセシウム原子時計が高精度のものとして広く用いられている．
しかし，技術が進めばさらに高精度の時計が将来用いられるようになるだろう．
4)　ゲオルク・ヴィルヘルム・フリードリヒ・ヘーゲル(Georg Wilhelm Friedrich
Hegel)：ドイツ観念論を集大成した哲学者．個人と国家，自由と法の関係の歴史
的変遷に関心を持ち，歴史に理性の発露を見る歴史哲学を構想した．

●参考文献
岡田芳朗『明治改暦——「時」の文明開化』大修館書店，1994 年．
カー，E・H(清水幾太郎訳)『歴史とは何か』岩波新書，1962 年／(近藤和彦訳)『歴
史とは何か 新版』岩波書店，2022 年(原著 1961 年)．
コーネル，ティム，ジョン・マシューズ(小林雅夫訳)『古代のローマ』朝倉書店，
1985 年(原著 1982 年)．
高山博・池上俊一編『西洋中世学入門』東京大学出版会，2005 年．
遅塚忠躬『史学概論』東京大学出版会，2010 年．
ハウス，デレク(橋爪若子訳)『グリニッジ・タイム』東洋書林，2007 年(原著 1980
年)．
林健太郎責任編集『ランケ』(世界の名著 続 11)，中央公論社，1974 年．
平山昇『初詣の社会史』東京大学出版会，2015 年．

ブルゴワン，ジャクリーヌ・ド(池上俊一監修，南條郁子訳)『暦の歴史』(「知の再発見」双書)，創元社，2001年(原著2000年).

ル＝ゴッフ，ジャック(渡辺香根夫・内田洋訳)『煉獄の誕生』法政大学出版局，1988年(原著1981年).

ル・ゴフ，ジャック(岡崎敦・堀田郷弘・森本英夫訳)『聖王ルイ』新評論，2001年(原著1996年).

ルゴフ，ジャック(池上俊一・梶原洋一訳)『アッシジの聖フランチェスコ』岩波書店，2010年(原著1999年).

Bagnall, R. S., A. Cameron, S. R. Schwartz and K. A. Worp, *Consuls of the Later Roman Empire*, Atlanta: Scholars Press, 1987.

Bickerman, E. J., *Chronology of the Ancient World*, London: THAMES & H, 1968.

Chesnut, G. F., *The First Christian Histories. Eusebius, Socrates, Sozomen, Theodoret, and Evagrius*, 2nd ed., Macon, GA: Mercer University Press, 1986.

Feeney, D., *Caesar's Calendar: Ancient Time and the Beginnings of History*, Berkeley and London: University of California Press, 2007.

Fowden, G., "The Last Days of Constantine", *The Journal of Roman Studies* 84, 1994, pp. 146–170.

Freeth, T., "Building the Cosmos in the Antikythera Mechanism", *Proceedings of Science*, Conference Paper, March 2013.(https://pos.sissa.it/170/018/pdf)

Marasco, G.(ed.), *Greek and Roman Historiography in Late Antiquity: fourth to sixth century A. D.*, Leiden: Brill, 2003.

Treadgold, W., *The Early Byzantine Historians*, Basingstoke: Palgrave Macmillan, 2007.

▶▶▶ より深く知るために————————————

・橋本毅彦・栗山茂久編著『遅刻の誕生――近代日本における時間意識の形成』三元社，2001年.
　　副題にあるように近代日本の時間概念に関わる論文集としてもすぐれているほか，主要な研究文献を巻末に網羅してあり，入門書としても最適.

・ジャック・ル・ゴフ(加納修訳)『もうひとつの中世のために――西洋における時間，労働，そして文化』白水社，2006年(原著1977年).
　　西洋中世世界を題材としながら，時間と社会の変化の関係を考究した著者の論文集. 歴史家としての営みを学ぶ上での示唆が多い.

・佐藤次高・福井憲彦編『ときの地域史』(地域の世界史6)，山川出版社，1999年.
　　ヨーロッパのみならず，中南米やインド，中東など各地域の時間のとらえ方の具体例を豊富に盛り込んでいる論文集. 実際の暦の運用方法を知る上で有用.

第Ⅱ部

地域から思考する

第4章　人びとの「まとまり」をとらえなおす
――歴史の中の国家と地域

杉 山 清 彦

「お国はどちら？」――そう問われたら，あなたはどう答えるだろうか．

「日本です」などと答えたら，「今どきの若い人は，日本語の言い回しも知らない」と笑われるだろう．しかし，ではどう答えるかとなると，その人の生れ育った環境や感じ方によって，まちまちである．ある人は「北海道です」「名古屋です」と，都道府県名や市町村名で答えるかもしれない．「播州です」「伊豆です」などと，旧国名が地域区分としてリアリティをもつ兵庫県人や静岡県人のような人もいるだろう．あるいは，引っ越しをくり返してきた人なら，土地よりも血縁や母校などネットワークに帰属意識を覚えていて，そのような問いには当惑するかもしれない．ひるがえって，昨今，外国人や外国にルーツをもつ人と交わることもめずらしくなくなってきた．そのような場では，冒頭の質問に対しては，「日本です」というのが，冗談ではなく，真っ当な答えになる．

　そのように考えると，二つのことに気づかされる．一つは，人の帰属のとらえ方は多様で多重的であり，いずれか一つだけではないということである．では，人が帰属を感じる単位には，どのようなものがあるだろうか．帰属単位とその大小広狭は，どうやって選びとられているだろうか．

　もう一つは，場によっては「日本です」が適切な答えになるように，帰属の意識とその表し方は，相対的なものだということである．これは，人の帰属とは，自明の前提であるようにみえて，じつは他者の存在に規定されるものであるということを示唆している．さらにそれは，ある国が国とみなされるかどうかはそれ自身の属性よりも他国からの承認に依拠しているように――台湾がその例である――，ここで例示した一個人だけでなく，「国家」自身にもあてはまるのである．

　個人が帰属やルーツの意識を感じる代表的な単位には，このように「国家」と「地域」がある．しかも「地域」は広狭さまざまな大きさをもち，他方「国

家」は，ある局面では，それらをおさえて前面に出てくる性質をもっている．そして人類の歴史においては，それが時に人びとを結集させ時に分断するなど，歴史の動因となり，また結果ともなってきた．そこで本章では，「国家」や「地域」を，人びとの「まとまり」の一つのかたちととらえて，それが歴史の中でどう変遷し，歴史学においてどのように扱われてきたかをみていこう[1]．

1　世界史と「国家」

1.1　世界史をどうとらえるか

―国史と各国史

　人の「まとまり」の最大の単位が，世界である．では，その世界の歴史は，どうやってとらえられるだろうか．

　そんな問いには，簡単に答えられるかもしれない．高校では，日本史と世界史を習った．大学に入ると，世界史が東洋史と西洋史に分かれて，日本史・東洋史・西洋史として学ぶことになる．すなわち世界の歴史とは，わが国の歴史が「日本史」としてそこに並んでいるように，世界を構成する各国の歴史の総体として語られる．さらにそれは，西ヨーロッパや東南アジアなどの地域にグループ分けすることによって，見取り図を得ることができる，と．

　さしずめそれは，次のような図式で整理することができよう(**図4-1**)．たとえば日本は，アジアを構成する地域の一つである東アジアに属し，その歴史は，中国史・朝鮮史とともに東アジア史をなす，というものである．すなわち，一つ一つの国の歴史は，明確な国境線に囲まれた範囲の中で，その住人を主人公として展開し，世界史は，これらを集めた地域史の集積として構成されるのである．このような，個々の国家を単位とする理解のしかたを**一国史**とよび，それにもとづいた世界史の描き方を，**各国史的理解**とよんでおこう．出版物から大学の講義題目まで，このような発想に立つものを目にすることは，めずらしくない[2]．

各国史的理解の問題点

　現代世界は国家を単位として構成されているのだから，それにもとづいて世界史を描くことは，当然とも思われよう．では，そこにどのような問題がある

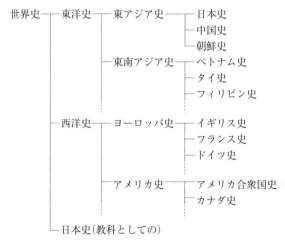

図4-1 **各国史的理解のイメージ**
世界を国家に分けた上で, 一国史を集めて地域史が, 地域史を積み上げて世界史ができあがる, という構成をとっている. また日本史は, 東洋史・西洋史と同格なのか, 東洋史の一部であるのか, 落ち着きが悪い.

のだろうか. ひと言でいえば, 世界史は各国史の総和ではない, ということである[羽田 2011].

　問題の第一は, このような観点からでは, 各国の歴史が孤立的・単線的に扱われてしまうことである. あたかもそれは, ズラリと並べた試験管の中で, それぞれ個別に化学反応が進んでいくようなイメージであるが, 互いに影響しあうことなく歴史が展開していくことなど, 実際にはあろうはずがない.

　第二は,「国家」という政治単位と個々の国家とは, 歴史的に特定の時期に形成されたものであるにもかかわらず, 固定的にとらえてしまうことになり, そればかりか, 逆に過去を遡及的に切りとるという倒立がおきてしまうことである. このため, 歴史を現在の「国家」によって分断することになってしまったり, 現在「国家」でないものを捨象することにもなってしまう. たとえばチベットは, 固有の言語・文字・信仰をもつ独自のまとまりをなしてきたにもかかわらず, 現在国家をもちえていないために, ともすれば抜け落ちてしまう.

　第三は,「国家」の内実の重層性をすくいきれないことである(図4-2). ある空間における住民と言語・文化・信仰・風俗習慣との組合せや重なりは多様なはずであるのに, ともすればそれが捨象されてしまう. 私たちはふだん無自覚だが, 地理空間としての日本列島と, その上で生活を営む人びとと, そこで共有される文化は, つねにぴったりと一致するわけではない. いわんや世界にお

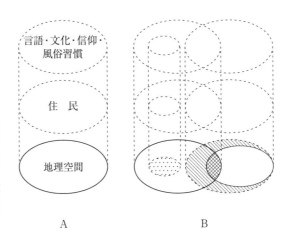

図4-2　地域の三層イメージ

地理空間と住民と言語・文化・信仰・風俗習慣（A）とは，実際にはぴったりとは重ならない．隣接する集団と重なりあったり，同種の集団（民族）が地理空間より広域に分布していたり，逆に，ある地理空間の内部に収まる小さなまとまりであることもある（B）．

言語・文化・信仰・風俗習慣

住　民

地理空間

A

B

いてをや，である．私たちは，むしろそのずれにこそ，目を向けなければならない．

　このように，「一国史＜地域史＜世界史」という各国史的理解には，多くの限界や問題点がひそんでいる．教育課程や書物編纂における便宜の上で否定するものではないが，人類の過去と現在の理解において，それで事足れりとするわけにはいかないのである．

1.2　主権国家と国民国家

前近代の国家のかたちとその転換

　では，なぜそのようなとらえ方が長く力をもってきたのだろうか．それは，近世以降，主権国家・国民国家という国家形態がヨーロッパで登場し，近現代に世界標準になったからである．以後，さまざまな問題点が指摘されつつも，現在なおそれが基本となっている．

　ふつう近代国家の要件は，外からは侵されず内に向けては均しく及ぶ権力である**主権**，それが行使される範囲である**領土**，主権の下にある構成員である**国民**という３要素からなるとされる．その成立以前，前近代の社会には，さまざまなまとまり方があった．それは，最大公約数的にいうならば，次のような特徴をもっていた．

第一は，「人」に支配の基礎がおかれていた．ただし，人といっても，均質で均等に把握される国民ではなく，特定の領主や団体に属する存在であることが一般的で，しばしば生得的な身分制によって編成されていた．統治にたずさわる人びとも，投票や試験によって入れ替わってゆくのではなく，身分や家柄を資格として参与し，主従や師弟，姻縁などの関係によって動くものであることがふつうだった．すなわち，属人的な原理で編成されていたのである．

　第二に，「中心」を軸に構成されていた．君主や王都など，中心への"つらなり"の総体が「国家」であり，その権力・権威の及ぶ範囲は，中心からの濃淡をもつ同心円や，中心と末端を結ぶ動線によって把握された．また，その把握のしかたは均質ではなく，中心から発する階層的・差等的編成をとり，しばしばそれは，領域外に対しても観念された．中華皇帝を中心・頂点として，周囲の諸国をその臣下と位置づける東アジアの華夷思想は，その好例である．

　第三に，その範囲をかぎる境界は，線よりも「面」であった．ある中心から発する影響力は，そこから離れるにしたがって薄まっていき，やがて別の中心に発するグラデーションと交わる．明確な線ではなく幅をもつその一帯が境界であり，両属的・双方向的な空間であることもめずらしくなかった．

　それが近代にかけて，人びとは，神や君主の下でさまざまな属性をもつ臣民から，主権の下にある均質な存在である国民に転換し，その住まう空間は，中心からの濃淡によって定義される版図から，有限で均質な国土となり，その統治は，神や徳目ではなく，国民自身に発する主権と法によって裏づけられるようになる．この一大転換は，近世・近代のヨーロッパでおこり，現代にかけて世界に拡散したのである．

主権と主権国家体制

　ヨーロッパでも，中世においては，ローマ・カトリック教会と神聖ローマ皇帝という普遍的権威の下，明確な輪郭をもった国々というよりは，並立的な領主制と君臣関係の網の目によって属人的に編成されたモザイク状の世界が広がっていた．しかし，16世紀以降，国王の力が伸張し，各地で領域国家化が進むようになると，普遍的世界がくずれ，かわって明確な領域とそこに均しく及ぶ統治権を主張する国家，すなわち主権国家(sovereign state)が登場してくる．

　主権は，それよりも上位の権力をもたない至高の権力であり，相互には対等で不可侵(現実の力関係は別であるが)と観念された．そのような考えにもとづいて，主権国家同士が一定のルール(国際法)の下で関係を取り結ぶ状態が形成された．これが**主権国家体制**(諸国家体系)である．

　主権国家の考え方では，国家はたんなる君主の私領の集積ではなく，フランスやイングランドなどといった固有の領域に，不可侵の統治権すなわち主権が存し，それを国王が体現している，ということになる．その下では，人びとはそれまでの個々の諸侯の領民から，一国の主権者たる君主の臣民となり，その主権に服する範囲は国土と観念される――．であるならば，その主権は君主の私物ではなく，その国土に住まう者にこそあるべきだ．18世紀にそのような主張が登場し，やがて力をもつようになる．その大きな転機となり，以後の歴史展開を決定づけたのが，アメリカ独立革命(1763-89)とフランス革命・ナポレオン戦争(1789-1815)である．

国民国家とナショナリズム

　この一連の革命と戦争を通して確立されたのは，次のような原則である――人は君主に属するのではなく国家に属し(政体が君主制であったとしても，国家がまず先にある)，その国家の主権は君主ではなく住民にあり，それを担う者が国民である，と．そのような考え方にもとづいて編成された国家が，**ネイション・ステイト**(nation state)すなわち**国民国家**である．

　そこでうたわれたのは，国土は不可分にして一体であり，主権の担い手であるネイションすなわち国民は対等で均質な存在であり，それら国土と国民の一体性は，歴史的連続性と文化的同質性によって根拠づけられる，という理念であった．もちろん，社会の現実はおよそそのようなものではなかったが，それゆえにこそ，国家とネイションを一致させていこうとする運動や，ネイションの求心性や一体性を高めようとする運動が高揚することになる．これが**ナショナリズム**(国民主義・民族主義)である[谷川 1999；塩川 2008]．

　新たに登場した国民国家は，「一つの国土に一つの国民」というフィクションのもと，「国民」を創出していくと同時に，その国民に納税・教育・兵役を一律に義務づけて，効率的に国力を動員していった．それがいかに画期的な国

家システムであったかは,「国民の義務」の名の下に際限なく動員可能な国民軍を従えたナポレオンのヨーロッパ制覇が, なによりの証であった.

この結果, 主権国家間の競争を勝ち抜くため, ヨーロッパ各国はこぞってこれを模倣し, 当初は君主制や貴族制はそのままに, 国民国家への衣更えをはかることとなる[3]. さらにそれはヨーロッパ外にも輸出され, 国家建設のモデルとされた. その優等生が, 明治日本であった. 以後, 主権国民国家とそれによる国際関係は, 2度の世界大戦と冷戦を通して, 共和政体の主流化や社会主義政権の興亡などを経ながらも, 現在にいたるまで国家と国際社会の標準形となっている.

また, このような体制に対する異議申し立ても, モデルと理念を共有した上での, 国民としての資格の要求や, 国家建設の要求として現れることになる. それは, 20世紀前半は主に東ヨーロッパにおける**民族自決**の動きとして, 後半は, 主にアジア, アフリカ, ラテンアメリカにおける独立運動, 解放闘争として展開された. さらには, 1990年代のユーゴスラヴィア内戦をはじめ, 冷戦終結後においてさえ再燃することになる.

国民国家と歴史学

各国史的理解の基礎である一国史は, このような歴史展開と現状から生みだされ, またそれを支えてきたのである. さかのぼれば, 第2章でみたように, ランケに始まる近代歴史学は, まさにこのような19世紀の国民国家建設の過程で成立・普及したものであった. そこでは, ドイツ史, フランス史などの一国史が当然の枠組みとみなされ, 国民国家をイデオロギー的に支える役割を担ったのである.

20世紀半ば以降, 国民国家の摩擦・衝突がもたらした2度の大戦の惨禍を経て, このような国民国家を前提とした歴史把握に対する批判が強まっていった. まずおこったのは, 対外侵略や成員の抑圧をともなった国民国家への批判と, それを支えてきた歴史理解への反省である. その際に力をもったのは, 一つはマルクス主義歴史学であった.

これについては第1章でみた通りだが, ここで注意すべきは, 社会主義やマルクス主義歴史学は, 社会思想・運動の潮流としては国民国家に対抗して発展

してきたものでありながらも，一国史的枠組みに立つという点において，意外な親和性をもっていたことである．それらに共通しているのは，なんらかの理念型をモノサシに設定してそれぞれの達成度を測定するという考え方であった．このような発想に立つならば，国民国家建設のモノサシでは，統一時期の下るドイツは「遅れた」存在，ハプスブルク帝国は「失敗した」例ということになってしまう．また近代化というモノサシをあてれば，「成功した」日本と「失敗した」中国となる一方，発展段階論のモノサシを持ちだすと，これが逆転して，「社会主義に到達＝成功」した中国と「追い抜かれた」日本，ということになる．その点では，国民国家史の立場も，その批判者であったマルクス主義歴史学も，発想法は同じであったといえよう．

　国民国家をめぐってもう一つ注目されたのは，**民族**である．「民族」は，国民国家の基礎となるネイションを，文化的同質性に重点をおいてとらえたものであるが，その解放・自立とそれを根拠づける歴史的背景に焦点があてられたのである．他方，ネイションとしての民族への注目は，国家建設の担い手となるもののみをクローズアップすることになりやすく，また，前近代の歴史をとらえにくい．そこで，政治単位と結びつくネイションにかわって，文化的共通性・共同意識（エスニシティ）を重視した**エトノスやエスニック・グループ**としてとらえることが広まった．ネイションは「想像の共同体」であるとする議論も，国民国家の枠組みと「国民」の実体性を自明視する見方に対し，別の方向から深刻な問いを投げかけた［アンダーソン 2007］（第12章参照）．

　さらにまた，冷戦構造の解体と入れかわるようにして，ASEAN（東南アジア諸国連合）やEU（ヨーロッパ連合）に代表される**地域統合**の進展と，スコットランド（イギリス）やカタルーニャ（スペイン）など地域単位の分離・独立運動の高潮という，上下からの挑戦が「国家」をゆさぶった．国際社会でアクターの座を獲得するようになった多国籍企業や非政府組織（NGO）なども，国民国家への挑戦者に数えてよいだろう．

　国民国家の枠組みを単位とする思考法・叙述法は，このように現実・学説双方で，根底からゆさぶられていったのである．

2 「地域」からとらえる歴史

「国家」から「地域」へ

　このような中で注目されてきたのが「**地域**」である［濱下 1997：古田 1998］.
「地域」とは，なんらかのまとまりをもつ一定の空間をさし，小は隣保や街区，
集落といった地域コミュニティから始まって，地方行政体のレベル，国家の下
位区分をなす単位，大は国家そのもの，さらには国家をこえた広域の範囲まで，
いくつもの層を意味しうる.

　むろん，地域という観点自体は，べつに目新しいものではない．わが国でも，
戦後，日本史の相対化と世界史への位置づけという関心のもとで，「東アジア」
などの国家をこえたまとまりが提言されてきたし，ローカルな土地の研究とい
う意味では早くから着目されてきた[4]．しかし，あらためて注目されるように
なったのは，戦後の冷戦体制が動揺・解体していった 1980～90 年代であった.
この時期に編まれた『シリーズ　世界史への問い』(1989–91 年)に『歴史のなか
の地域』(1990 年)の巻が立てられ，また『地域の世界史』(1997–2000 年)という大
部な論文集が刊行された[5].

　これらにおいて強く意識されたのは，「ある土地の歴史」という意味ではな
く，「方法」としての側面である．同じ時期に刊行された『岩波講座　世界歴
史』(1997–2000 年)の総論巻で，ベトナム近現代史の古田元夫は，「**方法としての
地域**」というときの「地域」を，「歴史家の課題意識に応じて設定される，可
変的で多様な性格を有するもの」と端的に述べている［古田 1998: 42］．すなわ
ち，ある特定の範囲を「地域」として固定的に切り出して，その特徴や時系列
史を積み上げていくのではなく，設定した課題にあわせて，大小広狭さまざま
な範囲を「地域」として設定して，その重層的な構造や多重的な属性，不断に
変化する相などをとらえていこうとする考え方である[6].

　たとえば，かつて独自の王国を築いていた沖縄の歴史は，日本史の一部を構
成すると同時に，琉球王国を中心としても描きうるし，環東シナ海域という，
国境をまたぐ地域の中で位置づけることもできる．着眼のしかたによっては，
昆布の流通に注目すれば，蝦夷地(北海道)～中国江南までまたがる広域流通圏
を設定することができるし，ひるがえって王国内部に目を向けてみれば，宮古

66

から八重山までを統治下におく支配秩序を見出せよう．そこでは，首里の王権はむしろ支配の側として立ちあらわれることになる．そして，そのいずれかを「正しい」像としたり，「拡大・縮小＝盛衰」としてとらえたりする必要はないのである．

方法としての地域

このような「方法としての地域」には，いくつかの特徴がある．

第一は，**可変的で重層的な枠組み**という点である（図4-2）．そこでいう「地域」は，複数の属性が重なりあっていてかまわないし，条件や推移にあわせて形を変えていってもかまわない．たとえば「三重県は関西なのか中部なのか」を問うのではなく，「関西であり中部でもある」ととらえ，そこから「関西に数えるのはどのような場合か」や，「同じ三重県でも伊賀・伊勢・志摩で他地域との結びつきはどう違うか，それはなぜか」といった問いに広げてゆけばよいのである．

第二は，その「地域」の社会・住民の**主体性・内在性・自律性の重視**である．過度に重視すると地域の実体視につながってしまうが，しかし「地域」を切り出すにあたっては，そこに見出される固有の特質や内在性から出発して課題を設定しなければならない．

20世紀初めにとなえられた「満鮮史」が，その反面教師である［井上 2013］．満洲と朝鮮を包含するこの独特の地域設定は，内在的に発した概念ではなく，日本の大陸政策にあわせて設定されたものであり，それゆえ進出の進展にともなって，その後「満蒙史」へとスライドしていった．じつは，マンチュリアとコリアに連続性を見出したり，モンゴルとの歴史的関係に注目したりすることは学問的に成り立つのであるが，少なくとも戦前の「満鮮史」「満蒙史」がそこから出てきたものでなかったことは留意せねばならない．

第三は，タテの時間軸よりも，**ヨコの空間軸への注目**である［羽田 2011］．「地域」を，ある時点を基準にして空間を切り取ってその時系列を再現しようとするのであるならば，それは一国史・各国史と変るところがない．ある課題の設定から「地域」を切り出すとき，それは，相互の関係・交渉やネットワークの展開など，同時代的なヨコの関わりを重視することになるだろう．

〈海域〉と〈境界〉

　もちろん，「方法としての地域」といっても，実在した人間社会の一こまを切り取るものである以上，歴史的実体から出発するのであって，実体と方法は截然[せつぜん]と分けられるわけではない．その両面において従来の歴史像に切りこんできたのが，〈**海域**〉という視点である［桃木編 2008；羽田編 2013］．

　〈海域〉とは，海を陸上の国家の付随物とみなすのではなく，視点を逆転させて，海を中心に据えて周囲の陸域と一体のものととらえ，その空間内での人やモノ，情報の動きから歴史を描くためのとらえ方である．このような発想は，第1章でみたフェルナン・ブローデルの『地中海』にさかのぼる．そこで提示された**地中海世界**にはじまって，これまで**大西洋世界**，**インド洋海域世界**といった大洋レベルから，**環シナ海地域**，**環日本海地域**など，さまざまな海域のとらえ方が提示されてきた．

　海が中心である以上，そこに明確な境界はなく，海域のまとまりは重なりあう別のまとまりと連なって，海域の連環をなす――このような〈海域〉の視点は，一国史的観点を相対化するだけでなく，そこに関わる地域や人びとをさまざまな層位でとらえることを可能にした［荒野・石井・村井編 1992-93］．

　たとえば14〜16世紀ごろの対馬[つしま]や舟山[しゅうざん]列島(中国浙江[せっこう]省)は，それぞれの中央からみれば辺境にすぎないが，東シナ海を中心に据えれば，それを取りまく要衝になり，その〈海域〉を行き来するのは，必ずしも日本や中国，朝鮮といった「国家」や「民族」でくくることができない人びとであった．さらわれて日本で育った「朝鮮」人，「倭人」を装って相手を威嚇する福建[ふっけん]の海賊――海とそれを取りまく周縁の陸域は，これら両属的，あるいはいずれに属するとも判じがたい人びと(このような境界人をマージナル・マンとよぶ[村井 1993])が活動する空間であり，境界の両側を媒介するとともに，それ自体が一つの「地域」でもあった．

　このように，〈海域〉や〈境界〉への着目から「地域」を切り出すことで，一国史・各国史ではみえてこない，しかし抜きにして語ることはできない歴史の相を，あざやかに描きだすことができるのである．

3　ふたたび「国家」へ──歴史の中の国家と社会

3.1　国家のさまざまなかたち

　いわば「地域」は，固定的な実体としてよりはむしろ，人びとの「まとまり」のかたちをとらえるための手がかりとして設定されてきた．であれば「国家」もまた，「まとまり」の一つとして柔軟にとらえることで，さまざまな姿が浮かびあがってくるのではないだろうか．それにはいくつかの潮流がある．

集塊する政体──近世ヨーロッパの複合国家

　一つは，あらためて「国家」を正面からとらえようとする動きである．そこで共通の認識となっているのは，近代ヨーロッパの国民国家と主権国家体制を標準形・理念型に据えるのではなく，さまざまな「国家」のかたちを，時代や地域に即して抽出・理解しようとするアプローチである．それがアジア史でさけばれるのはもちろんだが，ヨーロッパ史においても，近代西ヨーロッパの状態を完成形と想定して，それ以外を原初段階とみたり不完全と評したりする見方が反省されている．その焦点となるのは，主権国家を生みだした，16〜18世紀の近世である［近藤 2018］．

　近世ヨーロッパの国家は，内外に主権をとなえるという点では中世の封建国家とは異なるものの，その内実は，独自の法や権利をもつ自律的な邦国や政体の寄せ集めであり，法的にも経済的にも一元化されていない権力の集合体であった．しかもそれは，婚姻・相続や戦争・条約でたえず組み替わる不安定なもので，君主の統治下にある領土・領民は流動的で不均質であった．だからイングランドにある玉座に，ステュアート家がスコットランド王国を，さらにはドイツ人がハノーファー侯領と選帝侯位を，それぞれ手みやげにぶら下げて座ったのである．

　このような近世主権国家は，治下にある多様な政体・地域を君主が交渉・調停・妥協しながら結びつけているという点から**複合君主政**(composite monarchy)，また，恒常的に組み替えや集塊・離脱がおこなわれる点に着目して，岩石の比喩から**礫岩国家**(conglomerate state)などとよばれている［古谷・近藤編 2016；立石編 2018］．

このような点からみるならば，国民国家史観でいうようにドイツが「遅れた」存在だったのではなく，「優等生」とみられたイギリスやフランスも，結果的に領域の一体性と連続性がみてとれるとはいえ，近世と近代でその中身が質的に同じだったとはいえないのである．まして，近世ヨーロッパでさえあてはまらない近代主権国家を基準にして，世界の国家形態を断じることはできなくなるだろう．

「くにたみ」あっての「くに」──中央ユーラシアの遊牧国家

　アジアに眼を転じてみよう．そこでも，異なる原理にたつ国家の追究とモデル化が進んでいる．

　一つの焦点として，中央ユーラシアの**遊牧国家**を取り上げておこう（中央ユーラシアについては，［杉山清彦 2016］参照）．しばしば誤解されているが，遊牧国家とは，遊牧民が支配権をにぎる国家であって，遊牧民だけで構成される国家ではない［杉山正明 2011］．軍事と政治を遊牧民が掌握した上で，オアシス都市や農耕地帯の農民・商人・都市住民などさまざまな定住民を支配下におさめ，国際商人を取りこんで貿易・外交を担わせるという複合体であり，構成員の生業・言語・習俗はつねに多民族的・複合的であった（**図4-3**）[7]．

　遊牧国家は，君主の出身集団を中心とする連合体を核として形成される．これをトルコ（テュルク）語で**イル**，モンゴル語で**ウルス**といい，マンジュ（満洲）語では**グルン**という．領土そのものではなく，元来「くにたみ」を意味し，それを統べる政治体としての「くに」をもさすのである．原語ではモンゴル帝国は大モンゴル・ウルス（yeke mongɣul ulus），清は大清グルン（daicing gurun）というが，それは「くにたみ」のかたまりという意味なのである．

　このように，中央ユーラシアにおいては「国家」の基本は土地ではなく人にあり，人間集団の離合集散が即，国家の興亡・交替を意味した．したがって，君主の最重要の資質にして誇るべき業績は，くにたみを集め養うことであった．トルコ（突厥）帝国（6〜8世紀）の君主は「イルを集めたカガン」を名乗り，下ってはヌルハチ（1559-1626）も，後金（清の前身）を建てるにあたって「多くのグルンを養う英明ハン」と称したのである[8]．

　このような中央ユーラシアの国家形態は，まさしく人の「まとまり」の一つ

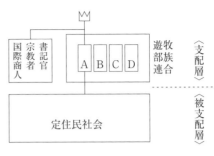

図 4-3　モンゴル高原の遊牧民の天幕群（左）と遊牧国家の構造（右）
遊牧国家は，遊牧部族連合を核にして，国際商人や宗教者を取りこみながら定
住民社会を支配する複合体であった．国家は君主を出した集団（A）の名でよば
れ，これがBやCに交代すると，こんどはその集団名でよばれることになる．
すなわち，遊牧国家の興亡とは，連合体の頂点にたつ王家とその支持母体の交
替であって，いわば連合体の組み替えによる政権交代ということができる．

のかたちであり，しかも独自の編成・運用の原理をもつものであって，原初的
で未発達なものとみなすべきではない．ヨーロッパとは違う形の，窮極の集塊
ということができるかもしれない．

よみがえる「帝国」――多民族統合の記憶

　ひるがえって，国民国家の見なおしの潮流の中で注目されるようになったの
が，**帝国**である［山内・増田・村田編 1997；山本編 2003］．

　ここでいう帝国は，近代の帝国主義国家や，皇帝をいただく君主国というこ
とではない．多様な地域や民族を並存させながら単一の権力の下にゆるやかに
統合した政体をいうものであり，中核・上位の集団・地域が他を従属させる形
で差等的に編成されるかわりに，ふつうそれぞれの内部にまで均質な支配が及
ぶことはない．またそれゆえにこそ，広域にわたる多様な構成集団を治下にお
さめることができたのである．モンゴル帝国や大清帝国，オスマン帝国，ハプ
スブルク帝国などが近年再評価されているのは，このような特質への関心にも
とづく．

　そして，これと対照的なのが，国民国家なのである．国民国家の特質は，構
成員＝国民の一体性・均質性を標榜するかわりに，多民族・多言語・多宗教の

71

共存に不寛容だという点にある．これが19世紀に強みを発揮したのであるが，20世紀に激烈な内戦や民族浄化を引きおこすことにもなってしまった．1990年代以降，帝国がふたたび注目されるようになったのは，国民国家がもつ求心化・均質化志向の功罪を目の当りにして，帝国型統治のもつ構成要素の多様性と統合のゆるやかさが，あらためて関心を集めたからである．

　多様な要素と大規模な統合はいかにして成り立ちうるか——「帝国」の投げかける問いは，きわめて今日的でもあるのである．

3.2 人の「まとまり」と国家のかたち

国家と中間団体——ヨーロッパと日本

「国家」のとらえなおしのもう一つの潮流は，国家を社会の外部に屹立するものとして切り離してとらえ，両者の相違や対立を強調するのではなく，分かちがたいものとしてとらえて，相互関係の中で両者の間に働く力やその現れ方をさぐろうとするアプローチである．

　そこで注目されたのが，国家と個々人との間に立ち，関係を媒介するさまざまな社会集団である．それには，中国の**宗族**や沖縄の**門中**などの**血縁集団**や，ヨーロッパの街区，教区などの**地縁組織**，**ギルド**や同業組合などの**職能団体**といったさまざまな結合形態があり，個々人を保護／規制する核となるとともに，国家をふくむ全体社会の構成要素となる．これらは**中間団体**とよばれ，その特質や国家との関わり方が注目されてきた．

　いったい，社会には，団体を積み上げて構成される社会と，固定した下部団体をもたず，人的ネットワークの密度と広がりに依拠して組織される社会とがある．前者の代表が日本とヨーロッパである．

　とりわけ，一定の領域に排他的に権力を行使する王権が確立しながらも，君主と住民が紐帯を欠き，住民間の国民的凝集もいまだみられない近世ヨーロッパにおいては，それぞれ君主と関係を結んで特権を認められた中間団体（社団）が国家の実体を構成し，機能させた［二宮 2007］．近世国家はこのような**社団的編成**をとっており（**社団国家**），近代への流れは，王権と社団の協働／緊張関係の中で展開されることになる．

　一方，日本においては，近世に全国的に確立する**イエ**（家）が社会的・経済

的・法的な単位となり，社会は，農村では**ムラ**(村)，都市では**チョウ**(町)とい
う形をとるイエの連合体によって構成された[水林 1987：尾藤 2006]．これら日
本の中間団体は，強い団体性と永続性(メンバーが入れ替わりながらも，組織体と
して安定的に続いてゆく)を特徴とし，その構成員に対する強い統制と手あつい
保護は，近世だけでなく，現代にいたるまで日本社会を根底で支えてきた．

団体に支えられない専制——中国の国家と社会

　これらとまったく異なる原理をもつのが，中国の漢人社会である．中国社会
の特質は，無数の人の結びつきによって成り立っているにもかかわらず，結び
ついてできた団体は自律的でなく不定形で，国家を構成する単位になっていな
いところにある[足立 2018：丸橋 2020]．農家の集まりという意味での村落はあ
っても，団体としてのムラはないのである．

　幇や**会**などとよばれる中国の民間社会の団体は，ある一時点で切りとると，
他の社会と比べものにならないほど強固な結びつきをもつようにみえるけれど
も，中長期的には流動的で安定性を欠いている．中間団体が，団体性が弱く不
安定とあっては，個々人はそれに依存しきってしまうことはできず，国家は，
それを基礎にして自らを組み立てることができない．それゆえ中国の「国家」
の姿は，勝手にうごめきひしめきあう民間社会の上に，特定の軸足をもたない，
しかし精緻に組み立てられた支配機構が乗っているというものだった．

　中国の皇帝政治がもつ，一面においてきわめて専制的であり，他面において
は支えるものがなにもないという，相反する二つの性格は，このような社会の
特質に由来していたといえよう[岸本 2002]．否，日本がいまも近世の影から脱
しきってはいないように，このような国家と社会のあり方は，現代の中国にお
いても見出すことができるかもしれない．歴史学を学ぶとは，そのように，現
代を照らしだす灯りを手に入れることだといえよう．

＊　　　＊　　　＊

　かつて「国家」は至上の帰属単位とされ，戦後は一転，悪役，ないし必要悪
のようにいわれてきた．戦争をおこすのは「国家」であるから，世界が統合さ
れて「国家」がなくなれば平和が実現すると説かれ，国境をこえる人やモノの

動きの前では,「国家」はそれを阻害するものだときめつけられた.

ところが1990年代以降,時代遅れだったはずの「国家」を求める激しい動きが世界のさまざまな「地域」でおこり,また国境をこえるグローバル化が現実に進展すると,その波から「地域」を守るため,むしろ「国家」に防波堤としての役割が期待されるようになった.「国家」と「地域」をめぐる議論の趨勢は,現実の政治でも学問の世界でも,まだ行方の定まらない渦中にあるというべきだろう.

「国家」もまた人のつくる「まとまり」の一つであることに立ちもどるならば,地球規模・広域地域・地方行政体・地域社会といった「地域」の重層構造の中に,あらためて「国家」も位置づけを与えられてしかるべきではないだろうか.それは,19世紀の「国家」とは同じではないはずだ.もちろん地球市民たることを志すのは自由であるが,同時に日本国民でもある,と考える人がいてよいし,そもそも地球連邦などという大統合に懐疑的である人もいるだろう.むしろ,自らの属する(と考える)「国家」や「民族」,ひいては自分自身を,「地域」の重層構造の中に,多重的・可変的に位置づけてゆけばよいのではないだろうか.

ふたたび,「お国はどちら?」という問いに戻ってみよう.あなたには何通りの答えがあり,どんな場面で,誰に対して,どう答えるだろうか.答えは,一つでなくていいのである.

●注
1) 帝国主義や植民地など近代以降については,詳しくは第5・6章を参照されたい.
2) ここで述べたような各国史的理解に立っているわけではないが,国別編成をとる代表的なシリーズとして,山川出版社「世界各国史」(全17巻,1954-87年.巻により新版・増補改訂版あり),「新版世界各国史」(全28巻,1997-2009年),「世界歴史大系」(1990年〜刊行中)がある.
3) ベネディクト・アンダーソン(第12章参照)は,このような動きを,前近代的な王家の,国民共同体への「 帰 化 」とよび,上からのナショナリズムすなわち「公定ナショナリズム」(イギリスの歴史・政治学者シートン＝ワトソンの語)の一環としている[アンダーソン 2007: VI章].
4) またアメリカでは,さまざまな学問分野にまたがって特定の地域を包括的に研究

する地域研究(エリア・スタディーズ)が盛行し——その背景には大戦・冷戦中の戦略的要請があったが——，日本にも影響を与えた．

5) 『シリーズ世界史への問い』(全10巻，岩波書店，1989-91年)，『地域の世界史』(全12巻，山川出版社，1997-2000年)．ほかに，『地域からの世界史』(全21巻，朝日新聞社，1992-94年)と銘打つ概説シリーズも刊行されている．

6) この先駆けとなったのは，はやく1970年代にイスラーム現代史の板垣雄三が提唱した**n地域論**である[板垣 1992]．nとは任意の値を代入できることを示す文字で，課題の設定に応じて自在に変化させうることを意味しており，小は一個人から大は地球規模までが想定されている．

7) さらに，このような組織形態をとるのであれば，「遊牧」という生業の限定さえ必要ではない．そこで私は，金や清などの非遊牧民も含む概念として，**中央ユーラシア国家**とよんでいる[杉山清彦 2016]．

8) カガン，ハンは，モンゴルのハーンと同じ語で，最高君主の称号である．

●参考文献

足立啓二『専制国家史論　中国史から世界史へ』ちくま学芸文庫，2018年(初出1998年)．

荒野泰典・石井正敏・村井章介編『アジアのなかの日本史』全6巻，東京大学出版会，1992-93年．

アンダーソン，ベネディクト(白石隆・白石さや訳)『定本　想像の共同体——ナショナリズムの起源と流行』書籍工房早山，2007年(原著1983年，改訂版1991年，2006年)．

板垣雄三『歴史の現在と地域学——現代中東への視角』岩波書店，1992年．

井上直樹『帝国日本と〈満鮮史〉　大陸政策と朝鮮・満州認識』塙書房，2013年．

岸本美緒「皇帝と官僚・紳士——明から清へ」網野善彦ほか編『岩波講座 天皇と王権を考える2　統治と権力』岩波書店，2002年．

近藤和彦『近世ヨーロッパ』(世界史リブレット)山川出版社，2018年．

佐川英治・杉山清彦『中国と東部ユーラシアの歴史』放送大学教育振興会，2020年．

塩川伸明『民族とネイション——ナショナリズムという難問』岩波新書，2008年．

杉山清彦「中央ユーラシア世界——方法から地域へ」羽田正編『地域史と世界史』(MINERVA世界史叢書1)，ミネルヴァ書房，2016年．

杉山正明『遊牧民から見た世界史　増補版』日経ビジネス人文庫，2011年(初出1997年)．

立石博高編著『スペイン帝国と複合君主政』昭和堂，2018年．

谷川稔『国民国家とナショナリズム』(世界史リブレット)，山川出版社，1999年．

新田一郎『中世に国家はあったか』(日本史リブレット)，山川出版社，2004年．

二宮宏之『フランス　アンシアン・レジーム論——社会的結合・権力秩序・叛乱』岩波書店，2007年．

羽田正『新しい世界史へ——地球市民のための構想』岩波新書，2011年．

羽田正編『東アジア海域に漕ぎだす1　海から見た歴史』東京大学出版会，2013 年.

濱下武志「歴史研究と地域研究——歴史にあらわれた地域空間」濱下武志・辛島昇編『地域史とは何か』(地域の世界史 1)山川出版社，1997 年.

尾藤正英『江戸時代とはなにか——日本史上の近世と近代』岩波現代文庫，2006 年（初出 1992 年）.

占田元夫「地域区分論 ——つくられる地域，こわされる地域」樺山紘一ほか編『岩波講座　世界歴史 1　世界史へのアプローチ』岩波書店，1998 年.

古谷大輔・近藤和彦編『礫岩のようなヨーロッパ』山川出版社，2016 年.

丸橋充拓『江南の発展——南宋まで』(シリーズ中国の歴史②)，岩波新書，2020 年.

水林彪『日本通史 II　封建制の再編と日本的社会の確立　近世』山川出版社，1987 年.

村井章介『中世倭人伝』岩波新書，1993 年.

桃木至朗編『海域アジア史研究入門』岩波書店，2008 年.

山内昌之・増田一夫・村田雄二郎編『帝国とは何か』岩波書店，1997 年.

山本有造編『帝国の研究』名古屋大学出版会，2003 年.

▶▶▶ より深く知るために————————————

・羽田正『新しい世界史へ——地球市民のための構想』岩波新書，2011 年.

・羽田正編『東アジア海域に漕ぎだす1　海から見た歴史』東京大学出版会，2013 年.
　　前者は，各国史ではなく時系列史でもない「新しい世界史」の構築をうったえる刺激的な一冊．後者は，その構想を実践に移したもので，東アジア海域という「方法としての地域」を設定して，三つの時代のパノラマとして〈海域〉世界を描く意欲的な概説．

・杉山正明『遊牧民から見た世界史　増補版』日経ビジネス人文庫，2011 年(初出 19 97 年).
　　スキタイ・匈奴からモンゴル帝国にいたる中央ユーラシアの遊牧民の活動を通観し，世界史における国家・地域・民族のとらえ方に見なおしをせまる．

第5章 現代社会の成り立ちを考える
──グローバリゼーションの歴史的展開

黛　秋　津

　私たちが生きる現代社会はしばしば**グローバル社会**と呼ばれる．文字通り，地球(globe)全体が一つの社会を成しているという意味である．現代では人，モノ，カネ，情報が絶えず様々な場所を往き来し，それにより地球上のありとあらゆる場所が相互に深く結びつけられており，私たちの日常生活もそのような結びつきを前提としたものになっている．たとえば，私たちの身の回りには外国産の商品があふれ，近年では都市部を中心に外国人の店員に日常的に接することも増え，さらに都市部に限らず地方にも外国からの観光客が大勢押し寄せている．また私たちは日常的にインターネットで世界中の様々な情報を瞬時に得ることができ，SNSを通じて，国境を越えて様々な人びとと瞬時に連絡を取ることができる．このような迅速で密接な結びつきは，生活が便利で豊かになるというプラスの側面があると同時に，マイナスの面もあわせ持つ．2008年に生じたいわゆる「リーマン・ショック」による世界的な金融危機，あるいはSARS(重症急性呼吸器症候群)や新型コロナウイルスなどの世界的な感染拡大などは，そうした一例といえる．

　このように地球上の各地域が結びつきを強め統合されてゆく過程は**グローバリゼーション(グローバル化)**と呼ばれ，こうした現象は，一連の科学技術の進歩によりもたらされた．私たちの情報伝達手段は，手紙から電話，ファクシミリ，携帯電話，Eメール，SNSへと進化し，人や物資の輸送手段も高速化，かつ，大規模化してきた．こうした技術の発達こそ，地球上のあらゆる場所を緊密に結びつけ，比喩的に言うならば「地球を小さく」したのである．技術革新は，長期的なスパンで見れば，人類誕生以来絶えず行われてきたわけであり，したがって，人類の歴史はグローバリゼーションの歴史である，と言うことも可能かもしれない．このような意味でのグローバリゼーションをここでは「広義のグローバリゼーション」，あるいは「歴史的グローバリゼーション」と呼び，この章で扱うのはこの現象についてである．一方，20世紀末からの技術

革新の急速な進展による地球上の各地域の結びつきの強まりとそれに伴う社会の大きな変容は，それまでに類を見ないものであり，通常「グローバリゼーション」という用語は，この時期の現象を指し示すのに用いられる．

　この章では，グローバル社会と呼ばれる現代社会の成り立ちを過去にさかのぼって考える．グローバリゼーションという現象が歴史的にどのように展開し，現代の社会が形成されるに至ったのか，その経緯を追うことにより，現在の私たちの社会の成り立ちを歴史的に考えてみたい．

1　グローバル社会の形成過程

1.1　グローバル社会形成以前の地球

複数の「世界」が存在した前近代

　地球全体がまだ一つの社会になっていない時代，地球上には，政治的かつ文化的なまとまりがいくつか見られ，それらは互いに接触を持ちながらもそれぞれ自立して存在していたと考えられる．このまとまりとは，ある文化を共有する空間であり，そうした文化は宗教・思想に根差すものである．絵画や彫刻のモチーフが宗教的なものであったり，人びとの思考や行動がその信仰によって規定されたりすることを考えれば，文化と宗教の結びつきは容易に理解されるだろう．さらに，例外も少なからずあるものの，往々にしてある強力な国家の支配領域，また直接支配が及ばなくとも一定の政治的影響が及ぶ範囲と重なる．これを仮にカギカッコつきの「世界」と呼ぶことにする．この「世界」は，そのなかでほとんどの物事が完結し，ある文化に基づく規範や価値観が共有されて一つの社会を成していた．多くの人びとが自分の町や村からほとんど出ずに一生を終えるような時代には，そのような領域こそが，そこに住む人びとにとってこの世のすべてであったのである．このような「世界」は自己完結的ではあったが決して外に対して閉ざされているわけでなく，他の「世界」との交流も持っていた．たとえば，いくつかの「世界」が存在していたと考えられる古代のユーラシア大陸において，中国の主要な王朝を中心とし東アジアに広がる「世界」と，ローマ帝国の支配する地中海を中心とする「世界」の間では，シルクロードなどを通じて人や物が行き来していた．しかし地中海で生じた事件や変化が，東アジアに大きな影響を与えることはほとんどなく，逆もまた然り

であった．長らく地球上には，このような「世界」がいくつも存在していたと見なすことができる．

　過去に存在していた「世界」の数や範囲に関しては，時代によって変化があり，また人によって，ある空間を一つの「世界」と見なすのか，あるいはいくつかの「世界」と見なすのかについて見解が分かれる場合もある．たとえば，『西洋の没落』の著者として知られるドイツの歴史家のO・シュペングラー(1880–1936)は，地球上にはこうした「世界」が八つ存在したとし，またイギリスの歴史家アーノルド・J・トインビー(1889–1975)はその著書『歴史の研究』の中で 21 の「世界」を想定し，後にさらにその数を修正している．このように「世界」の範囲と数に関する考え方は必ずしも一致していないが，ともかく複数の「世界」がやがて一つに結びついて現在のグローバル社会が形成されたとする理解は，研究者のあいだでおおむね共有されているといえる．

具体例としての「東アジア世界」

　上で述べた「世界」は，「文化世界」や「文化圏」などの語と置き換えることができる．ある程度広範囲に広がり，世界史上影響力を持った「世界」の一例として，私たちとも関わりのある**東アジア世界**を取り上げてみよう．この「世界」は，中国の歴代王朝の政治的影響を受け，かつ，孔子の思想を体系化した儒教，インドから中国に伝えられた仏教，さらには老荘思想を軸として様々な思想が融合した道教などに基づく文化が広がる空間である．おおよその地理的範囲としては，河西回廊以東の中国本土を中心に，朝鮮，日本，ベトナム，その他場合によってはチベットやモンゴル高原の一部などを含む．宗教・文化の広がりは，往々にして文字の広がりと重なることが指摘されるが，その意味では「漢字文化圏」が東アジア世界に対応していると考えられる．そこには「**中華思想**」あるいは「**華夷思想**」と呼ばれる独自の世界秩序観が存在した．すなわち，文明(「華」)が花開いた中国の周囲には，東夷・西戎・南蛮・北狄と呼ばれる様々な「蛮族」がおり，中華の頂点に立つ皇帝の徳がそうした「蛮族」に及ぶことにより彼らは文明化される，という漢民族中心の世界観である．皇帝の徳を慕い，その臣下となることを望む者が，使節を派遣して貢物を献上すると，これに対し皇帝が返礼品や官職・称号などの恩恵を与える，という儀

礼を通じて成立した，中国皇帝を中心とするこの秩序観が，東アジア世界の根底を成していた．

こうした「世界」は，他の地域にも存在していた．たとえば，14世紀ごろのユーラシア大陸を見れば，東アジア世界の西には，インド亜大陸を中心に，インド的伝統に基づく広い意味でのヒンドゥー教を文化的基層とする**南アジア世界**，現在の中東を中心に，東南アジアからアフリカ大陸にまで及ぶ範囲に存在した，イスラームに基づく**イスラーム世界**，ローマ帝国の東西分裂以降に徐々に形成された，コンスタンティノープル中心のキリスト教（ギリシア正教）が広がる文化的世界としての**東欧世界**と，ローマ中心のキリスト教（カトリック）が広がる**西欧世界**，などの「世界」を想定することができるだろう．これらのなかで，ある時期以降，積極的に各方面に進出したのが，ユーラシアの西端に位置する西欧世界であった．

1.2 結びつく各「世界」

現代社会の規範としての西欧

グローバル社会としての現代社会では，西欧を起源とする規範や価値観が広く見られる．たとえば私たちの日常生活においては，尺貫法に代わって西欧起源のメートルやキログラムなどの度量衡が使用されるようになって久しく，人びとは伝統的な和服（きもの）ではなく洋服を着て過ごし，そして学生たちは明治時代に導入された西欧モデルの学校制度に基づく学校に通っている．さらに近年のグローバリゼーションの進展に伴い，英語は事実上世界の共通語としての地位を占め，自由・人権・民主主義を「普遍的」に重要なものとする価値観や資本主義という社会経済制度をより多くの国が受け入れ，そして欧米の映画や音楽は世界中に発信されて共有される．

ではなぜ，今日の社会に西欧起源の様々なものが根付いているのだろうか？その背景として考えられるのは，西欧世界が積極的に地球上の各地に進出し，地球上の各地が結びつけられて一体化する過程において，他の諸「世界」以上に大きな役割を果たしたという事実である．

歴史的グローバリゼーションのなかの西欧世界

　しかしながら，西欧世界は元々強力なパワーを持っていたが故に各地へ進出したわけではない．むしろ近世初頭までの西欧は，他の「世界」と比較して先進的であるとはいえなかった．15世紀に始まる新航路開拓の結果，アフリカ南端回りでインド洋へ達することに成功し，また西方では，南北アメリカ大陸へ到達した．インド洋では，他「世界」の国家の支配が強力だったため，ポルトガル，オランダ，イギリスなどは，沿岸部のいくつかの狭い領域を点として確保することによりアジア内貿易やアジア・ヨーロッパ間貿易に従事して富を蓄えていった．一方アメリカ大陸では，現地の政治勢力が弱かったことから広範な領域を植民地化することに成功し，そこから銀やプランテーション栽培の商品作物が西欧にもたらされた．

　このように，ユーラシアの西端に位置し外海に出やすいという地理的条件の下，ユーラシア各地との積極的な貿易活動や，南北アメリカ大陸およびアフリカの一部に成立した植民地からの富の流入と蓄積は，王権の伸張や市民層の台頭などの一連の社会変動を西欧社会にもたらした．そのような社会的条件の下，技術革新が絶えず行われた西欧世界では産業化が着実に進展し，やがて「産業革命」と呼ばれる一大変革が生じて，次第に力を強めていった．

　この間に，世界各地で造船技術や航海術は発達し，世界各地の人や物の移動は増大して，各「世界」は徐々に結びつきを深めていた．そうしたなか，力をつけた西欧諸国がさらなる利益を求めて各地に進出すると，他の「世界」の国家は徐々に劣勢に立たされ，次第に経済的にも政治的にも，西欧諸国が主導権を握るかたちで結びつけられることになった．

　地球上の様々な地域でこうした事態が展開したのはおよそ18世紀から19世紀のことであり，上述の東アジア世界も例外ではなかった．19世紀前半，アヘン戦争やアロー戦争で清朝がイギリスに敗れてイギリスに有利な条約を結び，さらに他の列強とも同様の条約を結んで本格的な進出を受けたことは周知のとおりであるし，また日本も19世紀半ばの黒船来航により開国を余儀なくされ，以来，欧米諸国の進出を受けつつ，その文化や技術を取り入れてそれに対抗しようとしたことはよく知られている．西欧諸国，そして，西欧から自立したアメリカ合衆国，さらに，18世紀以来西欧の影響を強く受け，遅れて近代化を

図5-1　乾隆帝に謁見するマカートニー
出典：Wikimedia Commons（Lord Macartney Embassy to China 1793）
清朝側はマカートニーに対し，朝貢使節が行う三跪九叩頭，すなわち，皇帝の
前にひざまずいて三度頭を床につけ，それを三回繰り返す臣従の儀礼を求めた
が，イギリス側はこれを拒否し，結局片膝をついて皇帝に接吻するイギリス流
の儀礼が認められた．

果たしたロシア帝国も，他の「世界」へと進出した．

　次第に優位に立つようになった西欧諸国やアメリカ合衆国は，進出先におい
て自らのルールや価値観に基づいて行動し，一方，進出を受けた地域はそうし
たルールをやむなく受け入れ，また時に自ら進んで取り入れた．このことは，
西欧起源のルールや価値観が広まる要因の一つとなった．そのような例の一つ
が外交方式であり，18世紀末に清朝を訪れたイギリス使節ジョージ・マカー
トニー（1737-1806）の事例はしばしば取り上げられる．

　清朝に対して大幅な貿易赤字を出していたイギリスは，1792年，貿易収支
の改善と貿易拡大を目的に，マカートニーを代表とする使節団を派遣した．翌
年彼は乾隆帝に謁見することになったが，そこで生じたのが謁見の儀礼の問
題であった．一般に，それぞれ独自の世界観やルールを有する二つの「世界」
の国家が対峙した時，どちらのルールが優先されるかはおおよそ力関係で決ま
る．イギリスと清朝との対等の関係を前提として自らの慣例による謁見のやり
方を主張するマカートニーに対し，清朝側はイギリスを他の東アジアの朝貢国
と同様に扱ったため，これが大きな問題となったのである（図5-1）．結局この
時は，清朝側が「朝貢国」に対する恩恵として，マカートニーの求める儀礼を
認めたことにより問題は解決したが，その後清が西欧諸国やロシアに戦争で敗
北を重ねるなかで，自らの世界観とそれに基づく儀礼を放棄し，次第に西欧の

外交ルールに従わざるを得なくなってゆく.

　このように, 19 世紀までに清, ムガル帝国, オスマン帝国など, 他の「世界」の中核となる国家への進出を強め, 優位に立った西欧諸国, アメリカ合衆国, そしてロシアは, 19 世紀後半のいわゆる帝国主義時代に, さらに地球上の各地に進出して多くの領域を植民地, あるいは事実上の植民地として分割した. その結果, これらの国々を中心とし, 地球のほとんどを覆うような政治・経済システムが成立することになった. もちろんその過程において, 非西欧の各「世界」も西欧世界に対して様々な影響を与えたことを忘れてはならない. しかしながら, 全体として, 地球上の多くの場所に西欧的なルールや価値観が広がり, それらはやがて地球上のあらゆる所で施行されるべき基準と位置づけられて現在に至る.

2　歴史的グローバリゼーションの展開
──近代移行期のバルカンを例として

2.1　前近代におけるバルカンの位置

「世界」が重なる場

　本節では, これまでの概念的な話を踏まえ, 近代移行期のバルカンを例として, 広義のグローバリゼーションの歴史的展開を具体的に見てみたい.

　バルカンとは, ヨーロッパ南東部の半島部を指し, 地理的にはドナウ川とその支流のサヴァ川以南の地域を指すが, 歴史的文化的共通性から, ドナウ川の北側ではあるがルーマニアも含めることが多い(図5-2). 様々な民族が複雑に分布し, 近代以降はしばしば民族紛争も見られる地域である.

　この地域の歴史を見ると, ローマ帝国の支配の下で徐々にキリスト教が広まり, その後ローマ帝国とキリスト教会が東西に分かれるなか, 東ローマ帝国の政治的支配とギリシア正教会の強い影響を受け, バルカンは東欧世界の中に含まれた. 東ローマ帝国の支配はやがて弱まり, ブルガリア帝国やセルビア, ボスニアなどの各王国が成立したが, そのような状況下であっても, 東ローマ皇帝の権威とギリシア正教会の影響は強力であった.

　東ローマ帝国が衰退するなか, 14 世紀よりアナトリアからバルカンにかけて勢力を拡大したのがオスマン帝国である. イスラームの理念に基づく支配を

オスマン帝国による安定(17世紀後半)　　　　オスマン帝国の後退と諸勢力の勃興(19世紀末)

図5-2　バルカンの歴史地図
出典：［黛 2017］をもとに修正.
「バルカン」という地域名称は, 19世紀初頭にドイツの地理学者ツォイネが提
唱した, 比較的新しいものである. その名称は19世紀を通じて広く定着した
が, バルカンにおける民族運動の展開と民族国家の成立期にあたっていたこと
もあり, 「バルカン」にはしばしば, 混乱や後進性などのマイナスのイメージ
が付きまとうようになった. そのためバルカン諸国のなかには, 「バルカン」
よりも「南東欧」を多用する国もある.

行うオスマン帝国は, 1453年にコンスタンティノープルを征服して東ローマ
帝国を滅ぼし, 以後ここを中心に広大な領域を支配した. それまで世俗で力を
持っていた東ローマ帝国という中核的な国家が消滅してしまったこの出来事は,
東欧世界にとってはまさに「世界」を揺るがす事件であった. そのような時に,
自らを, 東欧世界を支配すべき国家であると名乗りを上げたのが北方のモスク
ワ大公国である. 自国の教会組織を独立させてコンスタンティノープルの教会
から切り離し, さらに当時の大公であるイヴァン3世(1440–1505)は東ローマ皇
族との結婚を通じて, 自らをローマ帝国の継承者と見なした. とはいえ, 当時
のモスクワは東欧世界の北方の一部を治めるのみの小国であり, 正教徒が多数
を占めるバルカンはオスマン帝国の支配を受けて, 帝国秩序にしっかり組み込
まれた.

　このようにして, 長らく東欧世界の中核的な地域であったバルカンは, オス
マン帝国の支配下に置かれることによりイスラーム世界に包摂された. このよ
うな, 住民の信仰や文化と支配層のそれが異なる例は特別珍しいものではない.
イスラーム王朝に支配されたインド北西部～北部, あるいは16世紀にモスク

ワが征服した，カザンやアストラハンなどの旧モンゴル帝国のイスラーム諸国家の領域にも同じことが言える．このように，複数の「世界」が重なり合う領域は各地に存在した．

オスマン帝国のバルカン支配

支配権力と被支配者との間で宗教と文化が異なる場合，しばしば摩擦や対立が生まれる．オスマン帝国においても，時にそのような摩擦がなかったわけではないが，その規模や頻度は帝国支配を揺るがすものではなかった．ではなぜ，正教徒が多数を占めるバルカンにおいて，オスマン帝国が大きな困難を伴わず長年支配を行うことが可能だったのか．その答えは，キリスト教の信仰を認めるイスラームの教義と，帝国内の異教徒に一定の自治を与えつつ，彼らの不満を高めないようにするオスマン政府の現実的な統治にあったと考えられる．イスラーム法（シャリーア）に基づく統治を行うオスマン帝国では，異教徒の扱いもその法に規定されるが，キリスト教徒とユダヤ教徒は，神の意志を十分理解しない存在と見なされつつも，イスラーム教徒と同じ神を信仰する者であるということで，布教の禁止やイスラーム教徒には課されない税の支払いなどを条件に信仰の維持が認められ，帝国臣民として保護を受けた．

17 世紀までの拡大・安定期のオスマン帝国のなかで，このような支配を受けていたバルカンでは，後の時代に見られるような諸外国からの干渉を受けることもなく，社会は安定した．

2.2 イスラーム世界から三「世界」の接点へ

イスラーム的世界秩序観とオスマン帝国の対外関係

東アジア世界の華夷秩序のように，イスラーム世界においても独自の世界秩序観が存在した．イスラームにおいては，全世界を，イスラームの法が十全に施行されている領域と，そうではなく異教徒の支配を受けてイスラームと本質的に戦争状態にある領域の二つに分け，前者を「**イスラームの家**（ダール・アル・イスラーム）」，後者を「**戦争の家**（ダール・アル・ハルブ）」と呼ぶ．前者の拡大のためにイスラーム教徒は絶えず戦うよう努力すべきであるとされ，それが「聖戦（ジハード）」であるが，常に戦争を行うことは現実的に不可能であり，実

際にはイスラームの国と異教徒の国との間に和平が結ばれ，共存が見られた．それ故そこには外交が存在したが，神（アッラー）にすべてを委ね，その教えを実践するイスラームが最も優れたものであることはムスリムにとって自明であるため，「イスラームの家」に属する国家と「戦争の家」の国家との対等な関係は想定されなかった．現実はともかく，理念的には異教徒の国家とは対等でない関係が想定されたため，オスマン帝国の西欧諸国やロシアなどに対する政策も，自国を上，相手国を下とする前提で行われていた．たとえば，君主間の親書に書かれる相手国の君主の称号は，多少の例外を除いてオスマン皇帝と同等のものは用いられず，相手側には常に格下の称号が使われた．また，19世紀に西欧諸国がオスマン帝国に対する特権として主張するいわゆる「カピチュレーション」も，本来，格下の西欧諸国に対する恩恵として皇帝が与えたものであった．

　実際の力関係においても17世紀まで，オスマン帝国は西欧諸国やロシアなどのヨーロッパ勢力に対して常に優位に立っていた．17世紀末のカルロヴィッツ条約でオスマン側はヨーロッパ諸国に領土を大幅に割譲することになるが，それまでオスマン帝国は領土を拡大し続けていた．このようなオスマン優位の時期，ヨーロッパの国々がバルカンの問題に介入しようと試みる場合がなかったわけではないが，そうした介入によりオスマン帝国のバルカン支配が大きく揺らぐことはなかった．

18世紀後半以降のバルカンをめぐる国際関係

　18世紀以降バルカンをめぐって生じたことは，西欧と東欧とイスラームの三つの「世界」がかかわりを深め統合へと向かう現象であった．

　17世紀末のヨーロッパ諸国との戦争で敗北したことにより，それまでの力の優位を失ったオスマン帝国は，18世紀に入ると外交という手段を最大限活用して領土の保全を図る必要に迫られ，そのためヨーロッパ諸国との関わりはそれまで以上に緊密になった．特に18世紀初頭にピョートル1世が支配するロシアが台頭しオスマン帝国を圧迫し始めると，同様の圧力を受けていたポーランドやスウェーデンとの連携を強めた．18世紀半ばにプロイセンと同盟を結んで以降，オスマン帝国は西欧諸国と様々な条約を結び，西欧の国家間シス

図 5-3　ヨーロッパの火薬庫の風刺画
出典：Wikimedia Commons（Balkan troubles）
列強の利害の絡みあうバルカンは「ヨーロッパの
火薬庫」と呼ばれ，事実，1914 年に起きたサラ
イェヴォ事件が，ヨーロッパ，さらには世界を巻
き込む大戦勃発の契機となった．

THE BOILING POINT.

テムに次第に深く関わるようになる．

　一方，スウェーデンとの大北方戦争に勝利してバルト海への進出を果たした
ロシアは，政治・経済・文化のあらゆる面で西欧世界とのつながりを深め，オ
ーストリア継承戦争や七年戦争など，西欧世界で 18 世紀半ばに生じたいくつ
かの大きな戦争にも参加した．

　このように，18 世紀半ばまでにオスマン帝国もロシアも，西欧世界の中で
発達した，「主権国家」からなる国家間システムに関与するようになっていた．

　今やユーラシアの大帝国に成長し，かつての東ローマ帝国のように，東欧世
界の中心的な帝国となったロシアにとって，正教徒が住民の多数を占め，しか
も地政学的に黒海にも地中海にも面するバルカンは，自らが治めるべき領域と
映っていたに違いない．一連の近代化により力を増していたロシアは，1768
年に勃発したロシア・オスマン戦争において，オスマン帝国を圧倒した．その
結果1774 年に締結されたキュチュク・カイナルジャ条約は，その後のロシア
のバルカン進出の足掛かりとなる内容を含むものであった．たとえば，現在の
ルーマニアの一部であるオスマン帝国の属国ワラキアとモルドヴァに対する発
言権を獲得したロシアは，これを足掛かりに，その後両国への影響力拡大を進
めた．また，オスマン領内のあらゆる場所に領事を置く権利を獲得したことも，
その後のロシアのバルカン進出に大きな意味を持った．

　このようにして本格化したロシアのバルカン進出に対抗して，ハプスブルク
帝国もバルカンへの本格的な進出を開始した．そして，18 世紀末にはイギリ

スやフランスもバルカンに関心を寄せ，1768年の戦争以前はオスマン帝国の内政問題として扱われていたバルカンの諸問題は，18世紀末までに西欧諸国とロシアが深く関与する国際的な問題に変質していった．とりわけこれらの列強は，19世紀にバルカンの正教徒たちの民族運動が現れると，その運動や，その結果成立したバルカン民族国家に介入し，それらを通じてバルカンでは，列強の複雑な利害が絡み合う状況が生まれた．このような，バルカンやオスマン帝国内の他の領域をめぐり出現した列強間の政治外交問題を総称して「**東方問題**」と呼び，バルカンを通じて，18世紀後半以降，西欧諸国・ロシア・オスマン帝国間の政治外交関係はますます緊密になっていった（図5-3参照）．

結びつきを強める三つの「世界」

緊密になったのは政治・外交分野だけではない．経済的にも，バルカンや他の地域を通じてオスマン帝国は西欧世界に結びつけられた．16世紀末頃からオスマン中央政府の地方に対する支配が緩むと，政府による経済の統制も弱まり，地方で政府の意向と無関係に作物を栽培する余地が生まれた．西欧資本主義の発達の影響を受け，バルカンおよびアナトリアのエーゲ海付近において西欧輸出向けの作物が徐々に生産されるようになる．たとえば，バルカンでは羊毛やタバコなどが生産され，家畜や穀物とともに西欧諸国向けに輸出されるようになり，次第に西欧を中心とする資本主義的世界経済へと統合されていった．こうした動きはロシアでも同様であり，18世紀初頭のバルト海進出後，ロシアは西欧との経済的結びつきを強め，さらに18世紀末からは，黒海経由でロシアの穀物が西欧へ大量に輸出されるなど，黒海・地中海を通じても西欧との経済的つながりは強まった．

思想・文化面でも，ロシアとオスマン帝国への西欧の影響が顕著であった．ピョートル1世による西欧化政策以降，ロシアの貴族層は西欧文化を積極的に吸収し，宮廷ではフランス語が日常的に話されていたことはよく知られている．18世紀以降，多くの西欧出身者が政府に雇われ，またロシア王室と西欧の王族間の結婚もしばしば見られるなど，ロシアと西欧との人的交流は拡大し，ロシアでの西欧文化の影響力は強まった．一方18世紀に入ると，イスラームの優位を自明と見なしてきたオスマン帝国の支配層の中にも，軍事面を中心に西

欧の優れた技術を取り入れようとする動きが現れた．西欧諸国やロシアに対して敗北を重ねると，そうした表面的な軍事技術だけを取り入れる改革の限界が明らかになり，やがて政治・経済・社会の各方面において，西欧的な理念や思想とそれに基づく様々な制度をも取り入れる動きが始まった．1839 年に始まるタンズィマートと呼ばれる一連の改革がそれに当たる．

　オスマン政府が，こうした，より根本的な西欧モデルの改革に踏み切ったのは，対外的な理由だけではない．19 世紀初頭に現れたバルカンでの民族運動による国内秩序の動揺も，その理由の一つであった．帝国を大きく揺るがしたこの運動もまた，西欧の影響を受けていた．

　オスマン帝国では，人びとは宗教によって区別され，何教徒であるか，そしてどの宗派であるかが社会の中で最も重要な意味を持った．そこには「民族」という明確な概念はなく，またそれが社会的な意味を持つこともなかった．しかし 18 世紀後半のバルカンにおいて，政府の支配が弱まり，在地勢力が互いに争う混乱した状況になると，オスマン帝国支配からの自立の動きがキリスト教徒の間で現れてきた．その際，**ネイション・ステイト**（国民国家）」の考え方，すなわち，言語や文化を共有することにより同じ共同体に属すると考える人びと（ネイション）が，他の「ネイション」を排除して一つの国家を持つという西欧起源の思想が自立の論理として用いられ，次第に力を持った．それまでギリシア正教徒として，今日でいうところのギリシア人もセルビア人もルーマニア人も同じ共同体の成員と意識していたバルカンの正教徒は，「民族」という集団ごとに独立運動を進め，西欧型のネイション・ステイトとして独立を果たした．前述の通り，その独立の過程や独立した各民族国家に列強が深く関与することにより，バルカンは「ヨーロッパの火薬庫」として，西欧諸国・ロシア・オスマン帝国の間の様々な利害が錯綜する場となるのである．

　こうして，近代移行期において，東欧世界とイスラーム世界が重なり合うバルカンという地域を通じて西欧・東欧・イスラームの三つの「世界」が結びついてゆき，またその過程でとりわけ西欧的なものが西欧世界以外にも広がっていったのである．

　本節で示した内容は，「広義のグローバリゼーション」のほんの一面を示したに過ぎない．地球上の様々な地域で，これに類似した過程が進行したわけだ

が，バルカンとは異なる条件の下，それぞれの地域における他の「世界」との結びつきは多様な展開を見せた．ある地域の，ある時期に限定すれば，諸「世界」の一体化とは逆行するような動きも見られたであろう．しかし全体として，歴史的に存在した諸「世界」が緊密化し一体化してゆくことにより，今日のグローバル世界が成立したのである．

3　グローバルな歴史のとらえ方——グローバル・ヒストリー

国家中心の歴史からグローバルな見方へ

過去の見方には，その時代の人びとの問題意識や関心が色濃く反映されるものである．20世紀末以来のグローバリゼーションの進展とともに，歴史学における過去のとらえ方にも大きな変化が見られた．

近代科学としての歴史学が登場した19世紀の西欧では，国民国家の形成が進み，歴史学は，過去を共有する「国民」を作り上げるためにしばしば国家に利用された．さらに20世紀に入り，西欧起源の国民国家は，植民地独立により地球全体に拡大することとなった．このような背景から，19世紀から20世紀初頭にかけての歴史学は国家を中心とするものであり続け，とりわけ政治史が研究の主流となった．ヨーロッパの歴史といえば，そこに存在する各国家の歴史を集めたものであり，世界史も国家を中心とする「万国史」としての性格を持つものであった(第4章参照)．

これに対し，1930年代頃に西欧で本格的に始まった「社会史」研究の中には，経済学や地理学など他分野の研究成果を取り入れたり，複数の地域の比較の視点を導入したりするなど，一国史を超える広い視野を持つ研究も存在した．ブローデルが行った，西欧世界とイスラーム世界，そして一部東欧世界の交差する16世紀の地中海を対象とした研究などはその一例であるが(第1章参照)，全体として社会史研究においては，対象はミクロな事象が中心となり，広い地域的視野を持つものにはならなかった．

グローバリゼーションが進展した21世紀の今日においても，国家の果たす役割は依然として大きく，一国史の枠組みによる研究が意味を持たないわけではない．しかし20世紀後半以降，環境や世界経済など，よりグローバルな課題への関心が高まるにつれて，こうした問題を歴史的に考える際，従来の一国

の歴史の寄せ集めでは十分理解できず，よりマクロな視野で歴史的事象をとらえる必要が生じた．このような背景から，20 世紀後半になると，地球規模の視野で，すなわち「グローバル」に歴史をとらえようとする動きが現れてくる．それが「**グローバル・ヒストリー**」と呼ばれるものである．

新しい歴史学としてのグローバル・ヒストリー

グローバル・ヒストリーの先駆と見なされるのは，1970 年代に登場したアメリカの歴史社会学者イマニュエル・ウォーラーステイン(1930–2019)の「**世界システム論**」である．ウォーラーステインは，16 世紀に西欧で始まった資本主義が拡大し，その範囲内で見られた中心・半周辺・周辺の三つのカテゴリーからなる分業体制を「近代世界システム」と呼び，それが西欧以外に存在する他の「世界システム」を包摂して，19 世紀には地球を覆いつくしたと主張する．各国家の役割を重視せず，経済的側面を中心に巨視的に歴史を見るこの理論は，一国史観を乗り越える理論として歴史学に大きな影響を与えた．アジアの経済的役割の軽視など，ヨーロッパ中心史観としてしばしば批判を受けるものの，グローバルな歴史のとらえ方を最初に提示したこの理論は，グローバル・ヒストリーの先駆けと見なされる．その後提唱された様々な見方は，この「世界システム論」への反論，という形をとるものが多い．たとえば，アメリカの社会学者ジャネット・アブー＝ルゴド(1928–2013)の著した『ヨーロッパ覇権以前——もうひとつの世界システム』は，中国から西欧に至るユーラシア大陸を結ぶ経済的交流が 13 世紀にはすでに出来上がっており，そこには八つのサブシステムが一つの「世界システム」を形成していたが，それが 14 世紀頃から変容し崩れていったために，西欧諸国が 16 世紀に進出する余地が生まれたとするもので，ウォーラーステインの西欧中心の見方に対するアンチテーゼである．

1980 年代後半に始まる冷戦構造の動揺と冷戦の終焉，そして 1990 年代以降のグローバリゼーションの進展は，こうしたグローバル・ヒストリーへの関心を高め，様々な理論が登場した．たとえば，経済史・社会史家であるアンドレ・グンダー・フランク(1929–2005)は，その著書『リオリエント』の中で，近代資本主義を発達させた西欧が主たる原動力となって世界を結びつけていった

要因について，西欧が進んでいてアジアが遅れていたという議論を否定し，ユーラシアでの経済システムの主役は長らく中国とインドであり，西欧の経済的勃興は 18 世紀になってからに過ぎないことを指摘した．そして近年の中国とインドの経済発展を見る時，西欧とアメリカが世界経済を主導した時期は 200 年余りの一時的なものに過ぎず，時代は再びアジア中心へと回帰してゆくと主張した．同じく，18 世紀まで西欧と中国は極めて似た経済構造の特徴を持ち，経済発展も同等だったが，その後西欧が急速に経済発展を遂げたのは，石炭の有無などいくつかの偶然によるものであるとしたアメリカの経済学者ケネス・ポメランツの『大分岐』なども，グローバル・ヒストリーの潮流の中に位置づけることができる．

　この他にも，疫病や環境のような自然科学の知見を必要とする問題や，人びとの生活に深く関わる特定のモノや習慣などの広がりを，地球規模で明らかにしようとする研究も現れている．

　これらのグローバル・ヒストリー研究の特徴として，二つの点を挙げることができる．一つは地域間のつながりの重視である．グローバルな歴史の見方においては，ある場所と別の場所が相互にいかにつながっているかが意識される．もう一つは歴史学を超えた学際的な研究であることである．一人の歴史研究者が一次史料に基づく実証的な研究を行うにあたり，扱える時期や地域は限られており，グローバル・ヒストリー研究では，多様な時代や地域の歴史研究者，さらに，社会学，地理学，経済学，人口学，その他自然科学など，隣接する学問領域の研究者との協力が必要となる．実際，本節で紹介した理論研究も，歴史家というよりはむしろ経済学，社会学，人類学などの専門家によるものである．現代グローバル社会における様々な問題解決と同様，グローバル・ヒストリーにおいても，従来の歴史学の研究手法とは異なるアプローチが必要となっている．

＊　　　＊　　　＊

　この章では，歴史の中のグローバリゼーションについて見てきた．前近代においては，文化を共有する「世界」が併存する状態が長らく続き，非常にゆるやかなペースで各「世界」が結びついていったが，「西欧世界」を主な原動力

として 18 世紀以降急速にその結びつきは強まり，20 世紀までに地球を覆うシステムが成立した．このような考え方を踏まえて，その間に起きたプロセスの一端を，バルカンという地域を例に具体的に見た．そして冷戦終結後の通信運輸技術の急速な進歩により地球上のあらゆる場所が深く結びつけられ，グローバル社会が成立したが，そのような現代社会のあり方がグローバル・ヒストリーという新しい歴史の見方をもたらしたことを指摘した．

　グローバル・ヒストリーの登場は，時代の要請という背景以外に，歴史学研究の行き詰まりという背景もあったと考えられる．歴史学研究の進展のなかで，専門分野が細分化された結果，個々の研究者はより専門的な狭い対象に向き合うことになり，隣や全体が十分に見通せず，行き詰まりを感じる者も多かったように思われる．グローバル・ヒストリーは，個々の事象の関連性や全体を見渡すような広い視野の研究が求められていた，まさにそのような時に登場したからこそ時代の潮流となったのである．

　時代や地域によって程度の差はあれ，いかなる場所も，他の地域と何らかのつながりを持ち，それを通じてもたらされる事物や情報などの影響を受けながら歴史は展開してゆく．一次史料から「そこで何があったのか」を詳細に明らかにし，それを様々に解釈するのが歴史学であり，当然，細かい話も重要になるが，このようなつながりも視野に入れた同時代的背景を理解してこそ適切な解釈が可能になるのであり，歴史学の研究では，ミクロの視点と同時に，この章で述べたようなマクロの視点も必要不可欠なのである．

●参考文献

アブー゠ルゴド，ジャネット・L(佐藤次高・斯波義信・高山博・三浦徹訳)『ヨーロッパ覇権以前――もうひとつの世界システム』上・下，岩波書店，2001 年(原著 1989 年).

ウォーラーステイン，I(川北稔訳)『近代世界システム』全 4 巻，名古屋大学出版会，2013 年(原著 2011 年).

シュペングラー(村松正俊訳)『西洋の没落』I・II，中公クラシックス，2017 年(原著 1922 年).

トインビー(長谷川松治訳)『歴史の研究』全 3 巻，社会思想社，1975 年(原著 1946-57 年).

フランク，アンドレ・グンダー(山下範久訳)『リオリエント──アジア時代のグローバル・エコノミー』藤原書店，2000年(原著1998年).

ブローデル，フェルナン(浜名優美訳)『地中海』(普及版)全5巻，藤原書店，2004年(原著1966年).

ポメランツ，K(川北稔監訳)『大分岐──中国，ヨーロッパ，そして近代世界経済の形成』名古屋人学出版会，2015年(原著2000年).

黛秋津「黒海国際関係の歴史的展開──20世紀初頭まで」六鹿茂夫編『黒海地域の国際関係』名古屋大学出版会，2017年.

水島司編『グローバル・ヒストリーの挑戦』山川出版社，2008年.

▶▶▶ **より深く知るために**───────────────

・鈴木董『文字と組織の世界史──新しい「比較文明史」のスケッチ』山川出版社，2018年.

　　文字圏としての「世界」と支配の組織に注目して，古代から現代までの世界史を描いている.

・羽田正『グローバル化と世界史』(シリーズ・グローバルヒストリー1)，東京大学出版会，2018年.

　　現代グローバル社会における歴史学の役割，およびグローバル・ヒストリーの現状と可能性を考察している.

・黛秋津『三つの世界の狭間で──西欧・ロシア・オスマンとワラキア・モルドヴァ問題』名古屋大学出版会，2013年.

　　現在のルーマニアを通じて，近代移行期において西欧・東欧・イスラームの各世界がどのように結びついていったのかを具体的に検討した研究書.

第6章 植民地主義と向き合う
——過ぎ去らない帝国の遺産

岡 田 泰 平

みなさんの周りを見てみよう．そこには民族的にも，また宗教・思想やジェンダーなどの面でも，様々な出自やアイデンティティを持つ人がいることだろう．

このような多様性にかかわらず，相変わらず民族や国籍が総じて私たちの自己認識において重要な位置を占めている．21世紀になってグローバリゼーションが進んでも，民族や国民を作り上げる原動力になってきたナショナリズムは，簡単には消え去りそうもない．それどころか，逆に強まりつつあるようでさえある．いまだになぜ多くの人びとは特定の民族や国家へと縛られ続け，社会運動や現実政治はナショナリズムをめぐって展開するのだろうか．

様々な回答があるだろうが，その一つは，それぞれの民族や国民国家ができあがるという経験はおよそ一回限りだから，というものであろう．ナショナリズムの多くは，植民地主義への抵抗から育まれてきた．この一回性の経験をめぐる対立が，グローバリゼーションと共に逆に強まっているのである．この観点から，近代の二つの特徴——国民国家と産業革命——を踏まえつつ，植民地主義の歴史上の位置付けを考えてみたい．

1 近代と帝国主義

1.1 国民国家と産業革命

近代という時代において，国民国家の樹立や産業革命の拡散といった潮流は，歴史の進歩であると考えられてきた．他の人々よりも早く，これらの潮流にうまく乗ることができた人々——すなわちヨーロッパ人やアメリカ人や日本人——は，自らの支配領域を拡大していった．その結果，西欧諸国・アメリカ合衆国・日本は列強と呼ばれる帝国になり，植民地を持つようになった[1]．

当然，支配する側と支配される側は対立した．しかし，帝国主義・植民地主義に抗する側の人々にとっても，強固な国民を形成し，政治的独立を果たし，産業を発展させ，人々の生活の充実を図ることが目標となった．さらに一般的

には，帝国による植民地支配の下，学校制度が整備され，道路や鉄道ができ，衛生状態も向上した．このような社会の発展を目にし，支配された人々の一部は，植民地支配に積極的に協力した．支配する側も支配される側も，植民地という空間の中で，近代という時代を生きていたのである．

世界共通の歴史経験としての植民地化・脱植民地化

帝国による植民地支配は，ヨーロッパや日本などわずかな地域を除いた世界的な共通の歴史経験である．西洋の対外進出は，およそ15世紀に始まるポルトガル人のアフリカ進出と，スペイン人の南北アメリカ大陸への到達を起点としている．17世紀初頭には，東インド会社という新組織を伴って，イギリス・オランダ・フランスがアジアに進出した．19世紀半ばには，列強は中国を条約体制に組み込み，通商や市場の拡大を目指した．しかし世紀転換期になると，日本を含む列強は，中国から租借地や鉄道などの利権を獲得していった．19世紀後半には，東南アジアの大部分がヨーロッパの列強によって植民地化された．世紀転換期にはアメリカ合衆国と日本も海外領土を持つ帝国となり，前者がハワイやフィリピン，後者が台湾や朝鮮半島を支配した．

また，脱植民地化の結果，国民国家ができたことも，ほぼ共通した経験と言えよう．1776年のアメリカ合衆国独立を皮切りに，1804年にハイチ，その後の19世紀中にはラテンアメリカ諸国が独立した．1940〜50年代にはアジア，1950〜60年代にはアフリカ，そして1960〜80年代にカリブ地域の国々が，政治的独立を果たした．

主権と「解放」のナショナリズム

19世紀の末まで，ヨーロッパの列強は，国家の領土も確定しておらず国民という意識も薄い地域を植民地とした．アフリカ，中東イスラーム地域，東南アジアでは，植民地の境界が，そのまま国民国家の国境となっていった．しかし独立するころになると，多くの場合，支配された人々は国民という意識を持つようになり，国家として確固たる領土を持ち自決する権利，すなわち主権を強く要求した．世界史的に見るのであれば，帝国による植民地支配は，その反作用として，国民国家の樹立を目標とする運動であるナショナリズムの興隆を

促すことになったのである.

　20世紀中葉から現在にかけて,植民地を失った旧帝国の国々と,脱植民地化のナショナリズム——つまり「**解放のナショナリズム**」——によって独立していった国々とが,国際社会を形成してきた.植民地支配は,支配された国の歴史からは消し去りたくも抜きがたい屈辱に満ちた歴史経験である.その反面,支配した国においては忘れたい記憶であり,隠したい過去である.しかし,この歴史を見つめなおさなければ,他者の歴史も,今日の国民国家体制も理解できないだろう.植民地主義の理解は,この点から,極めて今日的な要請なのである.以下では**帝国主義**,**植民地主義**,**脱植民地化**といったキーワードを中心に考えてみたい.

1.2 帝国主義

　帝国主義による膨張は,それぞれの帝国の核となるナショナリズムが,先駆的に産業を手にし,軍事力を飛躍させたことにより可能となった.なぜ国民国家に結実するナショナリズムは,帝国主義に結びつくのだろうか.

社会ダーウィニズムと人種差別

　19世紀後半には,自分と他者を優劣で判断する世界観が強まり,それが西欧からアメリカ,そして他の地域へと拡がった.民族(または人種)を優劣によって判断し,自民族(または白人種)は他民族(または有色人種)よりも優れているという「国民」感情が生じた.その上で,ゆえに“遅れた”人々を自民族の基準にまで引き上げなければならないという「帝国意識」が国民に拡がった.幸徳　秋水 (1871–1911)[2]のような例外はいたが,植民地支配の推進派であろうと反対派であろうと,19世紀末から20世紀初頭までの帝国の人々の認識では,植民地には“発展した”「民族」がいなかった.「帝国意識」は,“遅れた”人々から「民族」を創生しなければならず,すでに「民族」がある場合でも,近代国家を担えるほどに「民族」を発展させなければならない,という使命感へとつながった.

　この自他の優劣の意識を支えたのが,19世紀の科学の中心に位置していた**社会ダーウィニズム**だった.この考え方では,進化こそが生命の基本原理であ

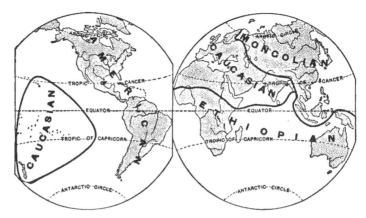

図6-1　アメリカの高校地理教科書の図版(1912年発行)
出典：[Dryer 1912: 258]，Fig. 231
この教科書は，同植民地フィリピンでも使われていた．世界が，白人種(Caucasian)，黒人種(Ethiopian)，赤色人種(American)，黄色人種(Mongolian)に分けられている．

り，時代とともに，優性種によって劣性種が淘汰されるのだが，この淘汰が人や社会の発展に援用された．人種差別を定式化したフランスのゴビノー(1816-82)は，世界には，白人種のほかに，動物の域を越えない黒人種，滅びゆく赤色人種，精力に欠け，凡庸さを愛する黄色人種がいるとし，アーリア系の白人または彼らの血を持つ混血者でなければ文明は形成できないと述べている[Gobineau 1915]．このような考え方は，帝国のみならず植民地にまでも及んでいた(図6-1)．

レーニンの「帝国主義論」

　このようにみると帝国主義とは，産業革命によって生じた技術革新と経済的優位性が，社会ダーウィニズムに結びつき，特定の国家が支配地域を拡大する世界規模の現象であった．つまりは経済的現象が根底にあるのだが，この側面に注目し，帝国主義批判を行ったのが，レーニン(1870-1924)だった．レーニンは『帝国主義論』(1916年)において，帝国主義を「資本主義の最高の段階」と位置付けた．資本主義が独占段階に達すると，もはや国内でそれ以上の資本蓄積を望めないため，独占企業は金融資本と結びつき，国外の資源を得ようとする．他方，資本家が多大な影響を及ぼす国家は，資本家を潤わせたり，国内の労使問題を解決するために，企業の進出先や人口のはけ口を得るべく，植民地

を求めるようになる．それぞれの帝国が植民地を獲得し，もはや余分の土地が
なくなると，今度は互いの植民地を奪うために帝国間の戦争が生じる［レーニン
2006］．つまるところ，レーニンにとって，帝国主義は，資本主義の発展の結
果，不可避に生じるものだった．そこでレーニンは，資本主義に代わる政治経
済システム，すなわち**共産主義**を求めた．

1.3 「帝国主義」論の展開

　帝国主義はレーニンによってこのように明確に定義されたのだが，帝国主義
研究は，その後の多様な学知へと発展した．ここでは主なものを見てみよう．

新植民地主義論から「自由貿易帝国主義」へ

　第一には，資本主義そのものの展開についての研究である．植民地から独立
した国々（以下，**グローバル・サウス**[3]）の政治経済分析が行われた．1970 年代に
は，インドシナ戦争におけるベトナム勝利の影響もあり，ハリー・マグドフや
サミール・アミンのような思想家は，共産主義こそが未来を切り開くものだと
考えた［マグドフ 1981；アミン 1983］．資本主義国家であるアメリカや日本の影
響の下，これらの国家に本社を置く国際企業や現地の腐敗した政治家が搾取を
しつづけることにより，グローバル・サウスの人びとが貧困に苦しみ続けるの
だ，とする議論が強まった．その結果，植民地支配下で作られた貧富の格差の
大きい社会構造が独立後も継承されたとする，**新植民地主義論**が大きな影響力
を持った．また，アフリカ研究から出発し，資本主義の発展を地理的に分析し
たウォーラーステインの世界システム論も，この系譜に位置付けられよう．

　第二には，資本主義と帝国主義の親和性を逆手に取り，1950 年代にはジョ
ン・ギャラハーとロナルド・ロビンソンによって「自由貿易帝国主義」という
考え方が提起された［ギャラハー，ロビンソン 1983］．これは，それまでの人種的
または法的な植民地研究ではなく，海外投資などの経済現象に注目したものだ
った．そうすることにより，イギリス国内で反帝国主義が盛り上がった 19 世
紀末にこそ，植民地支配が拡大したことを論証した．また，隣接する概念とし
て，総督の下の近代的な官僚制度による**直轄植民地**と伝統的な統治体制を温存
する**間接統治**や，支配下にいる民族同士の反目をあおる**分割統治**が，分析のた

めの概念として使われるようになった.

政治財政論から環境論へ

第三として，なぜ特定の国が帝国になるのかを考察した研究がある．主だった手法としては，資本主義が社会の隅々にまで浸透し，その過程で民族の優越意識が生じ，宗主国の国民が帝国主義の戦争に駆り出されていくことが論じられてきた．この思潮の最近の成果としては，帝国の軍事力という側面に注目し，イギリスにおける軍と議会と税制の相互補完関係を論じた財政軍事国家論がある[ブリュア 2003].

第四に，ヨーロッパ人がなぜかくも広大な土地を支配できたのか，という古典的な問いがある．この問いについても，旧来の人種優劣論ではなく，自然環境に着目した，次のような新たな研究が提示されてきた．気候や土壌が食料の生産と保存に大きな違いを与え，家畜の飼育と人口密度の高さが病原菌やウイルスの保有に結びついた．このように，地理的な条件ゆえにヨーロッパ人は，天然痘などの感染症に対する耐性を持つようになり，ウイルスや病原菌の保有者になった．武器や労働強要のみならず，結果的に自らや黒人奴隷が持ち込んだ病原菌やウイルスをも用いて，先住民を激減させ，南北アメリカを植民地化した，という環境決定論がある[ダイアモンド 2000]．それに反し，ヨーロッパ人による南北アメリカとオセアニアの支配を可能にした理由には，彼らの拡散と共に自然環境そのものが変わっていったからだ，との研究もある[クロスビー 2017]．それでは帝国の膨張の結果，植民地となった社会の具体的な状況はどうだったのか．この問いに答えようとしているのが植民地研究である.

2 植民地主義と植民地研究

2.1 植民地主義

植民地主義を語るにあたり，まずは支配した側の当時の認識と，客観的な分析概念としての植民地主義とを分ける必要がある．支配した側の認識としては，現地の人々は社会を発展させることができないので，自らが発展の「責務」を負う，というものだった．だからこそ，帝国においては当初の侵略戦争に伴う著しい暴力が正当化された反面，戦争終結後には植民地政府による社会の改造

が試みられたのである.

　それでは, 分析概念としての植民地主義はどのように定義できるのだろうか. 帝国主義については, レーニンへの賛否を含め, 前述のように多様な研究が行われてきた. それにもまして, 植民地主義についての研究はより複雑である. その主たる理由としては, 明確な定義ができないことがある.

なぜ明確な定義ができないのか

　その大きな要因は二つある. 第一には, 近代的統治そのものにかかわる複雑さである. 近代的統治を担う統治権力の拡大と深化は, 必ずしも植民地のみで生じるわけではないし, 偏りなく同じペースで進むわけでもない. いわば中央政府のような統治権力の浸透度合いが, 同じ領域内であっても場所によって異なった. 中央政府の支配が, ある場所では浸透しているのだが, 同じ領土内の他の場所ではほとんど及ばないということが常態だった.

　20世紀の初頭においてさえ, 均質の統治を行うことは, 植民地であったフィリピンやインドネシアのみならず, 同時代の帝国アメリカ合衆国の本土でも, 共和国であったメキシコでも大きな問題だった. 日本・朝鮮半島や西欧のように, 前近代から統治権力が社会に浸透している状況は, むしろ例外である. 統治権力の社会への浸透は, 近代的統治の特徴の一つなのだが, 植民地特有の現象ではなかったのである. 植民地とされた社会において, 社会の隅々にまで統治が行き届くことなど, まずありえなかった. いわば世界中で統治権力の拡大が生じ, その類型の一つとして植民地があったにすぎない. 言い換えれば, 統治権力の増大を植民地主義の本質とすることはできない.

　第二には, レーニンの分かりやすい膨張論に反し, 植民地支配に至る過程や, その結果できあがる植民地社会は, 非常に多様である. 例えば, イギリス帝国主義の場合, 直轄植民地や間接統治, 貿易拠点や軍事基地など, 帝国の関与や統治の形態は様々であり, どこまでを植民地と言えるのかの明確な線引きが難しい. 1920～30年代の共産主義者によって「半植民地」と呼ばれた中国のような状況では, 主権の喪失は逃れつつも, 他国の軍隊が駐留し, 領土の一部が割譲され, 外国勢力に支えられた政権ができあがった. さらには, 侵略し獲得した領土が, 法的に宗主国の一部となることがあり, その状況を指す**内国植民**

地主義という概念も提示されている．つまり，現地の政権が存立しつづけてい
ても，あるいは国外の領土でなくても，帝国による植民地支配と類似した状況
が生じうる．植民地とそれ以外を明確に分けることは，難しいのである．

　このような多様な統治形態の中でも，最も極端な区分として，**入植者植民地
主義**(settler colonialism)という概念が提示されてきた．典型的には，北米大陸
やオーストラリアにおいて，ヨーロッパ人が入植し，疫病や戦争によって先住
民の人口が著しく減り，彼らの土地が奪われ，ヨーロッパ人の植民がさらに進
んでいく状況を指す．ただし，この区分であっても，どこまで先住民が弱体化
するかは相対的であるし，カリブ地域の植民地のように先住民がほぼ殲滅され
た後に，ヨーロッパ人が支配者として君臨し，アフリカ人が大量に連れてこら
れ，奴隷として働かされた，というより複雑な状況もある．

植民地主義のおおまかな特徴

　多様な植民地の中で，ここでは典型的な植民地，つまり植民地支配者が圧倒
的少数であり，現地の人々が大多数を占める直轄植民地に議論を絞りたい．こ
の前提の下では，植民地主義の特徴として，次の3点が浮かび上がる．

①**協力システム**

　帝国は，植民地を獲得する段階では侵略戦争と大量殺戮を行うのだが，この
ような軍事的制裁は財政負担が大きい．そこで，財政負担の少ない統治体制へ
と転換しなければならなくなる．植民地教育などによって，現地の人々の一部
を**現地人エリート**にし，彼らを主には中間官僚として採用し，植民地統治に協
力させる[ハウ 2003]．そのため，植民地支配をうけた側の「解放のナショナリ
ズム」には，植民地支配に協力する人々にどう対処するのか，という問いがつ
きまとう．ただし，教育を受けた現地人エリートの一部が，ナショナリストと
して植民地主義に抵抗することもある．

②**人種差別的な行政中心の統治**

　帝国による植民地支配は，現地の人々から主権が奪われている統治体制であ
る．植民地総督など宗主国人からなる為政者が条令を定め，官僚がその条令を
履行する．植民地総督の下に，植民地議会や参事会がおかれ現地の人々が立法
過程に参加する場合もあるが，彼らに完全に立法権が与えられることはない．

植民地統治とは，宗主国人や現地人エリートによる寡頭制，または植民地総督に権力が集中する独裁制ということができよう［オースタハメル 2005］．

③ 異法域

植民地支配者は，植民地の人々に近代的統治を与えるためであるとして植民地主義を正当化するが，宗主国の法制度がそのまま適用されることはない．宗主国の憲法や権利章典は植民地に適用されず，植民地の権力関係を規定する基本法が新たに定められる．言い換えれば，宗主国の住民に与えられるものと同等の権利が，植民地住民に与えられることはない［山室 2003］．

つまり，植民地主義の矛盾とは，侵略した側が侵略された社会の発展を担う点や，現地の人々が徹頭徹尾差別されているのに，彼らが協力してできあがる制度にある．

2.2　植民地主義の矛盾と植民地研究の課題

植民地研究の三つの潮流

植民地研究は，このような矛盾に向き合わなければならない．その向き合い方は，おおむね三通りある．

第一には，このような矛盾そのものを帝国主義的な抑圧と捉え，民衆の側からの抵抗を論じようとする民衆史研究がある．そのもっともよく知られているものが，英領インドを論じたサバルタン研究である（第 10 章参照）．この研究に対しては，ガーヤトリー・スピヴァクによって，文字を書かず資料を残さない民衆を歴史家は代弁できるのか，という不可知論が提示された［スピヴァク 1998］．この反論が大変に強力だったので，民衆の声から植民地の歴史を実証的に描き出すことが擁護しづらくなってしまった．

第二に，先に述べた①の協力システムの解明を目的とする研究がある．しかし，その研究対象は，知識人や文学者にせよ，官僚や企業家にせよ，警察官や教員にせよ，宗主国の言語を身につけ，社会ダーウィニズムや宗主国の文化に深く感化された人々である．この研究の場合，支配する側の偏見に満ちた資料を相対化し，植民地の人々の葛藤を示すことはできるものの，人種差別が貫かれた制度という植民地主義の根本的な批判にはならない．

第三に，これとは逆に，植民地侵略戦争やその後の治安行動など，暴力を植

民地主義の主たる特徴とする暴力批判研究がある．この場合，暴力を描くことによって植民地主義を批判するのだが，帝国による植民地支配に協力する現地人エリートの思想と行動や，それなりに秩序が保たれ，消費主義が浸透した植民地社会の側面を十分に捉えることができない．

　このような互いに相いれない研究の総体こそが，植民地研究である．だからこそ 21 世紀になっても植民地主義を語ることは，論争を呼びやすく，現実の政治をめぐる議論へと陥りやすい．

3　世界史の中の脱植民地化

3.1　脱植民地化の困難

　植民地主義が現地の人々からの主権の収奪である以上，脱植民地化とは，もっとも基本的には政治的独立を果たすことである．それに加え，前述した新植民地主義論で明確に示されていたように，植民地支配に協力した現地人エリートの処遇が問題となる．

南北アメリカの場合

　19 世紀に多くの国が独立したラテンアメリカの場合，現地人エリートといっても，いわゆるヨーロッパ人が来る以前にいた人々を指すわけではなく，現地生まれのスペイン系の白人クリオーリョのことである．端的に先住民は，弾圧，様々な差別，伝統的生活の保持などによって，エリートになれなかったのである．よって独立革命とは，スペイン生まれの白人に代わり，クリオーリョが為政者となることだった．また様々な人種の混血が進んだ．しかし，混血の種類によって「ムラート」「サンボ」「メスティソ」などの名称がつけられ，人種に基づく階層性は保たれた．このような人種別の社会秩序の温存に加え，大土地所有が拡がり，著しい貧富の格差が生み出された．もっとも 20 世紀になると，各国における異なる人種の組み合わせが，軍事独裁，左派運動，ポピュリズムなどと重なり合い，それぞれに特色のある政治文化を創り出した．

　人種の違いによる区分が社会秩序の中心に置かれる傾向は，アメリカ合衆国において，より鮮明だった．ヨーロッパからの白人移民が先住民から土地を奪い，場合によっては彼らを虐殺し，自らの居住地域を拡げていった．その結果，

図 6-2　新 20 ドル紙幣 (案)
出典：https://www.nytimes.com/
2019/06/14/us/politics/harriet-
tubman-bill.html
ハリエット・タブマン (1820?-1913) は，
奴隷解放のための直接行動「地下鉄
道」の活動家だった．オバマ政権期
(2009〜2017) には彼女の肖像が 20 ド
ル紙幣に採用されることが決定され
たが，トランプ政権 (2017-) になり，
この決定が揺れている (*New York
Times*, 2019 年 6 月 14 日版).

巨大で強力な国家ができあがり，19 世紀には白人のエリートによる支配の下，
戦争に負けたメキシコの人々や，黒人奴隷やアジア人の労働者などを底辺にお
いた階級差の大きい社会を作りだした．さらに，19 世紀末には海外に領土を
持つ帝国にもなった．しかし，同時にアメリカ人は，イギリス人から独立を勝
ち取ったことから，「解放のナショナリズム」を自負している．さらに，20 世
紀には自らの資本主義こそを普遍的なモデルと捉え，自らの多文化主義やナシ
ョナリズムを普遍的に適用できる理念だと考える傾向も強まった (図 6-2).

東・東南アジアの場合

1940〜50 年代に脱植民地化した東・東南アジアでは，ラテンアメリカとは
違う体制が主流になった．レーニンが示すように帝国の膨張は資本主義の深化
と同一だったので，植民地において植民地支配に協力した現地人エリートは，
資本主義を推進する勢力だった．冷戦構造の中で，多くの国々が資本主義国と
して独立したことにより，現地人エリートが独立後にも統治権力を握り続けた．
他方，インドネシアのように独立をもたらしたナショナリストが政権を担い，
資本主義体制の中で共産主義へ共鳴する場合もあった．しかしいずれの場合も，
東・東南アジアの資本主義国は，経済発展を志向しつつ，開発と抑圧を組み合
わせた開発独裁国家になっていった．

共産主義国家という解決法

結局，人種に基づく社会秩序や現地人エリートを一掃し，より公正な社会を
追求したのが，資本主義とは異なる社会秩序を模索した共産主義国という こと

になる．北朝鮮の「遊撃隊国家」[和田 1998]，キューバの「平等主義社会」[後藤 2016]，ベトナムの社会主義を基礎とした「普遍国家」[古田 2015]は，平等の達成度という点では異なるのだろうが，それぞれに異なる植民地の状況から発展してきた歴史上の到達点であったし，「解放のナショナリズム」の輝かしい成果だった．

　ところが冷戦期半ばになると，共産主義国家に対する逆風が吹き始める．プロレタリア文化大革命のような多くの犠牲者をともなう権力闘争や，中越戦争という共産主義国家同士の戦争が生じた．また共産主義国家の計画経済の行き詰まりが明らかになった．さらには，資本主義陣営の開発独裁国家は，人民を搾取するとともに低開発を継続し，アメリカによる侵略を補完するものとして，新植民地主義論の批判の対象だったのだが，アジアのそれらの国家は，抑圧的であったものの経済成長していった．前述した三つの共産主義国家でも，独立を勝ち取ったカリスマ的な英雄が寿命を終えることにより，新たな体制を模索せざるを得なくなった．その結果として，キューバやベトナムは，その度合いは異なるが，資本主義経済を導入するようになった．

3.2 冷戦の終焉とポストコロニアリズム

　このような潮流の決定的な転換点となったのが，1980 年代末の冷戦体制の終焉である．東欧や旧ソ連に属していた共産主義国家では，政治体制も含めて資本主義国家に変わったものの，中国やベトナムのようなアジアの共産主義国家は，政治体制の根本的な改変は避けつつ，国家による資本主義の導入と管理を進めてきた．ラテンアメリカでは軍政が，そして東・東南アジアではそれまでの開発独裁体制が終わり，「第三の波」と呼ばれる民主化が進んだ[ハンチントン 1995]．また，自由民主主義が政治哲学上の最終到達点として位置付けられ，「歴史の終わり」が論じられた[フクヤマ 2005]．

ポストコロニアリズム

　冷戦体制終焉以降の植民地をめぐる思潮は，政治や社会における問題を植民地主義に起因するものとして位置付けていった．その上で，植民地主義に対する批判的学知を，植民地主義が現在にまで抜き難い影響を残し続けているとす

る「継続する植民地主義」［岩崎ほか 2005］の名の下に構築した．しかし，グローバル・サウスにおける資料の保存や公開が十分でないこともあり，資料に基づいた地道な実証研究が生み出されたわけではなかった．

　むしろ心理学や文学・文化研究の理論が援用され，知をめぐる権力関係から植民地主義の遺産を批判する大きな思潮が形成された．冷戦終結をまたいで展開してきたこの思潮は，**ポストコロニアリズム**と呼ばれる．詳細は割愛するが，本章に関連して一点のみ確認しておくと，この思潮では「何があったか」という実証で答えるべき問いではなく，「どのような意識が生じたか」という入り組んだ解釈を伴わなければ答えられない問いが中心となった．この意識の強調は，学知に大きな影響を及ぼしてきた．植民地研究をめぐる主要な影響としては以下の三点がある．

ナショナリズムについて

　第一には，ナショナリズムに対する理解が変容した．旧来のグローバル・サウスのナショナリズムは，帝国に対して主権の移譲を求める政治運動だった．そして，国際関係の主要な要素の一つだった［江口 2013］．ところがポストコロニアリズムでは，ナショナリズムが「想像」，すなわち意識のあり方として捉えられるようになった［アンダーソン 1997］．

　植民地主義，脱植民地化との関係では，次のように説明される．グローバル・サウスのナショナリズムは植民地主義を打倒した．しかし，独立後このナショナリズムは，共産主義国家であろうとも，開発独裁国家であろうとも，抑圧的な独裁政権を支える理念と官僚主義を帯びるようになった，と［土屋 1990］．

　この観点から見ると，独立後のグローバル・サウスのナショナリズムは，必ずしも栄光に満ちているとは言えない．むしろ社会の様々な意識を許容するのではなく，民族的少数者の要求や為政者に抗する言論を弾圧してきた．言い換えれば，独裁体制を支える理念へと変わっていったのである．しかし，独立後の国民国家を否定的に評価することは，植民地主義がもたらした近代を，逆に過大に評価することに繋がりかねない．少なくとも今のところ私たちは，この行き詰まりを切り抜ける思想を持ち得ていない．

20世紀の大規模暴力

第二には，20世紀の大規模暴力をどう論じるのかという問題がある．和田春樹は，東・東南アジアの19世紀末から1980年代までを二つに分け，1945年までを日本の侵略戦争の時代とし，1945年以降をアジア諸戦争の時代としている．その上で，「すべての侵略と支配と犯罪に対して，謝罪をおこない，反省すべきすべての問題を語り合い，許しを請い，償いがなされ，赦しが与えられなければならない」(傍点は岡田)と述べる[和田 2014: ix]．永原陽子の『「植民地責任」論』は，植民地主義の人種差別と暴力，さらにはその差別や暴力に対する責任を求める現代の運動を描き出している[永原 2009]．

和田が述べる謝罪と赦しと，永原が描き出す運動史の間には，微妙なずれがある．このずれは，独立後の共産主義国家や開発独裁国家における暴力についてである．和田が旧植民地諸国の独立後の暴力をも含む20世紀のすべての暴力を意図していることに対して，永原はあくまでも「植民地責任」にこだわる．植民地主義の暴力をグローバル・サウスのナショナリズムの暴力と同じ枠組みから論じるべきなのか，それとも十分に記憶されておらず，清算されていない植民地主義の暴力を優先的に論じるべきなのか，近現代の暴力をめぐる歴史学の姿勢が問われ続けている．

社会運動と歴史学

第三には，社会運動と歴史学の近さである．和田と永原の間の微妙なずれも，突き詰めれば，誰の被害を優先して考えるべきか，ということになる．植民地主義が著しい人種差別や民族差別の上に成立してきたことを考えれば，独立後の共産主義や開発独裁による暴力よりも，植民地主義による暴力こそが深刻であり，論究の対象にすべきである，ということになる．このような理解は，前述の意識偏重の研究動向の中で，植民地主義によって抑圧された人々の意識に寄り添うことこそが，歴史学の使命であるという立場へと結びついていった．

『「植民地責任」論』が示すように，植民地を支配した責任を追及する運動は世界中に広がっているが，日本における代表的な運動は，旧日本軍「慰安婦」制度に対する国家補償要求運動である．吉見義明の『従軍慰安婦』は，この運動の問題意識を鮮明に描き出し日本社会に訴えた論考だった[吉見 1995]．この

本に明らかに見えるように，吉見の歴史学は社会運動に呼応し，社会運動を学術の立場から下支えするものだった．

3.3「脱植民地化」に付される新たな意味と今後の課題

　この段階において脱植民地化は，もはや政治体制やイデオロギーの問題ではなく，抑圧された人々の意識の問題である．だからこそ社会運動は，この意識の脱植民地化を達成するための政治を求めるのである．しかし，このことによって，植民地をめぐり見解は尖鋭化し，対立はあおられる．脱植民地化が意識の問題であるということは，意識が変わらない限り，脱植民地化がなされないことを意味する．意識は特定の記憶から形成されるので，誰が，誰の，どの記憶に基づき歴史を論じるのか，が問われるようになる．極論すると，植民地研究は，客観性の追求という崇高な目的を果たすことができなくなり，記憶をめぐる政治に巻き込まれ，学知よりも政治的立場の表明になってしまう．

　この袋小路を抜け出すためには，やはり実証という方法に立ち戻らなければならないだろう．21世紀において何が求められるのかを見定め，資料を広く渉猟し，丁寧に読み続ける．そして植民地主義の複雑さを認識し，それぞれの植民地を世界史の中に位置付け，「何があったのか」を地道に見つめ，その上で異なる立場の人々に「どのような意識が生じたのか」を考えるべきだろう．

＊　　　　＊　　　　＊

　図6-3を見てほしい．これらは，1900年代にアメリカやその植民地フィリピンで使われていた，小学生向けの教科書の挿絵である．右の挿絵では，日本人の母親が熱心に子供に文字を教えている．教育に対する日本人の熱心さをその説明書きでは伝えている．左の挿絵は日本の国会の内部である．そこには次のような説明が付されている．西洋の制度を取り入れた日本人は，「ほぼ私たちと同じほどに自由である」．ページをめくって，中国の政治について読むと，日本とは異なり，「私たちの文明を受け入れることを躊躇している」との説明がある．アメリカ人の「自由」を基準にし，"進んだ"日本人と"遅れた"中国人を比較している．つまり，他者への理解を深める挿絵や描写がある一方，一見すると「自由」という客観的な基準をたてつつ，進歩と後進という優劣の判断

図6-3 アメリカの小学生向け教科書から
出典：〔Carpenter 1911: 58, 69〕

が下されている．この教科書と異なり，私たちは，はたして自らが正しいと考える価値観と切り離して，優劣をつけずに他者を理解することはできるのだろうか．植民地主義についての考察は，この問いを私たちに突きつけ続けるのである．

●注
1) 前近代の帝国については第4章，国民国家とグローバル化については第5章を参照．
2) 幸徳秋水：高知生まれの社会主義者．後に無政府主義に傾倒していく．
3) 類似した表現に「発展途上国」や「第三世界」がある．

●参考文献

網野徹哉『インカとスペイン　帝国の交錯』(興亡の世界史)，講談社，2008年．

アミン，サミール(山崎カヲル訳)『階級と民族』新評論，1983年(原著1979年)．

アンダーソン，ベネディクト(白石さや・白石隆訳)『増補　想像の共同体——ナショナリズムの起源と流行』NTT出版，1997年(原著1983年，改訂版1991年，2006年)．

石井寛治『日本の産業革命——日清・日露戦争から考える』講談社学術文庫，2012年(初出1997年)．

岩崎稔ほか編『継続する植民地主義——ジェンダー／民族／人種／階級』青弓社，2005年．

上杉忍『ハリエット・タブマン——「モーゼ」と呼ばれた黒人女性』新曜社，2019年．

江口朴郎『新版　帝国主義と民族』東京大学出版会，2013年(初出1954年)．

大江志乃夫ほか編『岩波講座　近代日本と植民地』全8巻，岩波書店，1992-1993年．

オースタハメル，ユルゲン（石井良訳）『植民地主義とは何か』論創社，2005 年（原著 2003 年）.

岡田泰平『「恩恵の論理」と植民地——アメリカ植民地期フィリピンの教育とその遺制』法政大学出版局，2014 年.

兼子歩・貴堂嘉之編『「ヘイト」の時代のアメリカ史——人種・民族・国籍を考える』彩流社，2017 年.

川北稔『世界システム論講義——ヨーロッパと近代世界』ちくま学芸文庫，2016 年（初出 2001 年）.

木畑洋一編著『大英帝国と帝国意識——支配の深層を探る』ミネルヴァ書房，1998 年.

ギャラハー，ジョン，ロナルド・ロビンソン「自由貿易帝国主義」ジョージ・ネーデル，ペリー・カーティス編（川上肇ほか訳）『帝国主義と植民地主義』御茶の水書房，1983 年（原著 1953 年）.

クロスビー，アルフレッド・W（佐々木昭夫訳）『ヨーロッパの帝国主義——生態学的視点から歴史を見る』ちくま学芸文庫，2017 年（原著 1986 年）.

幸徳秋水（山泉進校注）『帝国主義』岩波書店，2004 年（初出 1901 年）.

後藤政子『キューバ現代史——革命から対米関係改善まで』明石書店，2016 年.

後藤政子・山崎圭一編著『ラテンアメリカはどこへ行く』（グローバル・サウスはいま 5），ミネルヴァ書房，2017 年.

サイード，エドワード・W（板垣雄三・杉田英明監修，今沢紀子訳）『オリエンタリズム』上・下，平凡社，1993 年（原著 1978 年）.

末廣昭「総説」末廣昭ほか編『岩波講座 東南アジア史 9 「開発」の時代と「模索」の時代』岩波書店，2002 年.

スピヴァク，ガヤトリ・C（上村忠男訳）『サバルタンは語ることができるか』みすず書房，1998 年（原著 1988 年）.

スペンサー（清水礼子訳）「進歩について——その法則と原因」清水幾太郎編『コント：スペンサー』（世界の名著），中央公論社，1970 年（原著 1857 年）.

セルデン，マーク編（武藤一羊・森谷文昭監訳）『アジアを犯す——新植民地主義の生態』河出書房新社，1975 年（原著 1974 年）.

ダーウィン（渡辺政隆訳）『種の起源』上・下，光文社古典新訳文庫，2009 年（原著 1859 年）.

ダイアモンド，ジャレド（倉骨彰訳）『銃・病原菌・鉄——一万三〇〇〇年にわたる人類史の謎』上・下，草思社，2000 年（原著 1997 年）.

高澤紀恵『主権国家体制の成立』（世界史リブレット），山川出版社，1997 年.

高橋均『ラテンアメリカの歴史』（世界史リブレット），山川出版社，1998 年.

土屋健治「ナショナリズム」土屋健治編『東南アジアの思想』（講座東南アジア学），弘文堂，1990 年.

永原陽子編『「植民地責任」論——脱植民地化の比較史』青木書店，2009 年.

ハウ，スティーヴン（見市雅俊訳・解説）『帝国』岩波書店，2003 年（原著 2002 年）.

長谷川貴彦『産業革命』(世界史リブレット)，山川出版社，2012 年.

ハンチントン，S・P(坪郷實ほか訳)『第三の波——20 世紀後半の民主化』三嶺書房，
　1995 年(原著 1991 年).

福井憲彦『近代ヨーロッパの覇権』(興亡の世界史)，講談社，2008 年.

フクヤマ，フランシス(渡部昇一訳)『歴史の終わり』上・下，三笠書房，2005 年(原
　著 1992 年).

ブリュア，ジョン(大久保桂子訳)『財政＝軍事国家の衝撃——戦争・カネ・イギリス
　国家 1688-1783』名古屋大学出版会，2003 年(原著 1989 年).

古田元夫『増補新装版　ベトナムの世界史——中華世界から東南アジア世界へ』東京
　大学出版会，2015 年.

マグドフ，ハリー(大阪経済法科大学経済研究所訳)『帝国主義——植民地期から現在
　まで』大月書店，1981 年(原著 1978 年).

増田義郎編『ラテン・アメリカ史II　南アメリカ』(新版世界各国史)，山川出版社，
　2000 年.

増田義郎・山田睦男編『ラテン・アメリカ史I　メキシコ・中央アメリカ・カリブ
　海』(新版世界各国史)，山川出版社，1999 年.

山室信一「「国民帝国」論の射程」山本有造編『帝国の研究——原理・類型・関係』
　名古屋大学出版会，2003 年.

吉見義明『従軍慰安婦』岩波新書，1995 年.

レーニン(角田安正訳)『帝国主義論』光文社古典新訳文庫，2006 年(原著 1916 年).

和田春樹『北朝鮮——遊撃隊国家の現在』岩波書店，1998 年.

和田春樹「はじめに」和田春樹ほか編著『東アジア近現代通史——19 世紀から現在
　まで』上，岩波書店，2014 年.

Carpenter, Frank G., *Carpenter's Geographical Reader, Asia*, New York: American
　Book Company, 1911.(初出 1897)

Dryer, Charles Redway, *High School Geography, Physical, Economic and Regional*,
　New York: American Book Company, 1912.(初出 1911)

Gobineau, Arthur, *The Inequality of Human Races*, London: W. Heinemann, 1915.(原
　著 1854)

▶▶▶ より深く知るために

- レーニン(角田安正訳)『帝国主義論』光文社古典新訳文庫，2006 年(原著 1916 年).
　帝国や帝国主義を考える上で，影響の大きい著作.
- 木畑洋一『二〇世紀の歴史』岩波新書，2014 年.
　共産主義国家の勃興と失墜からホブズボームが論じた短い 20 世紀に対し，帝国
　による支配という視点から長い 20 世紀を論じている.
- ユルゲン・オースタハメル(石井良訳)『植民地主義とは何か』論創社，2005 年.
　世界史的な現象として植民地主義を位置付け，植民地支配を可能にした統治体制
　を論じている.

第Ⅲ部

社会・文化から思考する

第7章 世界像を再考する
——イスラームの歴史叙述と伝統的世界像

大 塚 　 修

「世界がどのような形をしているのか知っていますか」．このように問われたら，みなさんはどう感じるだろうか．「何をあたりまえのことを聞いているのか」と当惑する人もいるかもしれない．しかし，ここで考えてもらいたい．その「あたりまえ」という感覚は，万人にとっての「あたりまえ」なのだろうか．また，それが「あたりまえ」であったとしても，いつから「あたりまえ」になったのだろうか．

ここで，世界地図を頭に思い浮かべてもらいたい．日本でお馴染みのものと言えば，メルカトル図法で描かれた，日本を世界の中心に据えた地図だ．では，この日本を中心とする世界地図は世界共通のものなのだろうか．その答えはもちろん否である．世界では，地域ごとに，それぞれを中心に据えた世界地図が使われている．さらに，中心だけではなく，図法を変えて世界を描いてみても，受ける印象は大きく変わってくる．例えば，現在の国連旗では世界が正距方位図法で描かれているが（図7-1），一見しただけでは，その中にある日本の位置を特定することは難しいだろう．世界の各地域で用いられている各種の世界地図は，どれが正しくて，どれが間違っているというわけではない．異なっているのは，描く側の視点なのだ．

これと同じことが歴史を叙述する際にも言える．ある事件が起こり，その目撃者がそれを記録したとしよう．その時，複数の目撃者がいた場合，それらの記録がすべて同じということがあり得るだろうか．また，その記録を100年後，200年後の誰かが読んだとする．その時に感じることが，その記録を書いた人と完全に同じということがあり得るだろうか．世界の各地域には，それぞれの宗教や伝統に根差した世界像があり，それは時代とともに変化してきた．人はそれぞれの世界像というフィルターを通して物事を見ており，解釈が完全に一致することはまずあり得ない．私たちは，過去の人が遺した書物を読む際であっても，歴史を語る際であっても，常にこの点に自覚的でなければならない．

図7-1　国連旗
出典：Wikimedia Commons（Flag of the United Nations）
地球が北極点を中心に正距方位図法で描かれている.

第2章で紹介された「現在と過去との間の尽きることを知らぬ対話」というカーの言葉は，まさにその難しさを指摘するものなのだ.

　現在，私たちが「あたりまえ」だと思っている知識の多くは，19世紀以前の世界ではけっして「あたりまえ」ではなかった. 私たちの知識の多くは19世紀以降，西欧的価値観の強い影響力の下で世界に広まったもので，それ以前には，各地域の宗教や伝統に根差した固有の世界像とそれに基づいた知識があった. その中には，現在でも一定の影響力を持つものもあり，それは，歴史を語る際に決して捨象できないものである. 本章では，中東イスラーム地域を事例に，各地域固有の歴史叙述と世界像という問題について考えてみたい. 日本では，西欧や東アジアについての知識はある程度共有されているが，中東イスラーム地域の事例については，ほとんど知られていない. この事例を検討することは，私たちの価値観を相対化して，物事をとらえるという意味でも格好の材料となるだろう.

1　中東イスラーム地域における歴史

1.1「歴史」の語義

　中東イスラーム地域における歴史叙述と世界像の考察を始めるにあたり，そもそもの「歴史」という言葉に対する認識の相違について指摘しておきたい. 現在，私たちが何気なく用いているこの「歴史」という言葉，これは，どのような来歴を持つ言葉なのだろうか. またそれは，英語の「ヒストリー」など，

諸外国語でこれに相当する言葉と同じなのだろうか.

日本語における「歴史」と「ヒストリー」

このような説明をする際に, 英語の「ヒストリー」の語源として必ず紹介されるのが,「歴史の父」と称されるヘロドトスがギリシア語で著した『ヒストリアイ』である. 本書は『歴史』と日本語に翻訳されているが(松平千秋訳, 全3巻, 岩波文庫, 1971-72年), ヘロドトス自身はこれを「調査探究」の意味で使っている. これは, 調査探究で得られた知識を書き記したものという意味で, 現在の「ヒストリー」とは異なる概念を持つ言葉であった.

一方, 日本語の「歴史」という言葉は中国に由来する. 中国における歴史叙述の始まりとされるのが, 司馬遷著『史記』である. この書名は, 記録を司る役人, 史官の記録を意味し, 後に史は史書を意味する言葉となった. 日本ではこれに影響され, 17世紀頃から歴代の史書という意味で「歴史」という言葉が使われ始めた. ただしこの時点では, この言葉は過去の出来事という意味を持たなかった. 明治時代に入り, この「歴史」という言葉は, 過去の出来事の意味を持つようになっていた「ヒストリー」の訳語に当てられ, それが学校教育により普及したのである. このように, 日本語の「歴史」という言葉の歴史は短い. では, 中東イスラーム地域の場合はどうだったのだろうか.

中東諸言語における「歴史」

私が学生時代にイランに留学した際に籍を置いていたのは, テヘラン大学人文学部歴史学科であった. 歴史学科のことをペルシア語で「ゴルーへ・ターリーフ」と言う. この「ターリーフ」が「歴史」に相当する語であるが, それは古い来歴を持つ. これはアラビア語から借用された言葉だが, ペルシア語だけではなくトルコ語でも, これと同じ言葉が現在まで使われ続けてきている. また, 例えば, ヤークービー(?-905以降)という歴史家が書いたアラビア語史書は, 『ターリーフ・アルヤークービー』(「アル」は定冠詞)と呼ばれるなど, この語は歴史書の書名としてもしばしば用いられている[1].

ここで注目すべきは, この語が, アラビア語動詞「アッラハ(月日を記す)」の動名詞形で, その原義が「日付」であるという点だ. これが転じて, 過去の

出来事を示す言葉として使われるようになったとされている．ペルシア語では，西暦を「ターリーヘ・ミーラーディー(キリスト生誕の暦)」などと呼び，現在でも暦の意味で使われている．また，歴史書の序文などで「ターリーフ」の語義に関する説明がなされる場合もあるが，その際に各種暦が紹介される場合も多い．このように月日を記すことを重視している点で，西欧や東アジアの事例とは異なっている．では，中東イスラーム地域における歴史叙述はどのように発展を遂げてきたのだろうか．

1.2「歴史」の誕生

中東イスラーム地域における歴史の誕生は，宗教と密接に関係していた．それは大まかに，①預言者ムハンマド(570頃–632)の言行や征服史が口頭で伝えられていた段階，②口頭伝承が記録されるようになった段階，③大部な歴史書が編纂されるようになった段階，をたどってきたとされる．その過程で8世紀頃から「ターリーフ」が歴史の意味を持つようになり，9世紀には歴史を意味する代表的な言葉へと変貌を遂げていった．

口頭伝承の時代

7世紀の時点では，植物繊維から紙を作る技術は伝わっておらず，紙に過去の出来事を記録することは一般的でなかった．前イスラーム時代のアラビア半島では，主に口頭伝承により部族の歴史が伝えられてきており，それはムハンマドがイスラーム教を興した後も変わらなかった．聖典『コーラン』もムハンマドの生前に編纂されたわけではなく，それは第3代正統カリフ，ウスマーン(在位644–656)の治世においてのことだった(図7–2参照)．これがイスラーム時代最初期の書物だとされるが，その他にどのような書物が編纂されたのか，いや，そもそも書物が編纂されていたのかも明らかではない．

伝承学の発展と歴史叙述

ムハンマドの伝記や彼の死後の事件は，口頭伝承で伝えられていた．ムハンマドを最後の預言者だと考えるイスラーム教では，その生前の言行が『コーラン』に次ぐ信徒たちの規範となった．ムハンマド没後しばらくの間，それらは

117

直弟子たちによって伝えられていたが，年とともに彼らの数も減っていった．
また，大征服の進展に伴い，イスラーム教徒が広い地域に散らばっていくと，
口頭で伝えられていた伝承に様々な異同が生じるようになった．異同の中には，
自然発生的なものもあれば，政治的理由から故意に捏造されたものもあった．
このような背景から，書物の編纂が始まったのは，ムハンマドの伝記という形
式の歴史類型からであった．

　現存するムハンマドの伝記で最も古いものは，イブン・イスハーク（704頃–
767）[2]の手になる『預言者ムハンマド伝』である．表題には「スィーラ（伝記）」
という語が使用され，「ターリーフ」という語は使用されていない．それは，
その後すぐに著された，アッバース朝（750–1258）に仕えた歴史家ワーキディー
（747–823）の手になる『マガーズィー（遠征）』においても同様であった．これら
の初期アラビア語文献で特に重要視されたのは伝承学の知識であった．伝承と
いうのは，ムハンマドの言行に関する伝承（ハディース）のことである．

　現在の歴史学にも口頭伝承を扱うオーラル・ヒストリーという手法があるが
（第9章参照），中東イスラーム地域では，それらはどのように扱われたのだろ
うか．伝承学で特に重視されたのは，口頭伝承の真贋を確認する手法であった．
伝承の内容そのものの吟味も重要であったが，各情報の**伝承経路**の確認がより
重視された．

　ここで，一つ実例を見てみよう．現在，最も権威ある伝承集成とされている
のが，ブハーリー（810–870）の手になる『真正集』である．この伝承学者はイラ
ンからエジプトに至る各地を旅し，16年間かけて90万の伝承を集め，その中
から2700余りの伝承を厳選した，と伝えられている．彼が伝える伝承は次の

ような形になっている.

①ナーフィウが②イブン・ウマルから伝えるところによれば，かつて預言
者はアーシューラーの断食を行い，またそれを人々に命じたが，ラマダー
ンの断食が定められたとき，アーシューラーの断食は廃止された.

これは，ムハンマドによるラマダーン月の断食の開始を記録したものだが，
本文の前にその情報源が明記されている（引用文下線部）. イブン・ウマルがム
ハンマドの行いを実際に目にし，それをナーフィウが聞いたという形で伝承者
の名前が示されている. このように直接的な伝聞関係を明記することで，情報
の信頼性を確認しているのである. イブン・ウマルがムハンマドに会ったこと
がなければ，この伝聞関係は成立しないし，イブン・ウマルの没年がナーフィ
ウ誕生の前であれば，やはりそれは成立しないことになる. こういった伝承者
の履歴を確認する際の参考書として用いられてきたのが，ムハンマドの伝記で
あった. 伝記を参照することで，登場人物の生没年，生涯，能力を確認できる
仕組みになっている. このように，伝承学ひいてはイスラーム法学を補助する
ものとして歴史叙述の萌芽が見られた. この伝承経路を確認するという手法は，
現在の歴史学における「**史料批判**」にも通じるものである.

1.3「歴史」の特徴
ターリーフの誕生と伝承学

8 世紀半ば頃から安価な紙が普及し始めたこともあり，書物の編纂が発展を
遂げた. その過程で，「ターリーフ」の名を冠する歴史書が見られるようにな
り，大部な歴史書も編纂されるようになった. その中で「中東イスラーム地域
の歴史の父」とでも呼ぶべき歴史家が登場する. タバリー（839–923）[3]である.
彼はアラビア語で，天地創造から 915 年に至るまでの人類の歴史を対象とする
『預言者と王の歴史』を編纂した. この歴史書の特徴の一つは，伝承経路の確
認に執拗なまでのこだわりを見せている点である.

ここで，ノアの方舟に乗って洪水の難を逃れた人々の数に関する説明を紹介
したい. おや，といぶかしく思う人もいるかもしれない. ノアの方舟というの
は，旧約聖書の説話で，イスラーム教とは関係ないのではないか，と. しかし
その理解はある意味で正しいが，ある意味で正しくない. 実はイスラーム教と

119

いうのは，ユダヤ教やキリスト教と同じ根を持つ宗教で，その宗教的世界像は相当程度，ユダヤ教やキリスト教と共通しているからである．

　　①イブン・アッバース，②アブー・ナヒーク，③フサイン・ブン・ワーキド・フラーサーニー，④ザイド・ブン・フバーブ，⑤ムーサー・ブン・アブド・アッラフマーン・マスルーキーを経由して私に伝えられたところでは，ノアの方舟には80人が乗船しており，その1人がジュルフムだった．①イブン・アッバース，②イブン・ジュライジュ，③ハッジャージュ，④フサイン，⑤カースィムを経由して私に伝えられたところでは，ノアは80人を方舟に乗せた．

　引用文下線部が伝承経路で，それ以外の箇所が本文である．驚くべきは，伝承経路の説明の方が肝心の本文よりも長くなっている点である．これ以外にも，この歴史書では伝承経路の方が長い記事が散見される．現在刊行されているアラビア語原文テクスト（ライデン版）は全13巻と長大だが，その中に伝承経路が占める割合は実に多い．さらに，この引用部のように，同じ事件に関する伝承経路の異なる説がしばしば併記されている．タバリーはこれについて，真贋の不明瞭な情報でも，それを聞いたままに読者に提示するという執筆姿勢を表明している．そして，自らの判断を下さずに諸説を併記するという構えで，公正な立場をとろうとしているように見える．これも，独自の「史料批判」を伴った歴史叙述と評価できるだろう．

　タバリーの時代には未だに口頭伝承が主要な情報源の一つであったが，歴史書の編纂が一般的になる中，口頭伝承の伝承経路に関する説明は徐々に姿を消していくことになる．先行する歴史書を参照すれば，それで事足りるようになったためである．その過程で，タバリーの歴史叙述は後世の歴史家たちにとっての一つの模範となった．タバリーに代表されるアラビア語歴史叙述の特徴の一つは，1年ごとに世界を「輪切り」にして叙述することである．『預言者と王の歴史』は天地創造に始まる歴史書だが，前イスラーム時代を経て，ムハンマドが登場した後で歴史の書き方が一変する．**ヒジュラ太陰暦**[4]の元年にあたる西暦622年以降の歴史については，ヒジュラ暦の1年ごとに世界を「輪切り」にして各地域の出来事がまとめられ，それが年代記形式で叙述されていく．同じ出来事であっても年をまたぐ場合は，その続きの内容が次章で紹介される．

また，1 年ごとに区切られた章の最後には，その年に亡くなった著名人の簡潔な伝記が配置されている点も特徴的である(生没年や履歴の情報は，歴史の基礎となった伝承学で重要視されていた)．このように「年」にこだわった歴史の書き方は，アラビア語で歴史を意味する「ターリーフ」という語の原義が「日付」であるという点に関係しているのかもしれない．

2　中東イスラーム地域における伝統的世界像

このように中東イスラーム地域における歴史叙述の性格は，西欧や東アジアにおけるそれとは異なっていた．では，そのような歴史叙述は，いかなる伝統的世界像から生み出されたものだったのであろうか．本節では，中東イスラーム地域における伝統的世界像について，「世界地図」と「人類史」という相互に関連し合う二つの事例から考えてみたい．

2.1　伝統的世界地図
前近代世界における伝統的世界地図

ここでは，イスラーム教徒が実際に描いた伝統的世界地図を紹介したい．図7-3 は，こういった文脈で紹介されることの多い，地理学者イドリースィー(1100?-65?)の手になる世界地図の写しである．まずはこの地図をじっくり眺めてもらいたい．この地図のどこがヨーロッパにあたり，どこがアラビア半島にあたるのか，判別できるだろうか．アラビア語が読めれば，地図中の地名から判断がつくかもしれないが，そうでなければ，難しいのではないか．

しかし判別が難しいのは，イスラーム教徒が描いた地図に限った話ではない．図7-4 は，18 世紀半ばに日本で写された世界地図である．地図中の地名を確認せずに，これを一目見ただけで日本の位置を特定することはやはり難しいだろう．これは，伝統的な仏教的世界像である三国世界観の影響下に描かれた世界地図で，インド(天竺)，中国(震旦)，日本(本朝)から構成されている(大陸の左端には波剌斯国という文字も見える)．この地図の大部分はインドで，中国はこの大陸の右上にあり，日本はその右上に浮かぶ小さな島である(しかも九州と四国しか描かれていない)．このように世界の各地では，それぞれの伝統的世界像の影響の下に地図が作られていた．

図7-3　イドリースィーの世界地図（1456年書写，ボードリアン図書館蔵）

出典：Wikimedia Commons（Al-Idrisi's world map）
イドリースィーは北アフリカのセウタに生まれ，コルドバで学んだ．その後，各地を巡り，1138年にシチリア王国初代君主ルッジェーロ2世（在位1130-54）に招かれ，パレルモを訪れた．そこで編纂されたアラビア語地理書にこの地図が挿入された（つまり厳密には，中東イスラーム地域で編纂されたものではない）．現在，著者直筆の手稿本は確認されておらず，しばしば参照されるのは，1456年にカイロで書写された後世の写しである．

図7-4　天竺之図（1749年書写，神戸市立博物館蔵）
同様の形で世界を描いた地図としては法隆寺蔵「五天竺図」（1364年書写）が有名だが，この地図はその写しとも言われている．

伝統的世界地図における方角

　では話を戻して，図7-3のイドリースィーの世界地図を読み解いていきたい．まずこの地図が一見判別し難いのは，南の方角が地図の上方にきているためである．この地図内の位置関係は，上半分がアフリカ大陸，中央がアラビア半島，右下がヨーロッパ，左下がアジアという形になっている．これを現在の私たちの認識にあわせるためには，180度地図を回転させて見る必要がある．現在の私たちの感覚からすれば，北の方角が地図の上方にくるのが「あたりまえ」なのだが，それは歴史的には世界共通の物の見方ではなかった．実際，イスラーム教徒が描いた世界地図の多くでは，南の方角が地図の上方に設定されている（ただし，北や東が上方に設定されている場合もある）．北が上にこない事例は他の文化圏でも見られ，中世西欧世界で普及していた**TO図**と呼ばれる世界地図の上方は，東の方角になっている（図7-5）．また，中国には「天子南面す」という言葉があるが，このような形で，皇帝目線で世界を見ると，左が東の方角，

図7-5　セビーリャのイシドルス(560頃-636)著『語源論』に挿入されたTO図
　（1472年刊本）
出典：Wikimedia Commons（Etymologiae Guntherus Ziner 1472）
O字形の環海が大地を取り囲み，それをT字形の水域が三分割する構図になっていることから，TO図と呼ばれる．上にはアジア大陸が，左下にはヨーロッパ大陸が，右下にはアフリカ大陸が配置され，各大陸名の下には，セム，ヤペテ，ハムの名前が記載されている．これは，この3人の子孫が洪水後の人類の祖となったことを示唆しており，キリスト教的世界像の強い影響が見られる．

右が西の方角ということになる．

伝統的世界地図における世界の姿

　方角の問題は解決したので，イドリースィーの世界地図を180度回転させて眺めてもらいたい．それでもまだしっくりこないのではないか．この時，アメリカ大陸の存在は知られておらず，当然地図上には存在しない．それよりも特徴的なのは，アフリカ大陸が南から東にかけて長く伸びており，アジア地域の南にあるインド洋が陸封されている点であろう．アフリカ大陸に関する情報も不十分で，大陸の果てがどのようになっているのか明らかではなかったためである．そのために，北アフリカやナイル川流域に関する詳細な情報が確認できる一方で，それ以外の部分は真っ新になっている．

　また，陸地は平らに円盤状に描かれ，その周囲を海が取り囲み，さらにその外側をカーフ山と呼ばれる山が取り囲む形になっている．このように地球を平面と考える世界像は，イスラーム教徒にとっての神の言葉『コーラン』の「また，大地をわれらは延べ広げ，そこに(盤石の)山脈を据え，そこにあらゆる均衡を計られたものを成長させた」(15章19節)に象徴される，地球は平面であるという宗教的世界像に影響されたものと考えられる．しかし興味深いのは，そ

れにもかかわらず，円錐図法を用いて8本の緯度を示す赤い曲線が描き込まれている点である．この曲線は地球が球体であることを示しているかのように見える．この矛盾はどこから生じてきたのだろうか．

宗教と「科学」の狭間で

じつはイスラーム教徒による地理学は，その草創期に，ギリシアの地理学者プトレマイオス（生没年不詳）[5]の強い影響を受けていた．彼は，地球は平面ではなく球体であると考え，経緯度と円錐図法を採用して，ユーラシア大陸とアフリカ大陸を対象とする世界地図を描いたことで知られる．その地図は中世西欧世界に継承されなかった一方で，9世紀にアラビア語に翻訳され，中東イスラーム地域に紹介された．そのため，地理学者たちは，翻訳を通じてプトレマイオスの学知に触れ，地球は球体であると既に認識していたのである．

イドリースィーの世界地図に見られる8本の赤い曲線は，気候帯を区分するものである．当時，北半球の半分にあたる地球全体の4分の1が居住可能地域だと考えられており，その地域が曲線によって七つの気候帯に分けられている．気候帯のことをアラビア語で「イクリーム」と言うが，この言葉や概念もまたギリシア語の「クリマ」が起源だとされる．北に行けば行くほど寒く，南に行けば行くほど暑くなり，人が住みにくくなる．それ故に七つの気候帯の中で最良の気候帯は中央の第四気候帯だとされる．この考え方に従えば，世界で最良の地域はイラク北部やカスピ海南岸地域となり，イスラーム教第一の聖地メッカは第二気候帯だとされる．イスラーム教的地理認識ではメッカが世界の中心にくるという説明がしばしばなされるが，この考え方はそれとは矛盾する．このように，イスラーム教徒の地理学者たちは宗教的世界像を必ずしも優先していたわけではなく，当時最先端の「科学的」知見の影響も受けていた．その矛盾が表出しているのが，平面的に見ることもできるし，球体的に見ることもできる，このイドリースィーの世界地図なのである．

伝統的世界地図における宗教的世界像

最後に，この世界地図の左下に伸びる黒い線に注目してもらいたい．この線で仕切られた地域には「ヤージュージュとマージュージュ」という名前が確認

できる．この名称は，『コーラン』に「彼らは言った．二つの角を持つ者よ，まことにヤージュージュとマージュージュはこの地で悪をなす者たちです．あなたがわれらと彼らの間に障壁をなす条件で，われらはあなたに貢租を払いましょうか」(18 章 94 節)という形で登場する．この「二つの角を持つ者」は，イスラーム教的世界像ではマケドニア王アレクサンドロス(前 356–前 323)の異名だと考えられてきたもので，そのアレクサンドロスが悪を為す 2 人の者に対して壁を築き封じ込めた，という逸話である．「伝説的」な逸話が「科学的」な地図の中に落とし込まれており，ここからは宗教的世界像の根強さがうかがえる．このような逸話の源泉となったのが，天地創造後の世界の歴史を綴った伝統的人類史なのである．ただし，その内容はイスラーム教独自のものだったわけではない．このヤージュージュとマージュージュは旧約聖書に登場する，神に逆らうゴグとマゴグのことだとされている．次に，旧約聖書との関係という点も考慮しつつ，イスラーム教的世界像における人類史を紹介していきたい．

2.2 伝統的人類史

人類はどのように発展を遂げてきたのだろうか．この問いに対して，人類の進化について勉強した私たちの頭に浮かぶのは，猿人，原人，旧人，新人という流れではなかろうか．ただし，このような知識も比較的最近，西欧から世界に広がったもので，それ以前には，各地域の伝統や宗教に根差した独自の創世神話や人類の歴史が想定され，それが世界地図にも影響を与えていた．また，そのような世界像が現在も何かしらの影響力を持っている場合もある．私たちが史料を読む際には，この点についても考慮する必要があるのだ．

イスラーム教的世界像における最初の人類と旧約聖書

現存最古のムハンマドの伝記，イブン・イスハーク著『預言者ムハンマド伝』の冒頭部を見ると，そこには，ムハンマドの父祖の名前がずらずらと列挙されている．この系譜が，ムハンマドから 49 人の名前を経て行きつく先は，最初の人類アダムである．

イスラーム教徒の歴史家の考えによれば，ユダヤ教やキリスト教と同じく，天地創造の後，神がアダムを泥土から作った．そして，楽園から追放された後，

アダムは地上の人類の始祖となったとされる. 例えば, 『コーラン』にも「ア
ダムよ, おまえとおまえの妻は楽園に住め. そして, どこでも望むところで食
べよ. ただ, この木に近づいてはならない. さもなければ, おまえたちは不正
な者たち（の仲間）となるであろう」(7章19節)という形で, 楽園追放の経緯が説
明されている.

カインによるアベルの兄弟殺しの説話も知られており, アダムの死後, シェ
ト, エノシュ, ケナン, マハラルエル, イェレド, エノク, メトシェラハ, レ
メク, ノアという旧約聖書と共通する後継者たちが登場する. ただしその内容
が完全に一致しているわけではない. 例えば, これらの人物の中で, エノクに
言及する際には, ほぼ必ず「彼はイドリースのことだ」という但し書きが付さ
れる. イドリースというのは『コーラン』19章56節および21章85節に登場
する預言者である. その預言者を人類史に登場させるべく, 旧約聖書の世界像
が調整されているわけである. ただし『コーラン』には, これ以外にフード,
サーリフ, シュアイブなどの預言者が登場するが, 旧約聖書には彼らに相当す
る人物はおらず, 独自の預言者となっている. このような形で, 人類史の冒頭
部の登場人物は, 旧約聖書と重なる者も多いが, その事績や寿命が異なるなど
（アダムの寿命は930歳から1000歳に）, 内容は独自の発展を見せている. つまり
一見, 旧約聖書的であるものの相違点も多いのである.

イスラーム教的世界像におけるノアの洪水

このような形の人類史の転機となったのは, 地上に神がもたらした洪水であ
った. いわゆるノアの洪水である. 洪水の難を逃れたのはノアが作った方舟に
乗った者たちだけだった. これについて旧約聖書『創世記』には「ノアは大洪
水の水を避けて, 彼の息子たち, 彼の妻, 息子の妻たちとともに方舟に入っ
た」(7章7節)とあり, 難を逃れたのは, ノアとその妻, 3人の息子, そしてそ
の3人の妻たちの計8人だとされる. これに対し, イスラーム教的世界像では,
この8人以外にも乗船者がいたとされ, しばしばその総数は80人とされてい
る. これに関して, 方舟が流れ着いた山に, アラビア語で「80」を意味する
「サマーニーン」という名の村を作ったという話が広く知られている. ただし
そうなると, 洪水後, ノアの3人の息子セム, ハム, ヤペテ以外からも子孫が

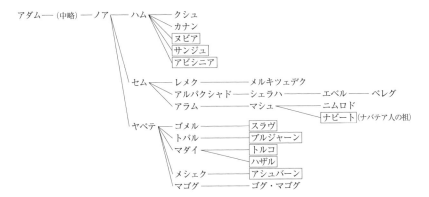

図7-6　ヤークービーの『歴史』における諸民族の系譜
ヤークービーは，歴史学者・地理学者として知られる．彼の手になる『歴史』
は天地創造から872年までの歴史を扱った人類史で，その成立はタバリーの
『預言者と王の歴史』よりも早い．他の歴史書に比べて，旧約聖書の強い影響
が見られる．

生まれる可能性が出てくる．これについては，神がこの3人以外からは子孫が
残らないようにした，と但し書きを付し，その矛盾を解消している．

　もう一つ大きく異なるのは，ノアに4人目の息子がいたとする点である．そ
の息子というのは，『コーラン』に登場する，「私は，私を水から護ってくれる
山に避難しよう」(11章43節)と言い放ち，ノアの方舟には乗らず，山に避難し
溺死してしまった息子のことである．このように，『コーラン』の文言に矛盾
しないような形で歴史が構築されてきたのである．

イスラーム教的世界像における諸民族の系譜

　旧約聖書では，洪水の難を逃れたノアの3人の息子セム，ハム，ヤペテが諸
民族の始祖となったと説明される．中世西欧世界に流布していたTO図では，
世界が三つの大陸に分けられ，アジアの人々はセムの末裔，アフリカの人々は
ハムの末裔，ヨーロッパの人々はヤペテの末裔だとされているのは，まさにこ
の世界像の影響を受けてのことである(図7-5)．

　一方のイスラーム教的世界像はどのようなものだったのだろうか．ここで図
7-6に注目してもらいたい．これは，ヤークービー著『歴史』の中で紹介され
る人類史を系図に書き起こしたものである．四角で囲った人名は旧約聖書に登

場しないもので，ここからは，セム，ハム，ヤペテの息子の代までは旧約聖書の内容とおおまかに一致していることが読み取れるだろう．そして，ヤークービーはこれを下敷きに，著者の時代に至るまでの諸民族の動向を叙述したのである．例えば，ムハンマドの出身部族は，セムから分岐したペレグの末裔に位置付けられている．このようなイスラーム教的世界像によれば，おおまかに，セムがアラブ人とペルシア人の祖，ハムがアフリカ人とインド人の祖，ヤペテがヨーロッパ人とトルコ人の祖に分類されており，旧約聖書よりも幅広い世界が叙述対象とされている．

他宗教・他地域との接触と世界像の変容

イスラーム教徒が築いた政権の支配地域は，ウマイヤ朝時代(661-750)には，東は中央アジアから，西は北アフリカを越えてイベリア半島にまで広がった．その過程で，ゾロアスター教，ヒンドゥー教，仏教など，異なる伝統を持つ諸宗教と接触することになった．当然，インドや中国における伝統的世界像を，イスラーム教のそれで説明するには一工夫が必要であった．

例えば，アラビア語で「スィーン」と呼ばれる中国の起源について，ヤペテの末裔に「サーイン」なる人物を設定し，この人物が船を作り，その船で中国に赴き，その人物の名前にちなんで「スィーン」と名づけたという説明がなされる．「スィーン」と「サーイン」というのは同じ語根から派生して作られた名詞であり，明らかにこの「サーイン」は中国の起源を説明するために創造された人物である．中国にも伝統的な人類史が存在し，伏羲と女媧の時代の洪水伝説もあるが，そういったものは考慮されず，あくまでイスラーム教的世界像の文脈で解釈がなされている．一方で，他宗教の創世神話が考慮された場合もあった．ゾロアスター教的世界像で最初の人類とされるカユーマルスについては，これが人類史上の誰に当たるのかについて，議論がなされ，なかには，彼をアダムに同定する歴史家もいた．

また，なかには，イスラーム教的世界像では説明できない事例もあった．例えば，ペルシア人やインド人には洪水伝説が存在しない．これを説明する際には，無理に解釈せずに，洪水は一部の地域で起こったことで，東方までは及ばなかったという解釈も見られるようになる．その中で興味深いのはエジプトの

事例で，エジプトに洪水は起こったが，人々はピラミッドに登り難を逃れたとする知識人もいた．その知識人によれば，ピラミッドの中腹には，洪水の水跡が残されているとのことである．

　中東イスラーム地域における歴史叙述は，イスラーム教の宗教的世界像と密接にかかわりながら誕生し，発展を遂げてきた．とは言え，それが不変で一義的なものだったかと言えば，そうではなかった．未知の世界との接触により，その世界像はその都度修正を迫られながらも，維持されてきたのである．

＊　　　＊　　　＊

　2019 年春，私がテヘランのイスラーム議会図書館を訪れた時の話である．私はほぼ毎年，数多の貴重な文献を所蔵するこの図書館で史料調査を行ってきたが，この時は図書館の様子が変わっていた．中庭に前年はなかった，テロ対策のための巨大な壁がそびえ立っていたのである．最初は何が目的か分からず，とっさに近くにいた職員に尋ねたところ，「あれはヤージュージュとマージュージュの壁だ」との返答があった．

　本章では，中東イスラーム地域の伝統的な歴史叙述と世界像について考察してきた．世界の各地域に，同様の固有の世界像があったということは今更強調するまでもないだろう．そしてそれは，このヤージュージュとマージュージュの壁の事例のように，現在の人々の世界像に何らかの影響を及ぼしている場合もある．これまでに歴史的事実の多くが明らかにされてきていて，その事実が世界で同じように「あたりまえ」のこととして共有されていると考えてしまいがちだが，事はそう単純ではないのだ．

　過去の人が遺した史料を読む際には，その背景にある世界像を考慮しなければならない．また史料を読む際であれ歴史を語る際であれ，私たちの世界像がそこに影響を及ぼす可能性についても自覚的でなければならない．本章で紹介した伝統的な世界像に関する事例は，いずれも「○○年に XX があった」というような事実を確定するためには役に立たないのかもしれない．しかしそこには，歴史を語る際に重要な情報が含まれているのだ．

　歴史を考える際には，私たちが「あたりまえ」だと思っていることが本当に「あたりまえ」なのか，一歩立ち止まって考えてみてもらいたい．そこから新

しい発見が得られるかもしれない.

●注

1) 「ハバル(物語)」の複数形「アフバール」も歴史の意味で用いられることがある (例えば,『アフバール・アッダウラティ・アッサルジューキーヤティ(セルジューク朝史)』). ただし, 学問分類としての歴史を指す言葉としては「ターリーフ」の方が一般的である.

2) イブン・イスハーク(Ibn Isḥāq):メディナ出身の伝承学者. エジプトで学んだ後, アッバース朝第2代カリフ, マンスール(在位754-775)の庇護を受け, 天地創造に始まりムハンマドの時代に至る3部構成の歴史書を著した. ただし, これは散逸してしまい, 現存しているのは, 後にイブン・ヒシャーム(?-833)が後半の2部の内容を再編集し注釈を付した『預言者ムハンマド伝』である.

3) タバリー(Muḥammad b. Jarīr al-Ṭabarī):カスピ海南岸地域出身の歴史学者. エジプトなど各地で学んだ後, バグダードで著作と教育に専念した. 主著には『預言者と王の歴史』の他に,『コーラン章句解釈に関する全解明』がある. 後者は, 現在でもコーラン解釈学の基本文献として使用されている.

4) 預言者ムハンマドがメッカからメディナにヒジュラ(聖遷)した年を元年とする純粋な太陰暦で, イスラーム暦とも呼ばれる. ヒジュラ暦元年元日は西暦622年7月16日に相当する. 暦については第3章参照.

5) クラウディオス・プトレマイオス(Klaudios Ptolemaios):2世紀のギリシアの天文学者, 地理学者, 数学者で, アレクサンドリアで活動した. 主著には『天文学大全』や『地理学入門』などがある. 西欧世界ではその後『地理学入門』は忘れ去られてしまい, 13世紀末にようやく再発見された. 1406-07年にギリシア語からラテン語に翻訳された後, 1475年に活版印刷されたことで, 広く知られるようになった.

●参考文献

応地利明『「世界地図」の誕生』日本経済新聞出版社, 2007年.

大塚修「人類の起源を求めて——前近代ムスリム知識人による諸民族の系譜の創造」『西洋史研究』新輯第48号, 2019年.

岡崎勝世『聖書VS.世界史——キリスト教的歴史観とは何か』講談社現代新書, 1996年.

カー, E・H(清水幾太郎訳)『歴史とは何か』岩波新書, 1962年／(近藤和彦訳)『歴史とは何か 新版』岩波書店, 2022年(原著1961年).

樺山紘一『異境の発見』東京大学出版会, 1995年.

亀谷学・大塚修・松本隆志訳「イブン・ワーディフ・ヤアクービー著『歴史』訳注(1)」『人文社会科学論叢』(弘前大学), 第8号, 2020年.

辛島昇・高山博編『地域のイメージ』(地域の世界史2), 山川出版社, 1997年.

旧約聖書翻訳委員会訳『旧約聖書Ⅰ　律法』岩波書店，2004 年.

後藤均平「史学概論（未定稿）」『刀水』9 号，2005 年.

蔀勇造『歴史意識の芽生えと歴史記述の始まり』（世界史リブレット），山川出版社，
　2004 年.

高田康一「歴史家としてのタバリー」『イスラム世界』47 号，1996 年.

遅塚忠躬『史学概論』東京大学出版会，2010 年.

中田考監修，中田香織・下村佳州紀訳『日亜対訳クルアーン』作品社，2014 年.

羽田正『イスラーム世界の創造』東京大学出版会，2005 年.

林佳世子・桝屋友子編『記録と表象——史料が語るイスラーム世界』（イスラーム地域
　研究叢書 8），東京大学出版会，2005 年.

福井憲彦『歴史学入門　新版』岩波書店，2019 年.

ブハーリー（牧野信也訳）『ハディース——イスラーム伝承集成』全 6 巻，中公文庫，
　2001 年（初出 1993-94 年）.

山中由里子『アレクサンドロス変相——古代から中世イスラームへ』名古屋大学出版
　会，2009 年.

歴史学研究会編『世界史とは何か——多元的世界の接触の転機』（講座世界史 1），東
　京大学出版会，1995 年.

Harley, J. B. & Woodward, D.（eds.）, *Cartography in the Traditional Islamic and
　South Asian Societies*, Chicago & London: The University of Chicago Press, 1992.

Rosenthal, F.（tr.）, *The History of al-Ṭabarī: Volume 1 General Introduction and
　from the Creation to the Flood*, Albany: State University of New York Press, 1989.

▶▶▶ より深く知るために────────────

・秋田茂・永原陽子・羽田正・南塚信吾・三宅明正・桃木至朗編著『「世界史」の世
　界史』（MINERVA 世界史叢書総論），ミネルヴァ書房，2016 年.
　　「新たな世界史」の構築を謳い文句に掲げる MINERVA 世界史叢書全 16 巻の総
　　論．第Ⅰ部には，世界各地の世界像に関する 11 本の論考が収録されている.
・佐藤正幸『歴史認識の時空』知泉書館，2004 年.
　　「人間が過去に対する姿勢」を扱う歴史認識学のパイオニアの研究の集大成．歴
　　史学という学問における歴史叙述の意義を考える上で示唆に富む.
・大塚修『普遍史の変貌——ペルシア語文化圏における形成と展開』名古屋大学出版
　会，2017 年.
　　中東イスラーム地域における伝統的人類史（本章 2.2 節）の形成過程について論じ
　　た専門書．アラビア語・ペルシア語による歴史叙述について学ぶ上で有用.

第8章 内なる他者の理解に向けて
——儀礼と表象，感性の歴史学

長谷川まゆ帆

　人間の社会は，言葉や文字だけでできあがっているわけではなく，実は五感によって感知され体験されてきた儀礼や表象を通じて再構築され，動いて変化してきた．20世紀後半の歴史学は，こうした認識を踏まえて人間と社会をより立体的に考察し，現在と過去をとらえるまなざしを広げ，開拓してきた．その大きな手掛かりとなったのが人類学や社会学の視座であり，その成果を歴史叙述のなかに取り込むことで新しい地平が切り開かれてきた．こうした研究は当初「歴史人類学」と呼ばれていたが，その方法や視座はいまや歴史学研究のいたるところに浸透してきている．

　ところでこの**儀礼**(rite, ritual)という言葉からみなさんは何を思い浮かべるだろうか．お七夜やお食い初め，七五三といった誕生にまつわる儀礼から，幼稚園や学校・大学などの入学式や卒業式など学校行事に関わる儀式，成人式や結婚式など人生の節目節目にやってくる祝儀もあれば，葬式や死者への供養などの宗教的儀礼もある．象徴天皇の「即位の儀」なども，国家によって演出された国民統合のための儀礼である．儀礼は決まった時と場所において特定の個人や集団の声や身体を通じて演じられるが，そのねらいは途切れない時間の流れに刻みを入れ，穢れ(けが)を祓い(はら)，禊ぎ(みそ)，浄化しながら集団のきずなを再確認し，確かなものにしていくことにある．

　また**表象**(representation)という言葉は，これまであまりなじみがなく，いま初めて目にしたという人もいるかもしれない．これは，20世紀末からさかんに用いられるようになった新しい学術用語である．この言葉の基になっている英語の動詞 represent には「物や事を表す，演じる，象徴する」といった意味があり，この動詞の名詞形「表象」には，人間のなした「こと」や作り出した「もの」すべてが含まれる．たとえば，詩や小説，日記や備忘録，雑誌や新聞，辞書，戸籍や土地，税徴収に関する文書，警察調書や裁判記録などの文献はもちろんのこと，絵画や版画，彫刻から，写真やビデオ，映画や演劇，音声や音

楽，記念碑や建築物，礼儀作法や料理，道具や家具，身振りやしぐさ，表情や姿勢，ふるまい，夢や妄想など，およそ人間が働きかけて生み出したものはみな，ことごとく表象だと言える．

　ここでは，人類学の視座，解釈枠組みを吸収することで生まれてきた歴史人類学の試みとその後の展開について，その認識的背景と研究成果をたどり，この半世紀の間に，人類学との対話のなかで歴史学の視点が大きく変化してきたこと，人間の過去を理解する新しい可能性が切り拓かれてきたことをみていく．

1　人類学の誕生と歴史学への浸透

1.1　未開と文明——19世紀までの人類学

　人類学は，もともとは非ヨーロッパ世界の，文字記録の乏しい地域について，その現地の人々の生活や社会の仕組みを明らかにするために生まれた．その起源は，ヨーロッパ人が新大陸を発見し，北アメリカやラテンアメリカ，アジアやアフリカを植民地として支配していく16世紀にまでさかのぼる．これら「新世界」についての観察や分類，報告は，17〜18世紀の間にも積み上げられていき，そこから「文明と未開」という世界像が練り上げられていくことになる．さらに19世紀になると，対象地域の社会や人間を一層詳細に調査し，よりよく把握することをめざした「科学的」な記述が人類学者や医学者など多くの科学者によって残されるようになった．

　しかしこの時代までの記述は，ヨーロッパ近代の国民国家の形成と表裏一体のものであり，植民地支配とも結びついていた(第6章参照)．そこにはヨーロッパ人こそが最もすぐれた人種であり，ヨーロッパこそ地球上で最も発達した文明をもつ地域であり，人類の模範であるという考え方が根強く潜在していた．研究者の意識も優劣の価値から自由ではなく，その記述は，どれだけ「科学的な探究である」と銘打たれていても，どれほどアカデミックな体裁のもとにあったとしても，それらは進化論的な発想と切り離しがたく結びついていた．

1.2　知の胎動期——20世紀前半

　しかし世紀の変り目のあたりから，そうした二項対立的な見方に対して距離をおき，対象をより客観的に理解しようとする研究者が現れてくる．たとえば

社会学の創始者として知られるフランスのデュルケーム(1858-1917)は『社会学的方法の規準』(1895年)を著し、人間の行動や考え方を規定しているのは個人の外側にある個人を超越した集団や社会の慣習であり、それこそが「社会的事実」であると考えた。そして人間を規定している「集合意識」「集合表象」ともいうべきものの解明に力を注いだ[デュルケム 1985]。またその甥であったマルセル・モース(1872-1950)は、この考え方を発展させて「社会的全体的事実」という概念を用い、社会生活を一つの関係システムとして理解しようとした。

　一方、イギリスでは1922年にマリノフスキー(1884-1942)の『西大西洋の航海者』が出版され、これによって文化人類学のいわゆる「フィールドワーク」の手法が確立されていく。**フィールドワーク(現地調査)**とは、調査者が対象地域に自ら赴き長期にわたって生活し、対象を参与観察することで見た「こと」や起きた「こと」に即して社会をまるごと記述していく研究方法である。

　こうした動きは、研究者が自らの理解力の限界に自覚的であろうとし、対象の内側にある「事実」を真摯に観察し、そこに潜在する固有の意味、仕組みを見いだそうとした模索の顕れでもある。20世紀の前半はあらゆる領域でそれまでの研究の視座や方法について再検討の行われた「知の胎動期」にあたり、歴史学の俊秀たちもこうした隣接諸科学の挑戦に大きな刺激を受けていた。たとえば、イギリスの社会人類学者ジェームズ・フレイザー(1854-1941)の『金枝篇』(1890年)にいち早く注目していたマルク・ブロック(1886-1944)が、『奇跡を起こす王』(1924年)を上梓し、5年後、ストラスブール大学の同僚リュシアン・フェーブル(1878-1956)とともに、雑誌『アナール』(1929年)を創刊し、「新しい歴史学」を求めて船出したのもまさにこの頃のことであった[二宮 2005]。

1.3 「野生の思考」と文化相対主義

　その後、第二次世界大戦の惨禍を経て、1950年代になると、文化人類学者クロード・レヴィ＝ストロース(1908-2009)[1]が現れ、「文明」との対比で貶められてきた「未開」を再考し、「野生の思考」を再定義した[レヴィ＝ストロース 1976]。またマルセル・モースなどそれまでの諸成果の重要な部分を継承しながら、「文化相対主義」という考え方を打ち出した。その一方で、口承によって伝えられてきた神話や物語の構造、婚姻秩序や親族関係から、その社会の中

に潜在する秩序や規範，文化の仕組みを抽出していく方法を提示した．

　人類学者や民族学者，文化人類学者たちの生み出した叙述は，一つには対象地域のフィールドワークに基づく民族誌的な記述であったが，同時に，対象地域の文化を理解するための解釈枠組みでもあった．象徴や儀礼，祝祭やためこんだ財を一気に放出し使い尽くす蕩尽といった諸概念，あるいはまた穢れや禊ぎ，祓い，禁忌やタブー，贈与といった解釈枠組みがそれである（第1章参照）．それらはいずれも，文字を介さない身体のふるまいや行為，考え方であり，また宗教的な儀礼や約束事，物をあげたりもらったり，お返しをするという慣行であるが，こうした解釈枠組みによって，当該社会の秩序を成り立たせている，あるいは回復させていくために必要な仕組みや秩序を，分かりやすく理解することが可能になる．こうした人類学は解釈人類学と呼ばれ，クリフォード・ギアツ（1926–2006）（第9章参照）はその代表的研究者である［ギアーツ 1987］．

　かくして人類学は目に見えない関係や秩序，一見したところ非合理に見える行動ややりとりのなかにたくさんのメッセージや暗黙知があることを示した．人びとはそれらを無意識のうちに学習し読み取り共有しながら生きているのであり，社会は身ぶりやふるまい，場所や空間のあり方，発話された言葉やイメージ，目に見える色やかたちによって形作られ，不断に再定義されながら維持／再生産を繰り返していることが，人類学の成果を通じて明瞭になっていった．

2　「棲み分け」から対話へ

　人類学者はしかし，長らくその対象地域を非ヨーロッパ世界に限定していた．一方，歴史学者も文献記述の残る領域に対象を限ってきたため，両者の間には明確な「棲み分け」が存在していた．それが1960年代になると，歴史学のなかから，こうした人類学の成果に刺激を受けながら，人類学の視座や方法，概念を積極的に摂取し，ヨーロッパの過去の歴史研究にも適用し，応用していこうとする研究者が現れてくる．

2.1　内なる他者への旅

　人類学者たちが示した方法は，実は文字をもつとされる社会や文化を対象とする場合にも有効であり，応用が可能であった．暗黙知や身体による伝承は，

文献の豊富な社会にあっても存在し，文字を通じた関係と複雑に絡み合いなが
ら秩序を作り出しているからである．そうした領域は文字記録が乏しいがゆえ
に手つかずのまま放置されてきたが，あらためて向き合ってみると，無限の領
域が未開拓なまま残されている．そのことに歴史家たちはいまさらながらに気
づいていった．また，この時期以降，人類学者の側からも歴史学との対話の必
要性が意識されていった．

　ちなみに1950年代から1960年前後にかけては，植民地の独立が相次ぎ，ヨ
ーロッパの経済成長にも陰りが見え始める時期である．この時期に，ヨーロッ
パ中心主義的な見方がその内部から問いなおされていったことは，ある意味で
は歴史の必然でもあった．自らの過去を異文化として，他者としてとらえ，そ
こに内在する秩序や関係性をそれそのものとして理解し，非ヨーロッパ世界と
の比較や対話を通じてその関係性のなかで理解しなおすこと，それはヨーロッ
パが優位にあるという前提を疑わなかった時代には，決して生まれてこなかっ
た反省的な問いである．

2.2 家族史研究と物語研究

　歴史人類学の試みによって，フランスでまず着手されたのはレヴィ＝ストロ
ースの影響を受けた**家族史研究**や**物語研究**である．これは1950年代からさか
んに行われていた人口史研究のような長期的趨勢を扱う数量史研究がほぼやり
尽くされ，もう一度，歴史学のミクロな研究へと関心が移っていった時期と重
なっている．その結果，ヨーロッパが早くから核家族であったこと，家族戦略
として晩婚化や拡大家族が必要に応じて生じていたことなどが明らかにされ，
「失われた世界」に強い関心が向けられていった．また避妊の始まりや性愛，
捨て子，婚姻の解消，妊娠届け出制度など，歴史学の対象としていまだかつて
俎上に載せられたことのないテーマがとりあげられ，探究された．またメリュ
ジーヌ（図8-1）のような中世に書かれた神話的な物語の構造，社会との影響関
係などが，文献学の蓄積と接合させつつ論じられていった[長谷川 1997]．

　この時期に結実した代表的作品を一冊あげるとすれば，中世史研究者ル＝ロ
ワ＝ラデュリの『モンタイユー』(1975年)である．これは，13世紀末にカタリ
派の牙城となっていたピレネー山中の小村モンタイユーの人びとと社会につい

図8-1　水浴するメリュジーヌ，秘密の発見
出典：[Clier-Colombani 1991]
「メリュジーヌの物語」は中世末にまとめられ，写本が流布するようになった
が，そのうちベリー公ジャンの命を受けてまとめられたジャン・ダラス版（散
文形式，1387年）と，パルトゥネの領主ラルシュベックの命によるクードレッ
ト版（韻文形式，1394年）がやがて印刷本となり，近世以降に広く流布した．
クードレット版の写本は多く残存するが，近世期にはドイツ語訳の版がドイツ
語圏に広まり，もともとのフランス語版は19世紀になるまで出版されなかった．
ここにあげた挿絵は，1410年の写本にメッスのギュベールが寄せた16枚の挿
絵のうちの1枚．森の妖精メリュジーヌを娶ったレイモンが，メリュジーヌか
ら課された「どんなことがあっても水浴する姿を見てはいけない」という約束
を破り，扉の穴から水浴するメリュジーヌの半獣半女の姿を見てしまうシーン．
中世盛期の騎士の繁栄と衰退がテーマとなっている．

て，残されている異端審問記録をもとに明らかにしたモノグラフ（個別研究）で
ある．モンタイユーの人々が何をどのように耕し，何をどのように食べ，誰と
どのように暮らし，生きることや死ぬことをどのように感じ考えていたのか，
そこには男色があり，クレルグ家の一族を中心とする複雑な親族関係や秩序が
あったことなどが，人類学の視座を吸収しながら，同時に細かく緻密な史料批
判を通じて描き出されている[ル・ロワ・ラデュリ 1990]．

　『モンタイユー』は，人口史研究など数量史的な手法を元に発展した家族史
研究の成果はもとより，土地制度その他の政治文化，社会経済史の側面にも十
分目配りをきかせた包括的な内容をもつ．しかし脂の乗った歴史学者の文献解
読の技と複眼的で想像力豊かな思考／分析枠組みによって，まさに名もない
人々の日常生活，生きざま，感じ考えるその仕方が再構成され，理解可能なも
のになっている．この書は，出版後フランスでは駅や街路の小さなキオスクで
も売られるほどの人気を博し，国民的なベストセラーとなった．また文学賞で
あるゴンクール賞をとるなど，歴史学の専門書としては異例なほどの成功を収

めた.

2.3 呪術, シャリヴァリ, 暴力儀礼

ではこの時期に人類学の成果はどのようにして歴史学に摂取されていったのか. 家族史や物語研究以外の例をクローズアップしながらさらに考えてみよう.

魔女狩りと呪術世界の抑圧

キリスト教社会では, 妖術は異教あるいは異端の企てと考えられ, 魔女や呪術師の存在は早くから迫害の対象となっていた. とりわけ 16 世紀から 17 世紀にかけては, 異端審問裁判によって妖術や呪術に関わった人々が徹底的に弾劾され, 迫害された. 女だけでなく男もまた裁判にかけられ, 有罪とみなされ, 火あぶりにかけられて殺された. 「魔女狩り」という現象は, 研究史において, マルクス主義の強い影響下では, 近代化によって克服されるべき非合理な過去であり, 遅れた社会の遺物とみなされ, 長らくまともな研究対象としては扱われていなかった. それが 1960 年代以降, 人類学の視座の影響により, 新しい関心からの探究が始まったのである.

イタリアの歴史学者カルロ・ギンズブルグ (1939–)[2] は, その分野のパイオニアである. ギンズブルグは, アナール派の影響も受けつつ, 1950 年代の終わりごろヴェネツィアの図書館に眠っていた異端審問記録と偶然出会い, 分析に取り組んだ. ちなみに 1960 年頃といえば, フランスではまだ人口史研究が盛んになり始めたばかりの時期で, 魔女裁判の研究に関心を抱く研究者はいなかった. イタリアでも誰も魔女裁判の研究には関心を示さなかった時代であるが, ギンズブルグはいち早くこの問題に着手し, 異端審問の裁判の審理の過程で, ベナンダンティなどの呪術信仰が次第にサバト (魔女の饗宴) とみなされ, 断罪されていく過程を明らかにしていった [ギンズブルグ 1986].

ベナンダンティとは, イタリア東端フリウリ地方で, 生まれるときに羊膜をかぶって生まれてきた者がいずれなると言われていた妖術師で, 夜に眠っている間に体から抜けて出かけていき, 茴香 (フェンネル) の束を手に, もう一方のもろこしをもつ呪術師と合戦を繰り広げる. ベナンダンティが勝てば, その年はぶどうの豊作に恵まれる. ベナンダンティとは呪術的な能力をもつシャーマ

ンのような存在であり，特殊な力をもつと周囲から信じられていた人々である．日本やアジアにおいては，こうした呪術にまつわる豊穣儀礼などの慣行事例が最近まで豊富に残されてきたため，それらを理解するのはそれほどむずかしくないかもしれない．しかしヨーロッパの人々にとっては，キリスト教化の過程で改変され消失させられていった失われた文化である．それが裁判記録を通じて詳細に明るみに出されたことは，それ自体が驚きであり衝撃でもあった．

　魔女狩りや異端審問の研究は，それまで合理的で理性的なものによってのみできあがっていると考えられてきたヨーロッパ社会が，必ずしもそうではなく，多様な世界像の併存する複雑な多文化社会でもあったことを明るみに出した．人びとの意識や行動は，文字に記録され残された支配的な制度や知識人やエリートの受容していた文字文化だけでは語りつくせない．そのことがようやく認識されるようになったのである．

シャリヴァリ研究

　歴史人類学の試みが始まった当初，さかんに論じられていたもう一つのテーマは，シャリヴァリに関するものである．これはカーニバル（祝祭）と叛乱に関する研究とも深く関連していたが，シャリヴァリは，儀礼の果たす役割を考えるのに格好の素材でもある．シャリヴァリは，19世紀末に民俗学者たちの採集した記録によってかろうじて知られていた古い慣行である．しかしその詳細はほとんど知られていなかった．歴史学者は，シャリヴァリと言われる慣行の記述が15～16世紀の裁判記録に頻繁に現れることに気が付き，その探究に向かった．その結果，近世初頭のシャリヴァリがどのようなものであったかが次第に明らかになっていった［『思想』1986］．

　シャリヴァリとは，たとえば，年齢の離れたカップル，とりわけよそ者や高齢の男性と若い娘が結婚したりする場合に，その新婚の初夜の晩に村の若者たちが仮装してその家の前に集まり，鍋や釜，茶碗，しゃもじ，あるいは太鼓や木切れなどありあわせのモノや道具で騒音を奏でるという儀礼である．騒音にうんざりして出てきた新郎が若者たちにしぶしぶ金品やぶどう酒を差しだすと，若者たちは満足して退散し，それでもって祝杯をあげて楽しむ．またロバの引き回しという見世物行列もシャリヴァリの一種である．これは妻の浮気を放置

図 8-2　ホガースの銅版画にみるシャリヴァリ
出典：［森 1981］
イギリスでは，シャリヴァリはラフミュージック，スキミントンと呼ばれ，フ
ランスと同様に 17 世紀前半まではいたるところで行われていた．この絵は，
サミュエル・バトラー(1612-80)の風刺詩『ヒューディブラス』にウイリア
ム・ホガース(1697-1764)が寄せた銅版画「スキミントンに出会うヒューディ
ブラス」である．風刺作家と版画家の合作による創作的イメージであり，必ず
しも実像とはいえないが，男たちが鍋や釜，ひしゃく等の台所用具を使って騒
音を奏でながら大勢で町内を練り歩いていく様子が生き生きと描かれている．
ここには女房の下着やスカートを物干し棒にぶらさげて持ち歩く夫，糸巻き棒
を回す気の弱そうな夫に背後からしゃもじをもって畳みかけている女房役の女
装男，背負った大鍋を太鼓に見立てて叩く老人，猫の死骸を尻尾から投げこま
んとする若者，歩きながら笛や角笛らしきものを吹いているパン屋に肉屋，画
面左上には自分の女房の浮気にも気づかずおもしろがって行列を眺めている間
抜けな夫も描かれている．シャリヴァリはまさにカーニバルであるが，同時に
既存のジェンダー役割を転倒させて笑いと嘲笑を呼び起こすことで，家長のあ
るべき姿や家族の秩序を思い起こさせる一種の民間懲罰儀礼でもあった．

している情けない夫がいると，その夫をロバに後ろ向きに乗せて，夫の首に
「寝取られ亭主」と書かれた看板をぶらさげ，騒音を奏でながら大勢で町内を
練り歩く娯楽であり，パターン化された見世物でもある(図 8-2)．

　歴史学者たちはさらに，こうした慣行のもつ意味についても，それがたんな
る遊びや嫌がらせではなく，民間による自然発生的な懲罰儀礼であり，共同体
の秩序の回復をめざす祝祭であることを明らかにした．その役割は，一方では，
潜在している不満を吐き出させるガス抜きにあり，他方では，それによって共
同体の暗黙の規範を確認し，その回復と維持をはかることにある．

　実際，青年たちの同世代にあたる村の娘は，結婚の相手となる可能性をもっ
た同年齢集団の一員である．年齢のいったよそ者との結婚は，それが奪われて

いくことを意味する．度が過ぎれば共同体の存続にも影響を及ぼしかねない．したがってシャリヴァリは，共同体の維持に必要な約束事や了解が破られていくときに起こると言える．とはいえ，そうした逸脱者をとことん追い詰めて傷つけたり，あからさまに辱めたり，暴力に訴えたりすることまではめざされていない．まずは逸脱者に秩序の存在を気付かせ，それによって暗黙知を共有し，自覚を促すことに重きがあったと考えられる．

　ところが16世紀後半になると，シャリヴァリは平和裏には決着せず，暴力沙汰に発展するケースが増えていった．それゆえ治安維持の観点から法によって厳しく禁じられ規制の対象となり，やがて17世紀のうちにほとんどの地域で消失していった．この時期にシャリヴァリが乱闘事件へと発展していくことが多くなる理由について十分な説明を与えるのはむずかしいが，考えられる背景としては，16世紀頃から共同体の均質性が損なわれ，その危機感を背景に，逆に共同体の内部から不安や規範に対する感度が高まっていたことがあげられる．また宗教改革によって，結婚や一夫一婦制に関する規範や父権の拘束力が法的に確立されていき，夫の妻への「監督義務」も強く意識されつつあったが，それにもかかわらず，逸脱者への規制が教会や国家によって十分に行われず放置されていたことが考えられる．

一揆／騒擾とモラル・エコノミー

　シャリヴァリのメカニズムは，18世紀の一揆や騒擾にもあてはまる．穀物騒擾は，飢饉などで穀物が不足しているときに穀物を隠蔽し，価格を不当につりあげて暴利を得ようとしている悪徳商人に対してしかけられる．これは公の秩序や安寧を守る責務をもつはずの都市当局や国家が，講ずるべき必要な規制に乗り出さず，悪徳商人の暗躍を放置し，結果的に容認しているからである．一揆に加わった者たちにとって蜂起は神の法に適った正当性の根拠をもつものであり，当局になりかわって行われる「代執行」でもあった．

　ここには暗黙知としての**モラル・エコノミー**が存在していた．つまり人間の社会には，生存や共同体の平和の維持に必要な最低限のルールがあり，説明するまでもなく了解されているモラルがあり，それが破られたとき，人びとはその秩序の回復に向けて動き出すのである．穀物騒擾は，長らくその暴力的な側

面に目を奪われて，パン欲しさになされる暴徒の突発的な愚行とみなされていたが，人類学の視座を採りいれることにより，こうした人類史に普遍的な理解が可能になった．中世以来シャリヴァリと一揆は隣り合わせにあり，どちらも秩序維持，回復を求めて行われる祝祭空間でもあった．

宗教戦争と暴力儀礼

暴力についての研究も，人類学からヒントを得て切り拓かれた新しい領域の一つである．たとえば16世紀後半のヨーロッパではカトリックとプロテスタントの対立が高じ，いたるところで流血に至る紛争が生じていた．ナタリー・ゼーモン・デーヴィス (1928-)[3] は，その過程で残された裁判記録をもとに，実際に行われた暴力について人類学の概念を摂取しながら分析した．デーヴィスは，宗教戦争期の暴力もまた，やみくもに行われる突発的，偶発的なものではなく，それなりの正当性の根拠をもち，儀礼や象徴を伴う一定の型やパターンが存在することを明らかにした [デーヴィス 1987]．

デーヴィスによると，彼らが互いに殺し合ったのは，相手は神を冒瀆する邪悪な敵であり，もはや同じ人間とは思えない虫けらと化していたからであり，暴力の行使はまさにその汚辱を祓い，浄めるための儀礼だったのだという．その際，相手を傷つけ，殺してもよいと思えるまでの正当性の根拠を提供していたのは，ミサの語りや典礼の文言，日頃の祈禱や修行のなかで身体に刷り込まれてきた信念や信仰である．また暴力の行使の仕方にも一定の型があり，それぞれに意味がこめられていた．たとえば，カトリックであれば相手をただ殺すだけではなく，川に流すことが必要とされ，またプロテスタントは遺体を火にくべて，骨まで焼くことに意味を見いだしていた．こうした宗教暴力の参加者のなかには，弁護士や熟練職人など日頃から都市の中心にあって慎ましくも良識ある市民とみなされていた人びとが多く含まれていたのであり，デーヴィスはこうした暴力が日常性の外にある無知や狂気の産物ではなく，まさに日常性の延長上に生じていたことを示した．

3 歴史の動的過程の理解に向けて

こうして船出した歴史人類学の試みは，1970年代前後の模索の時期を経て，

革命史や王権統治の技法，ジェンダー史研究などさまざまな領域に深く浸透していった．また「象徴」や「儀礼」のみならず，「表象」という概念も頻繁に用いられるようになった．表象とは，冒頭にも例をあげたように，文献や考古学史料に記された文字や文はもとより，文字によらない図像や風景，技術や知識，ファンタジーなど，およそ人間の作りだしてきた「もの」や「こと」のすべてをさす．

　歴史学者は，人類学者のように対象とする過去に足を運んで参与観察することはできない．文献記録は依然として重要な手がかりである．しかし，直接に文字に記されない「もの」「こと」にも無限の意味が潜在する．社会は身体の経験と記憶を通して再創造され，歴史はそれによって複雑に組み換えられ変化していく動的な過程である．以下に近年の諸成果についても触れておこう．

3.1　歴史学の再考の試み

　儀礼や象徴といった概念は，その後「歴史人類学」という限られた問題枠組みをはるかに超えて，過去の社会や文化を再考する模索のなかで積極的に摂取され，「**領有**」[4]されていった．たとえば，まずは「もの」と身体の関わりから人びとの感性やふるまいの変化を読みとろうとした多木浩二(1928-2011)や，革命を祭りと考えた立川孝一の開拓的研究があげられる．さらには，小山啓子による国王の入市式の研究[小山 2006]のように，さまざまな式典における場や建造物，儀礼のあり方が検討され，国家形成と統治の政治文化，秩序形成の過程を動的にとらえる道が開かれた．

フランス革命と家族ロマンス

　画期となったのは，アメリカの近世史研究者リン・ハントの研究である．ハントは革命期の言説や図像の分析を通して，この時期「**家族ロマンス**」という新たな表象が生み出されていき，政治が象徴や儀礼，イメージを通じて社会生活全般に拡大し，政治文化のあり方が大きく変化したことを明らかにした．これは表象研究の成果であると同時に，それまでばらばらに行われていたジェンダー史研究と革命史研究を架橋する意味をもった．リン・ハントは革命期の多様な表象の分析を通じて，愛情に基づく夫婦と子どもという近代家族像の理想，

すなわち「家族ロマンス」が生み出され，「女」と「男」，「大人」と「子ども」の差異が鮮明になり，それらが政治文化の重要な表象として機能していくことを示した．ハントによれば，国王の処刑により父を喪失した社会は兄弟たちによる新しい国家イメージを必要としたのであり，愛情に基づく核家族をベースとする新しい家族イメージがそれを支えていくことになった．

王の儀礼と秩序形成

革命史はいまや新聞やビラ，版画，絵画やメダル，モニュメント，式典などの分析を積極的に組み込みながら，政治文化の生成過程として読み換えられつつあるが，一方，近世期の国王の入市式や行列などの儀礼研究も，それと並行して開拓されてきた分野の一つである．それらは式典や儀式がどのような場面でどのような配置や順番で催されるか，また出来事がどのように記述されていったかを分析し，パフォーマンスを通じて構築されていく権力関係や国家秩序を明らかにした．一方，ピーター・バークは，ルイ14世の治世に築かれたヴェルサイユ宮殿の絵画や彫刻，庭や噴水といった建造物を分析し，「古代ローマ」という表象がさまざまな空間に，さまざまな形でとりこまれ，統治の技法として活用されていたことを明らかにしている［バーク 2004］．国王像や建築物，絵画，彫像，庭園や家具・調度品などからも，王国の威信形成の過程を考察することが可能であり，隣接諸科学との対話，融合のなかで，国家統治の仕組みを立体的にとらえる視点が開拓されていった．

失踪亭主とその帰還

さらにデーヴィスは，ハントと同様，ジェンダーの視点を歴史叙述の不可欠な観点とすることにも自覚的であり，この分野でも人類学の視座を積極的に活用することで新たな開拓を行ってきた．たとえば映画製作を経てまとめられた『帰ってきたマルタン・ゲール』は，宗教改革期のトゥールーズ近郊の農村で起きたある亭主の失踪事件を扱っている．亭主の失踪はこの時代のピレネー山中の村落ではよくあった出来事であるが，実際の裁判記録をもとにしたこの研究は，16世紀の農民の男女の生きた世界をミクロに描き出すと同時に，偽亭主を黙認した農村社会と，偽者と知りつつ男を受け入れた妻ベルトランドの視

点にも光を当てている［デーヴィス 1993］.

境界を生きる

　また『境界を生きた女たち』では，17 世紀に生きた 3 人の女性の生涯をとりあげ，彼女たちの宗教との関わり，仕事や働き方，夫や子どもとの関わり，さらには新大陸などへの広域移動と越境，異文化との出会いと交錯の問題を扱っている．その一人ユダヤ人女性のグリックルは，再婚によりハンブルクからフランス領内のメッスへ，もう一人のウルスラ会修道女受肉のマリは，カナダへの宣教のためフランスのトゥールからモントリオールへ，3 人目の博物画家メーリアンは，毛虫の絵を描くためにオランダのアムステルダムから熱帯のスリナム（当時はオランダ領）へと旅立った．これは女性史であると同時に，この時期のヨーロッパの内部と外部が触れ合う境界のゆらぎを扱っている．

〈もの〉と身体の関わり

　人類学の視座は，身体をめぐる歴史を扱う上でも有用である．筆者は，マルセル・モースの身体技法についての論稿［モース 2014］をもとに，近世期のヨーロッパにおいて，お産の際に用いられ，豊かさの象徴としても流行した「お産椅子」（道具／家具）をとりあげ，〈もの〉と身体の関わりを考察した．その際，残された文献はもとより，椅子そのものの形態や改良による変遷，変化を考察し，その出現と隆盛，衰退の過程を分析した．そこから内科医と外科医の確執，その社会的権威や地位をめぐって展開されていた論争空間の存在が明らかになった．また椅子を所有することの象徴的な意味や，改良に伴う形態変化のなかで，人と人との関わりや「快適さ」それ自体の感じ方が変化していくことも論じている．

　お産椅子はルネサンス期に古代の医学書の記述を掘り起こすことで再現され，印刷本を通じて広まったものであるが，当初の形態は単純な腰掛タイプのものであった．それが 17 世紀になると，血やジェンダーのタブーのために出産の場に直接入ることのできない内科医たちによって複雑に改良されていく．内科医たちは持ち運びやすい椅子を考案し，助産婦に持たせて出産の場に持ち込むことで，間接的に助産の場を統御し，その領域への影響力を増すことを画策し

図 8-3　お産椅子(アルザス博物館蔵)
背もたれに花模様の彫刻の施された美しい手の込んだ家具．組みはずして持ち
運べる軽量な椅子でもある．背もたれ上部の横木には「18AW37」の文字が彫
られている．産婆アンヌ・ヴィリングが 1837 年に作らせ，助産に際して使用
していた椅子と伝えられている．

ていたからである．17 世紀になると，肘掛や足台，背もたれが現れ，やがて
背もたれが蝶番によって後ろに傾けられるようになる(図 8-3)．

　一方，中世から王権の後ろ盾により床屋外科医として存在した外科医は，17
世紀になると難産に際して積極的に介入するようになり，現場経験をもとに助
産技法についての書物を出版するに至る．18 世紀にはさらに解剖による知見
を錦の御旗に鉗子などの金属具を用いて，この領域での地歩を築いていく．

　その結果，内科医と外科医の確執は 18 世紀の前半から半ばにかけてピーク
に達するが，お産椅子の形態改良もさらに推し進められ，背もたれの傾きが水
平にまで達する．坐産から仰臥産への移行が始まるのである．こうしてお産姿
勢のみならず，生む身体とその周りを取り巻いていた助産者たちとの関係も
徐々に変化していく．快適さや痛みへの配慮，簡便さが考慮すべき価値として
意識されていくのもこの頃からのことである．

3.2　感性の歴史学，読書と読者の社会史

　最後に，歴史人類学の展開の後，その延長上に新しい歴史学を開拓してきた
アラン・コルバン(1936–)[5]の研究と，ロジェ・シャルチエやロバート・ダーン
トンによって切り拓かれた感情史研究や公共性研究の広がりについても触れて
おこう．

感性の歴史学

コルバンは「感性の歴史学」のパイオニアとして知られているが，コルバン
もまた前述の心性史研究に影響を受けつつ，さらに人間の感情，感覚が感情シ
ステムとしてどのように形成されまた変化してきたかを歴史実証的に明らかに
する方向へと向かった．コルバンはそのなかで，人類学が「象徴」や「儀礼」
というタームで扱ってきた解釈枠組みをいち早く「表象体系」としてとらえな
おし，人間の知覚と表象との関わりを，言説を含むあらゆる「もの」や「こ
と」の分析を通じて説明し，理解していく道を切り拓いた[コルバン 2001]．

たとえば，公衆衛生の問題を扱った娼婦の歴史，匂いの歴史，音の歴史，浜
辺の誕生，虐殺事件における暴力の歴史など，多くの研究がすでに知られてい
るが，そのどれもが人間の知覚や感覚，身体の記憶に注目している．コルバン
は都市行政の記録，科学者や作家，企業家の言説など，ありとあらゆる文献を
駆使しながら，身体のなかに記憶され，構築されていく目に見えない表象シス
テムの生成過程に目を向け，その抽出に力を注いできた．人間が見たり，聞い
たり，思い描いたり，食べたりすることにはそれ自体，歴史があり，身体を通
じて常に変化していくことを，19 世紀以降の社会を素材に考察し，その分析
方法と研究の可能性を示した．

書物と読書

一方，ロジェ・シャルチエやロバート・ダーントンは，こうした新しい動向
を踏まえて，従来のヨーロッパが作り上げてきた近代的個人や，長らく理想と
されてきた啓蒙的な主体のイメージを再審に付してきた．その際，シャルチエ
は，書物の身体性すなわちテキストの形態や物質性，紙がどのように調達され，
言葉がいかにして媒体に記され，印刷され，読者にまで届けられたかを問い，
それによっていかなる関わりが生みだされたか，書物はどのように読まれ，ま
た読まれるだけではなくどのようなものとして機能したのかを解明しようとし
た[シャルチエ 1994]．一人で黙って読むのか，大勢のなかで声に出して読むの
か，書物はどうやって，誰によって運ばれ，どこに置かれ，保管され，回覧さ
れたか，等々，読書や読者の側の受容を視野に入れて，メディアやコミュニケ
ーションの回路を探る試みがなされた．シャルチエやダーントンはこうした分

野のパイオニアであり，テキストの内部と外部の関係を深く問いなおした．

感情史研究と公共性の再考に向けて

こうした開拓は，近年では感情史研究や啓蒙期の**公共空間**のあり方を問いなおす次元へと，さらに発展してきている．たとえば，アントリーヌ・リルティは，18世紀のサロンの貴族社会と文人や画家たちとの関係を贈与と返礼の関係から考察し，17世紀以来，貴族や王の庇護と保護のもとにあった著述家や芸術家たちの地位が，18世紀の半ばから徐々に変化していくことを論じた［リルティ 2019］．この時代になると，ルソーのような著名人はその行動が逐一注視され報告されるようになるが，それは著名であるがゆえに反応する「公衆」が存在したからでもある．ガラス職人メネトラがルソーと一緒にカフェでお茶を飲んだことを書き留めているのも，メネトラがルソーの書物を正確に読んで啓蒙されていたからではなく，ルソーが有名人であったからにほかならない．この時代には，死後の栄光ではなく，生前の有名性の形に多くの人々が反応したが，それは，ハーバーマスがかつて示したような読書を通じて批判的意識を獲得する模範的なブルジョワ市民男性からなる空間とは異なり，現代のネットの炎上を思わせるような，制御しがたい「公衆」の織りなす公共空間である．

＊　　　＊　　　＊

以上のように，歴史学は，20世紀以降の人類学の発展に刺激を受けながら，その研究領域を大きく広げてきた．それによってそれまで闇に包まれていた領域に光があてられるとともに，既存の政治文化の領域にも視点の移動がもたらされてきた．過去をとらえる方法や見方はいまやはるかに複眼化し，多元化し，人間をとらえる認識枠組に新たな問いを投げかけている．

●注

1) クロード・レヴィ＝ストロース（Claude Lévi-Strauss）：フランスの文化人類学者．非文字社会の秩序を理解するために，親族や婚姻，神話の構造を分析し，「文化相対主義」という考え方を編み出した．『悲しき熱帯』，『構造人類学』，『野生の思考』など数々の著作を残し，社会科学全般に多大な影響を及ぼした．

2)　カルロ・ギンズブルグ（Carlo Ginzburg）：イタリアの近世史研究者．異端審問記録を通じてキリスト教文化によって抑圧された下位文化を掘り起こした．その手法はミクロストリア（第 9 章参照）と呼ばれ，観察規模を小さく絞りミクロな考察を行うことで，個別具体的な事象や出来事から，より普遍的な歴史の全体像へと至る．

3)　ナタリー・ゼーモン・デーヴィス（Natalie Zemon Davis）：アメリカおよびカナダのフランス近世史研究者．本文中に触れている研究のほかに，恩赦嘆願状にみる罪人たちの語りの研究『古文書のなかのフィクション』や，16 世紀のイスラーム教徒ハサン・アルワザーンの目からみたヨーロッパについての研究 *Trickster Travels*，ヨーロッパ近世社会を贈与の観点からとらえなおした『贈与の文化史』など著書多数．

4)　領有とは，土地や領土について言う動詞 appropriate（占有する，横領する）の名詞形 appropriation（領有，所有）の訳語であるが，ミシェル・ド・セルトーが『日常的実践のポイエティーク』のなかで用いた分析用語でもある．すなわち植民地など下位に置かれた文化に生きる人々が，宗主国からもたらされる上位にある支配的な文化に触れて，その意味をずらし改変しながら，自らの生きる糧として再解釈しつつ摂取していくことを指す．

5)　アラン・コルバン（Alain Corbin）：フランスの近代史研究者．19 世紀が主たる対象であるが，『娼婦』，『においの歴史』，『音の風景』，『浜辺の誕生』に加え，一見非合理な虐殺事件を読み解いた『人食いの村』など開拓的研究多数．ジェンダーに関わる叢書『身体の歴史』，『男らしさの歴史』等の監修にも携わってきた．

●参考文献

樺山紘一・二宮宏之・福井憲彦編『魔女とシャリヴァリ——アナール論文選 1』新評論，1982 年．

ギアーツ，C（吉田禎吾・柳川啓一・中牧弘允・板橋作美訳）『文化の解釈学』Ⅰ・Ⅱ，岩波現代選書，1987 年（原著 1973 年）．

ギンズブルグ，カルロ（竹山博英訳）『ベナンダンティ——16-17 世紀における悪魔崇拝と農耕儀礼』せりか書房，1986 年（原著 1972 年）．

小山啓子『フランス・ルネサンス王政と都市社会——リヨンを中心として』九州大学出版会，2006 年．

コルバン，A（小倉和子訳）『感性の歴史家　アラン・コルバン』藤原書店，2001 年（原著 2000 年）．

『思想』特集〈歴史における文化——シャリヴァリ・象徴・儀礼〉，第 740 号，1986 年．

『思想』小特集〈ミクロストリア〉，第 826 号，1993 年．

シャルチエ，ロジェ（長谷川輝夫・宮下志朗訳）『読書と読者——アンシャン・レジーム期フランスにおける』みすず書房，1994 年（原著 1987 年）．

多木浩二『「もの」の詩学——ルイ十四世からヒトラーまで』岩波現代選書，1984 年．

多木浩二『絵で見るフランス革命——イメージの政治学』岩波新書，1989 年．

立川孝一『フランス革命と祭り』ちくまライブラリー，1988 年．

ダーントン，ロバート（海保真夫・鷲見洋一訳）『猫の大虐殺』岩波現代文庫，2007年（初出1986年，原著1984年）.

デーヴィス，ナタリー・ゼーモン（成瀬駒男・宮下志朗・高橋由美子訳）『愚者の王国 異端の都市』平凡社，1987年（原著1975年，論文初出1969-74年）.

デーヴィス，N・Z（成瀬駒男訳）『帰ってきたマルタン・ゲール――16世紀フランスのにせ亭主騒動』平凡社ライブラリー，1993年（原著1982年）.

デュルケム（宮島喬訳）『社会学的方法の規準』岩波文庫，1985年（原著1895年）.

二宮宏之『マルク・ブロックを読む』岩波セミナーブックス，2005年.

バーク，ピーター（石井三記訳）『ルイ14世――作られる太陽王』名古屋大学出版会，2004年（原著1992年）.

長谷川まゆ帆「森と泉の妖精メリュジーヌ――異界・女・生と死」草光俊雄・小林康夫編『未来のなかの中世』東京大学出版会，1997年.

モース，マルセル（森山工訳）『贈与論 他二篇』岩波文庫，2014年（原著1925年）.

森洋子編著『ホガースの銅版画――英国の世相と諷刺』（双書美術の泉），岩崎美術社，1981年.

リルティ，アントワーヌ（松村博史・井上櫻子・齋藤山人訳）『セレブの誕生――「著名人」の出現と近代社会』名古屋大学出版会，2019年（原著2014年）.

ル・ロワ・ラデュリ，エマニュエル（井上幸治・渡邊昌美・波木居純一訳）『モンタイユー――ピレネーの村1294～1324』上・下，刀水書房，1990-91年（原著1975年）.

レヴィ＝ストロース，クロード（大橋保夫訳）『野生の思考』みすず書房，1976年（原著1962年）.

Clier-Colombani, Françoise, préface de Jacques Le Goff, *La fée Mélusine au Moyen Age: images, mythes et symboles*, Paris: Le Léopard d'or, 1991.

▶▶▶ より深く知るために────────────

・リン・ハント（西川長夫・平野千果子・天野知恵子訳）『フランス革命と家族ロマンス』平凡社，1999年（原著1992年）.
　　歴史学の流れを変えた重要な1冊. 革命史研究の新しい視座を示しただけでなく，ジェンダー研究と文学／表象研究の結節点に位置する画期となる研究.

・ナタリー・Z・デーヴィス（長谷川まゆ帆・北原恵・坂本宏訳）『境界を生きた女たち――ユダヤ商人グリックル，修道女受肉のマリ，博物画家メーリアン』（テオリア叢書），平凡社，2001年（原著1995年）.
　　宗教も言語も生活習慣も異なる17世紀の3人の平民女性の各生涯をヨーロッパの内と外の境界の接触と交錯を通じて奥深く解き明かした傑作.

・長谷川まゆ帆『お産椅子への旅――ものと身体の歴史人類学』岩波書店，2004年.
　　16世紀から印刷を通じて知られ近世期に改良され普及した「お産椅子」を身体と社会，医療をめぐる権力関係の変化から読み解いた身体史の試み.

第9章 当たり前を問う，普通の人びとを描く
——日常史と民俗学

岩 本 通 弥

　私たちの身の回りの日常茶飯事に目を凝らしてみよう．日常茶飯事とは，日々のありふれた，いつものこととして，普段は特別，取り上げるまでもない，卑近な諸事象を指している．その一例として，現代日本の住生活を顧みるならば，近代以降，一貫して洋風化してきたことは疑いない．畳の部屋はなくなり，椅子に座り，食卓(テーブル)を囲むことなどは，洋風化の一側面である．だが，しかし，あくまでもそれらは洋風化であって，住生活のすべてが，単純に西洋化していったわけではない．玄関で靴を脱ぐことや，アルミサッシにも引違い戸が使われること，暖をとるのに部分暖房が用いられることなど，一向に変わっていない要素も多い．

　いかに洋風化が進んだとしても，玄関や上がり框(かまち)では履きものを脱いで素足で上がったり，あるいはスリッパという室内履きに履き替えることなどは，今も各家庭だけでなく，学校や病院などの場で普通に見られることである．スリッパ(slipper)という英語由来の言葉が使われているので，一見，西洋化したように見えるかもしれないが，西洋には家の出入り口で履き替えるスリッパのような存在はない．家の出入り口で履き物を脱ぐという日本の在来の習慣と，新しく始まった居住空間における洋風の立ち居振る舞いの中で，新たに編み出されていったのが，スリッパという上履きなのである．

　日々の生活実践の繰り返しの中で，その暮らしのあり方を**ヴァナキュラー**(vernacular，ひとまず「土着的」と訳す)に変えてきた，人びとの実践のプロセスや結果を，方法的に重視してきたのが民俗学だといえる．近年，社会史の一つとして展開してきた**日常史**においても，人びとの文化実践のプロセスに焦点を当てることに，「歴史を下から，内側から分析する」というその主張の核心が込められている．本章ではそうした日常を私たちの歴史として引き寄せて，足元からとらえる点で，共通性の多い民俗学と日常史の関係を主として論じるほか，今や民俗学でも不可欠な概念となってきたヴァナキュラーについて，その

輪郭も素描する．何故，日常史や民俗学の視角が必要なのか？　自らを歴史的に内省すること，自分自身を歴史学の素材として対象化させることは，細部に宿るものの見方を掘り下げる歴史学的感性＝**史心**［柳田 1944；和歌森 1975］を涵養させる．歴史を顧み自らが判断する力を養うことが目標なのだ．

1　民俗学とは何か

1.1「普通の人びと」の日常

ささやかでありふれたものへの注視

　まずは，民俗学とは何か，その定義を振り返っておこう．日本民俗学の創始者とされる柳田國男(1875-1962)[1]は，民俗学を「事象そのものを現象として，ありのままに凝視し，「わかっている」，「当り前だ」といわれているその奥の真理を洞察する」ことだとした［柳田 1990b: 328］．「いかなる小さい，俗につまらぬということでも馬鹿にせず」という姿勢が肝要だともしたが［柳田 1990a: 311］，ドイツ民俗学の改革者ヘルマン・バウジンガー(1926-)[2]も，取るに足らない日常些事に注目すること［バウジンガー 1988: 90］，そこに民俗学の特性を見出している．

　民俗学は「**普通の人びと**」(庶民，民衆，常民)のささやかで**ありふれた行い**や日常に，研究意義を見出し，それらのデータを蓄積することによって，ありきたりな事柄への「距離を置いた関心」や「持続的な問い」を発し続けてきた．それ以前にも民衆の生活文化や**口頭伝承**に関心を抱く者はあったものの，その関心や問いがほぼ途切れない流れを作り出した時を，科学としての民俗学の起点と見るならば，その発生は18・19世紀のドイツにおけるJ・G・ヘルダー(1744-1803)やグリム兄弟(ヤーコプ 1785-1863；ヴィルヘルム 1786-1859)[3]によって推進された文献学と，郷土社会研究(国土学)とが合流することで形成されたVolkskunde(初出は1782年)が基盤となっている［河野 2014］．その語を英訳して1846年に造語されたfolkloreを介し，民俗学は世界に拡散し，それぞれの地で個別，独自なる発展を遂げてゆく．

　ここで注意したいのは，この学問の本格的な形成が，18・19世紀のフランスを中心とする啓蒙主義やナポレオンの覇権主義に対抗する形で，ドイツにおいてなされたことであり，またドイツと同じ反覇権的な文脈を共有する社会

が，独英の民俗学の影響を受けつつも，それぞれに自前の民俗学を構築してい
ったことである［島村 2018］．覇権，普遍，中心とされる位相とは異なる次元で，
すなわち反覇権，個別，周縁において繰り広げられる人間の生きるという営
み——それを，普遍的な文脈で理解するのでなく，その場において，個別の
「生」の文脈に即して足元から解釈していく方法が，民俗学なのだといえる．

足袋と下駄

　研究の実例を，昭和恐慌の真っ只中の 1931 年に刊行された柳田の『明治大
正史世相篇』の中から示してゆこう．明治大正の**世相**(世の中の動き)を「国民
としてのわれわれの生き方」［柳田 1993: 21］と絡めて説いた著作であり，例えば
その一端として，1901 年 6 月，東京府が跣足を禁止した事実を，次のように
まとめている．

　禁止の名目はペストの予防だったが，柳田はそれよりも，それ以前から始ま
っていた「足を包もうとする傾向」［柳田 1993: 51］を法令が公認したものだとし
て，実際は草鞋の奨励であり，足袋の着用が全盛になる契機だったと論じてい
る．近世，武士階級では登城の際，素足が礼装の一部とされ，老齢や病気を理
由に「殿中足袋御免」を願い出る必要があった．より低い身分ではいっそう用
いられなかった足袋は，木綿の「肌にふっくりと迫る嬉しさ」［柳田 1993: 52］に
より，近代の新世相として**流行**する(明治 38 年頃より冠婚葬祭や他所ゆきに足袋を
はくのが盛んになる［渋沢編 1955］)．明治末年には地下足袋という一種の仕事着
が発明され，田に入るのに足を沾らさずにすむことは，大正末年になるとさら
にゴム長靴の隆盛へと発展する．

　明治に入って突如として生産量を増やした下駄にせよ，地下足袋やゴム長靴
にしても，それらは「足を汚すまいとする心理の表れ」［柳田 1993: 53］として，
明治大正の「われわれには大きな事件」［柳田 1993: 52］だったと柳田は評する一
方，農家においてそれらを購入することは，草鞋や藁沓，草履などの自給を途
絶えさせ，支出をまた一つ増やすことだったと指摘する．商品経済が生活の深
部にまで浸透してしまったことが，農業恐慌の遠因とみる柳田は，都市の流行
(外国文化の模倣)に囚われることのない，「各人が自分の境遇，風土と労作との
実際に照らして〔中略〕真に自由なる選択をして，末にはめいめいの生活を改良

する望みがある」[柳田 1993: 54]と説いてゆく．現在の生活の問題点を探るため，今に至る直近の過去，60年間の暮らしの変化を把捉するのであり，その視線は古え<ruby>古え<rt>いにし</rt></ruby>まで溯るようなものではない．

民俗学を，農山漁村に残された古くから続く伝統の，由来などを詮索する学問だと思ってしまうことは間違いである．たしかに民俗学の注目してきた事柄には，「仕来り（習慣，伝統）だから」とか「昔からそうだった」「皆もそうしているから」と言わざるを得ないようなものが多い．しかしながら，そう言うことで，その**自明性を疑う**ことさえ禁じられてきた事項に，疑念を差し挟むこと，そこに民俗学の一番の根幹となる思想が潜んでいる．

「新しい生活には必ず新しい痕跡がある」[柳田 1993: 138]と柳田は述べた．眼前に広がった**生活世界**に生起する現象や事象の自明性に疑いを抱くことで，当然のこととして思考を停止させてきた素朴な自然的態度や判断を一旦留保させる内省的行いこそ，民俗学の真なる目的であり，その真骨頂なのだ．

1.2 身近な事柄から――当たり前を問う

下駄箱と「家に上がる」

身近な事柄から足元の歴史の，**当たり前を疑う**作業を続けてみよう．足元の歴史のついでにその例を続ければ，小中学校まで，あるいは高校までも，学校の下駄箱（靴箱）で上履きに履き替えた経験を持つ者は多いはずである．この習慣はなぜあるのか．

言うまでもなく，欧米諸国では一般的にベッドに入るまで靴を脱がない．よって，下駄箱も家や建物の入口近辺には存在しない．欧米でもドイツやデンマーク，北欧では家の出入口で靴を脱ぐ者が増えつつあるが，玄関はエントランス，入口であって，日本のような段差もなく，装飾は概してシンプルである．欧米や中国・韓国では敷地が塀で囲われ，ゲート（門）もあって，玄関が必ずしも絶対的な区切りとはなっていない．もちろん日本においても，庶民の家にまで玄関が普及するのは，格式を求めたがった明治以降のことである．

では，それ以前，履き物の着脱はどこでどうしていたのか．外から家に入るのは土間から続く上がり框か，建物の周囲を取り囲む広縁<ruby>広縁<rt>ひろえん</rt></ruby>からであったが，日本では「家に入る」というよりも，「家に上がる」と表現されるように，地面

154

より一段高く張られた板張りの上床に，土足で上がることが禁じられる．靴を脱いで床を歩くという習慣は，朝鮮半島や中国江南地方，東南アジアの島嶼にかけての高床式住居の特徴であったが，日本ほどかしこまった玄関口や下駄箱を発達させた例はない．韓国の学校では下履きは靴袋に入れて室内靴に履き替えていたが，2016年2月，ソウル市の小学校から，登下校の小学生が常に携えていた思い出の靴袋がなくなるというニュースが流された．上履きに履き替えるのは，今や日本だけの慣習となっている．

　跣足禁止令は草鞋の奨励だったと柳田が指摘したように，それ以前は裸足も多く，草鞋も足半と呼ばれる踵がはみ出るものが普通であった．「家に上がる」際には，洗足の盥も用意されていた．道が未舗装でぬかるみが多く，下駄も高価であった頃は，それが常であり，高湿多雨の日本にはその方が遥かに合理的でもあった．このような状況の中，文明開化で新たにもたらされた洋風建築や靴文化によって，和洋折衷の二重生活が開始される．

スリッパの使われ方と素足

　明治初頭，外国人が土足で床に上がる事案が頻発したことから，東京浅草の徳野利三郎という仕立て職人が，状差しをもとに作製したのが，日本最初のスリッパだったと言われている．「スリッパー」という名称は16世紀のイギリスに起ったが，足の甲部だけを覆うバックレスの履き物「ミュール」のことを指した．18世紀には踵付きの室内靴になっていくが，左右の区別がない日本のスリッパは独自に発展し，日本ならではの使われ方がなされていった．

　第一次世界大戦後の1920年，文部省内に発足した半官半民の生活改善同盟会は「住宅は漸次椅子式に改める」との方針を示し［生活改善同盟会編 1920］，翌年には玄関に「履物入戸棚及び脱履に便利な段又は腰掛を設くる必要があ」るとの細目を発表した．「床に畳を敷くことは廃し度い」とする一方で，「共用室を椅子式に改めても，今日の場合靴草履のまゝで這入る事」は推奨できないとし，「足袋か「スリッパ」かを使用して戴き度い」とも記している［生活改善同盟会編 1921］．図9-1はそんな過渡期の二重生活を映しているが，履物入戸棚すなわち下駄箱とスリッパはこのような洋風化の流れの中で萌芽し，高度経済成長期のいわゆる団地生活，洋風な集合住宅の急増に伴って定着していった

図 9-1　北沢楽天「日本人の二重生活」(『時事漫画』20 号, 1921 年, 時事新報社).
出典：[北沢楽天顕彰会編 1973]
第一次世界大戦によって大都市への人口集中が進んだ日本では, 産業構造が転
換し, 新中間層いわゆるサラリーマンが急増する. 物価の乱高下でその生活難
が発生し, 社会が不安定となる一方で, 大都市では洋装化や, 私鉄沿線に伸張
した郊外には文化住宅が建ち並び, 都市ガスが普及し, 流しのタクシーも登場
するなど, 現代にも通じる, 新しい暮らしのあり方が進展する. それに並行し
て生活改善運動が官民あげて繰り広げられた.

ものだった.
　図 9-1 をよく見ると, 床にひれ伏した婦人に対し, 客人らしき人物はスリッ
パのまま敷物の上に上がっている. たぶん畳部屋なのだろう, 今日の使われ方
と比較すれば, 畳に上がる時だけでなく, カーペットや絨毯などが敷かれた場
所でも, その縁でスリッパを脱いで素足[4]になるのが普通だろう. ある住宅メ
ーカーの調査[大和ハウス工業研究所編 1995]によれば, 350 件の回答中, スリッ
パを保有する家は 98.9% で, 保有と着用は必ずしも合致しないが(「保有してい
るが, 履いたことはない」が 6.1%）, 冬場, 保温のためにスリッパを履く人も多
い. また家族は素足だったとしても, 来客用に必ずスリッパを勧める家庭が
68.8% を数えている.
　今日の日本では畳部屋は激減し, 床仕上げとしてフローリングやクッション
フロアが好まれる. それらの部屋と廊下や台所など板の間で用いられる室内履
きがスリッパであるのに対し, 畳や敷物の上では素足となり, ベランダやテラ
スなどでは, 専用のサンダルやつっかけが用いられている. 玄関口からはじま
り, 室内において頻繁なる着脱を繰り返しているのが, 日本の履き物の特色で

図9-2　厠と履き物．左：草履型の足置き．右：下駄型の足置き．
出典：［モース　1979］

図9-3　『餓鬼草紙』にみる排泄行為と高下駄（鎌倉時代作，東京国立博物館蔵）

あるが，その着脱でさらに不思議なのが，トイレの中のそれだろう．

歩かない履き物

　その履き物は，履き物ながら，ほとんど「歩く」という機能を喪失している．
E・S・モース（1838-1925）は『日本人の住まい』において，挿絵として**図9-2**を
添えつつ，「便所では，専用の藁草履（サンダル）か下駄を置いていることが多い」［モース
1979: 42］と，その観察を記述する．**図9-2**の右側の板状の下駄風のものは鼻緒
が切れており，歩けないのは一目瞭然である．おそらく半ば固定されている単
なる足置きであって，足乗せとしての機能に特化している［遠州　1996］．

　排泄行為に関わる履き物として，平安末期から鎌倉初期の京の様子を描写し
たとされる『餓鬼草紙』に，**図9-3**のように餓鬼たちが群がる中，街角で排便
する人間の足元には，高足駄（高下駄）が見えている．足元や着物の裾まわりを
汚さないためか，人間は幼い子どもまでが大きな下駄を履いている．そのあり

157

余るほどの大きさから，この高足駄は人びとが道端で共同利用する履き物だったことが推定される．**図9-2**の履き物はその機能よりも象徴的な意味合いがより強く，糞尿が跳ね返らない機能を求めるのなら，**図9-3**のような高足駄の方が効率はよい．**図9-2**はトイレの床と直接接触するのを忌避する足置き，床に素足で触れないための障害物なのであって，心理的な結界がこの履き物の機能なのだ．

　今日わずか数センチまでに縮小している玄関の段差も，その段差が履き替えを促す象徴的な仕掛けとなっている．畳の部屋も廊下や縁側などの板張り部分より，畳の厚さ分，つまりは敷居ひとつ分高く造られている．**図9-2**でみるトイレの履き物も，ひとつ高い位置に「上がる」ことに本質的な意味があるのだろう．先の住宅メーカーの調査でもトイレに専用の履き物がある家が75.4％に上り，ない家の多くでトイレ用マット（17.4％）が敷かれている．

　公共施設などにある共同トイレのスリッパの不衛生さに，ある程度気づきながらも，さして気にもとめないのは，実際の汚れよりも，心理的な汚れに私たちが飼い慣らされている結果である．石鹸を使わず，極めて短い時間で済まされるトイレでの手洗いも，儀式的な作法であるが，私たちの日常はそうした当たり前の世界の中にどっぷりと浸かって生きている．このような**当たり前を解体する自己省察の学**が，ひとまず民俗学なのだとまとめておこう．

2　日常史の誕生と展開

2.1　ミクロストリア

全体史からミクロストリアへ

　社会史の展開については，第8章に譲り，ここではその全体史的な傾向の中から派生してきたミクロストリアや日常史について，主として民俗学との関わりの深い部分と，その広がりを概括する．その際，第一に触れるべきは，アナール派の系統とは異なった社会史の流れとして形成されたイタリアのミクロストリア（Microsotria，英語でMicrohistory）であろう．

　その傾向として，境界やメンバーシップなどで区画された小さな共同体や，一人の個人もしくは一つの出来事を対象に，集中的な調査や記述を行う方法的特徴を持っている．これだけでも民俗学や人類学と近いことは，十分うか

がえようが，その方法は文化人類学者ギアツ(1926-2006)[5]の提唱した「厚い記述」(thick description)の影響を強く受けている．1973 年の『文化の解釈学』で民族誌(エスノグラフィー)の記述方法として示されて以降，この語とその方法は広範な学問分野で盛んに用いられている．

「厚い記述」とは，簡単にいえば，状況を全く知らない読者にも，その文化がよく理解できるように，行為だけではなく文脈(コンテクスト)も含めて説明することを指している．例えば私たちは人から目配せされても，文脈がわからなければ，それがどういう意味なのか理解できない．文脈が変われば目配せの意味も変わるし，自然のまばたきと区別できるよう，目配せに関する文化の文脈を，厚く記述しなければ，その意味は正確には伝わってこない[ギアーツ 1987].

『チーズとうじ虫』の衝撃

ミクロストリアの創始者は，イタリアの歴史家カルロ・ギンズブルグ(第8章参照)で，1976 年刊行のその著『チーズとうじ虫——16 世紀の一粉挽屋の世界像』は，ギアツの直接的影響はないものの，すでにその方法的特性を備えている．

16 世紀イタリアのフリウリ地方に住む粉挽屋，通称メノッキオが2度の異端審問にかけられた．その裁判記録から，異端者の**コスモロジー**や異端のキリスト教哲学が解読され，粉挽屋の精神世界を通して，キリスト教的世界観の底にある異質な民衆文化の世界が明らかにされる．2度目の異端審問でも，性懲りもなくメノッキオは自説を大胆に披露してしまい，最後には焚刑に処せられる．その箇所は最後にあっさりと触れられているに過ぎず，この本の面白さは，裁判におけるメノッキオの自己弁明が，何を論拠に，そのような独自の世界観を築き上げたのか，それを解読していく箇所だといえる．

農村においても，農民からは距離のある存在だった粉挽屋のメノッキオは，書物を読むことができた上に，周縁的な境界に位置する風車小屋は，人が出会う社交の場として思想の流通する場所でもあった．彼はここで教会が教える教義に縛られることなく，自由に手に入る聖書外伝的な本を読み耽り，例えばダンテの『神曲』や『コーラン』，さらには自らの自然の観察から，本書の書名に示されるような，唯物論的な世界像を自在に練り上げてゆく．

メノッキオは「私の考え信じているところによると，すべてのものはカオスでした．そして，このかさのある物質はちょうど牛乳のなかでチーズができるように少しずつ塊になっていき，そこでうじ虫があらわれ，それらは天使たちになっていった」と主張し，さらにはマリアの処女懐胎はあり得ず，またキリストは人であり，預言者に過ぎないと考えたことを陳述する．

　ギンズブルグは，この審問における微細なずれに注目しながら，仔細にメノッキオの精神世界を分析する．指摘するまでもなく，『聖書』や『コーラン』が正統的権威の下を離れ，周縁の個別の「生」の文脈で，いかにヴァナキュラーに創造されるのか，その日常実践が厚く記述されている．

ミクロストリアの広がり

　このようなミクロストリアを叙述するという歴史学的実践は，イタリアに始まり，1980 年代から 90 年代にかけてアメリカやフランス，ドイツをはじめ西欧の歴史家に多大な影響を及ぼした．**アナール派**の中のアラン・コルバン（第 8 章参照）も，ミクロストリアの代表的人物であるが，彼の著作から『記録を残さなかった男の歴史——ある木靴職人の世界 1798-1876』を紹介しておきたい．

　コルバンによれば，1960 年代末からの社会史の本が描いてきた個人は，例えばメノッキオのような「例外的な運命を生きた個人」であって，彼らが描かれるのは，結局のところ，第一に，その個人が自伝や回想録を書き残した場合と，第二に，犯罪や暴動など，何らかの事件に巻き込まれて，裁判記録などに，固有名詞が現われる場合に限られると指摘する．

　そこでコルバンは北部フランスのある村を「無作為」に選択し，村の出生届の記録からピナゴという無名の人物を抽出し，戸籍やわずかな記録以外，「一切の痕跡を残さずに死んでいった普通の人びとに，個人性を与えることができるかという問い」を立てる．教区の保存文書を調べ，徴兵，税金，土地の記録や諍いの調停記録などを探しても，それによってわかった事実は，彼は森に生きる人で，運搬業者の息子，赤貧の木靴職人で，国有林の外れに住み，結婚していたこと，文盲で，徴兵検査で選んだ数字から，運良く兵隊に行かずに済んだということぐらいであった．

　このような挑戦を行ったコルバンは，大胆にもピナゴの「喜びを想像し，苦

しみや不安，怒りや夢を想像するためには全力を尽さなければならない」として，その個人性に，さらに**主観**を付与しようとした．当時の時代相や木靴職人の置かれた社会文化的な位相など，時代や地域・階層が持っている文化的特性からの推定が試行され，例えば彼の父親は森林毀損の常習犯であったことや，長男がピナゴ73歳の時に村会議員に当選したこと，同じ年，森に至る道ができたことなど，そういう社会的変化の中で，ピナゴがそれらをどう経験したのか，地域の民族誌的な背景や，出来事の順を追って再構成される経験の蓄積から，ピナゴの主体性の，その輪郭を浮かび上がらせてゆく．

　無名の民衆に焦点を絞った志向性や，民族誌的な事実を重視することなど，民俗学者や文化人類学者の大半が実践する方法と重なるところが多い．加えて，大多数の「**普通の人びと**」の歴史というものが，出生し，糧を得る仕事を覚え，結婚し，子育てをし，年老いて，そして死んでゆく，そんな何でもない生涯だったという当たり前の大前提を，改めて実感させてくれる作品となっている．

2.2　日常史
構造史から日常史へ

　ミクロストリアの中でも，**日常史**という概念はほぼドイツ史だけで使われる用語であるが，それはドイツ民俗学が焦点化する「日常」(Alltag)という分析視角とも深く関わっている．1968年の世界同時多発的な学生運動を中核とする反体制運動が，市民運動へと転換する中で導き出されていった「日常」という，足元を問い質す存在論的な問いは，歴史学や民俗学にとどまらず，哲学・政治学・教育学など，人文／社会科学の中に普遍化されていった［北村 1995］．

　体系的な歴史叙述において，1933年のナチの政権獲得を，いわゆる「特別な道」というモデルで説明することが一般的だったドイツの歴史学に対し，この「特別な道」という命題への批判が国内外から巻き起こった．結局のところ，それは支配者ナチスによる大衆操作という命題に等しく，民衆を被害者視するだけの歴史観だとして批判を浴びた．既成の社会史も，その主軸にあったのは政治史と関連の深い構造と過程であり，国家中心主義の一つに過ぎなかった．

　これに対して日常史とは，一言でいえば，「普通の人びと」の次元から，人間の生活の意味や，例えば政治的な事件の意味を考える視角であり，彼ら／自

らの平凡な日々の実践や経験を照射する試みだった．ナチズムに単に翻弄され，情報操作された大衆としてではなく，例えば父母や祖父母がどのような日常を送っていたのか，ナチになぜ抵抗しなかったのか，あるいはできなかったのかなど，上の世代の足元の歴史を具体的に照らし出す「厚い記述」が目指された．

日常史のいくつかの特徴

　日常史の特徴を，ユルゲン・コッカの整理を基に述べるなら[コッカ 2000]，第一に 1970 年代末から 80 年代に人文／社会科学の領域で関心の高まった「日常」概念の下，「下からの社会史」「足元の歴史学」としての日常史が唱えられ始めたが，その成立の背景には一種の文明批判，進歩主義への批判が込められていた．

　1960 年代に徐々に拡がった資本主義社会の矛盾が露呈する中で，従来の資本主義への楽観は破綻し，進歩や制度への不信は 1968 年，頂点に達する．それは歴史学のみならず，産業社会全般の変容に対する懐疑にも及び，学生運動の高揚が過ぎ去った後，運動の挫折は反省の契機となり，それらは自らの足元を見つめ直す市民運動へと展開する．その時のキーワードになったのが「日常」であり，足元を直視すること，それが「日常」研究の原点となっている．

　第二に日常史は，**知覚・経験・行為**という主観的なものに関心を寄せ，構造や過程よりも，歴史主体の内面的世界，つまり構造的変化にさらされた人びとの困惑が，どのように経験されたのか，彼らにとってそれが何を意味していたかが問い質される．第三の特徴は，それを記述する担い手が，専門家の歴史学者である必要はなく，アマチュアであっても構わないとされる点である．歴史学の一つの潮流というにとどまらず，市民運動の表象ともなっており，自らの歴史を掘り起こす市民運動としての「歴史工房」(英語では History Workshop)と呼ばれる，街角博物館的な組織も，第四の特徴に挙げられる．

　第五に，これらと関連し，日常史の代表的な研究がナチ期の民衆生活という近い過去を対象としたため，方法として**オーラル・ヒストリー**(口述史)[6]の手法が多用される点である．民衆の日常生活の再構成という目的から，具体的な生活の場である特定地域に根ざした，微細な地域史的なアプローチを採ることも，その特徴とされる．視点をミクロの世界に限定する方法からすれば当然の

図9-4 足元の歴史──ドイツの「躓きの石」（筆者撮影）
真鍮のプレートには，例えば「ここに（かつて）／（犠牲者名）は住んでいた／
1884年生／1938年に強制収容／1941年に×××で殺害」といった文言が刻
まれている．

帰結ともいえるが，とかく議論がイデオロギーに片寄りがちだったナチズム研
究に対し，結果的に客観化をより進展させるものとなっている．

2.3「日常」に向き合うこと
日常史と構築される民主主義

このように日常史とは，まさに市民運動を象徴するもので，日常史の対象で
ある「普通の人びと」の歴史を，専門家ではない「普通の人びと」によって掘
り起こす，「普通の人びと」のための試みだといえる．そのような「草の根の
歴史学」には，ほかにも1992年から始まった「躓きの石」と呼ばれる市民運
動が，いわゆる「**想起の文化**」[アスマン 2019]の一例として特筆される．

それはナチに連行されたユダヤ人の隠れ住んだ住宅前の路上に，**図9-4**のよ
うなプレートを埋め込み，ホロコーストの記憶を「現在化」する市民運動であ
る．記憶を今に，出来事を日常に蘇らせる実験的な手法であり，まさに足元の
歴史である．「想起の文化」とは負の過去をめぐる戦後ドイツの社会的・政治
的な共同想起の営みを総称する．「躓きの石」以外にも多様な試みがあるが，
市民のこうした活動は，歴史好きの好事家たちの趣味にとどまるものではない．
「日常」を見つめ直す試みは，不可避的に近代そのものについて問いかける．
街の歴史をアーカイヴ化することで，町並みの保存や保全のみならず，例えば
麻薬や売春に汚染されないよう，街の住環境を浄化するなどの機能も生み出し
ている．

自らの足元を「日常」として見直し，地域に根ざしたこのような市民運動は，一般に**社会－文化運動**と呼ばれるが，ドイツではそれが，結局のところ，基底的な民主主義として深く根を下ろしている．市民は複数のフェライン(Verein)という社会－文化運動のクラブ(協会，同好会，NPO などのアソシエーション)に加入しており，その複層的な累積がドイツの市民社会を構築している．

ドイツ民俗学における「日常」

　現代ドイツ民俗学を変革した中心概念も，やはり「日常」だった．ドイツ民俗学会は 1970 年に民俗学の定義を，「客体及び主体に表われた文化的価値ある伝達物(及びそれを規定する原因とそれに付随する過程)を分析する．この分析の出発点は，一般に社会文化的な諸問題であり，その目的は社会文化的な諸問題の解決に寄与することにある」と改めた．その改革は 1968 年の運動の延長線上にあるが，「民俗よ！さらば」が宣言され，客体化された対象を扱う学問から，文化の伝達のプロセス自体を対象化する学問へとディシプリンを変換する．その結果，1970 年代末から 80 年代に始動し，活況を呈していったのが，「日常」概念に基づく諸研究であった．

　「日常」は定義的には曖昧ながらも，多義的で含み豊かな分析概念として使用される．祭日と対置される日常をはじめ，ルーティン化された日常，家族的日常や，家庭外的労働の日常(労働者文化)が含まれる．さらにはフッサール(1859–1938)[7]らの現象学的な日常理論やブルデュー(1930–2002)[8]の文化理論，資本主義下の疎外理論である日常文化批判や，文化産業批判[9]とも接続していった[Lipp 1993]．

　「客観化」志向から主体中心の「人間とその社会関係」志向へとパラダイムを転換した，民俗学の「日常」概念はまた，歴史的次元が強調され，主体にとっての日常化，すなわち奇異なものから当たり前なものになってゆくプロセスや当たり前だったものが解体してゆくプロセスなども考察，分析される．オーラル・ヒストリー運動とも共振し，民俗学は聞き取りや質問紙から，ナラティヴやライフストーリーの主観性を前提とする学問へと深化する．例えばチェルノブイリの原発事故が，奇異な出来事から大騒動となり，また沈静化してゆくプロセスが分析されるとともに，ドイツの環境保護運動に与えた影響なども問

われてゆく［レーマン 2005；ゲルント 2019］．個人や小集団などがいかに外部の文化的価値を摂り込んで，内部において，いかに消費してゆくのか，意味構築の地平が活写される．

＊　　　　＊　　　　＊

おわりに――ヴァナキュラーということ

いうまでもなく，文化とは，一定の人びとに共有された**観念**，**経験**，**慣習**，**生活様式**として，人びとの判断や行動を規定するが，しかしながら，人びとはそのような文化に単に拘束されるだけでなく，それらを自分に都合のよいように変えたり，解釈し直したりして，行動している．

こうした主体と文化との入れ子構造となった相互作用や往還運動を，戦略的に**ヴァナキュラー**としてとらえることが今日，人文／社会科学で一種の新思潮となっている．ヴァナキュラーという語には，普遍に対する土着，中央に対する地方，中心に対する周縁，文字に対する口承，権威に対する反権威，正統に対する異端など，多様な含意が込められる．聖書がラテン語で叙述されるのが通常だった時，ドイツ語聖書はヴァナキュラー訳だったが，ドイツ語が国民語となると，地方の口語や方言がヴァナキュラー言語とされるように，その立ち位置で異なってくるのが，この語の特色である．そして，そのような二項対立を超克，転覆させるような文化のあり方をすくい取ろうとして用いられる，魅惑的なキーワードとして，近年，この語の使用が高まっている［小長谷 2016］．

文化人類学者の今福龍太は「普通の人びと(ordinary people)，日常の場所(common places)がかくし持つ文化的な力の所在」と定義したが［今福 2017］，力とは創造性のことを指している．ヴァナキュラー建築やヴァナキュラー写真が，地域や風土に特有であったり，プロフェッショナルな名品を求めたりしない，「普通の人びと」による無名の建築や写真を指すように，民俗学においても，芸術至上主義を志向しないアノニマス(匿名)な文脈で，その語は使われる．加えて，政治的文脈に依拠した folklore に代替する用語として，国民を含意する folk や folklore，あるいは native や tradition，popular culture など，それら従来の専門用語を使用した研究と，異なる射程の研究を，この語の使用で獲得しようとする際に用いられている［田中編 2010；菅 2019］．

ヴァナキュラーは民俗学だけの専門用語ではなく，またその方法を明示的に示してくれているわけでもない．その語が戦略的な用語として浮上してきたのは，たぶんグローバリゼーションの進展に伴って，文化の境界性がより曖昧になりつつある現代の社会状況に基づいている．そのような状況の中，「普通の人びと」が示した身体感覚的な受容と加工，受容方法と使用方法の双方を含んだ再帰的な概念として[長谷 2017]，この語の使用の成否は，ドイツ民俗学の「日常」と同様に，現実に対して，内側から，具体的にいかなる「厚い記述」が可能となったのかによって示されるだろう．今まで当たり前だと思ってきたことが，意味を持って立ち上がってくる時，その使用は成功したといえる．

● 注
1) 柳田國男：日本民俗学の創始者．農政官僚だったが，1920年代初め，ジュネーブ滞在中に触れた人類学の新潮流を摂り込み，日本民俗学の体系化に向かった．
2) ヘルマン・バウジンガー（Hermann Bausinger）：ドイツの民俗学者．1961年公刊の『科学技術世界の民俗文化』は，各国で翻訳され，生活世界という現象学の観点を導入するなど，現代民俗学への方法的な刷新をもたらした．
3) グリム兄弟（Jacob Grimm; Wilhelm Grimm）：彼らによって収集，編纂されたグリム童話は，各国で翻訳され，メルヘンの収集熱が世界的に広がり，民俗学形成の土台となった．
4) 素足と裸足（跣足）の違いは，履き物や靴下などを履かない状態に重きを置いた言い方が素足であり，土足の許される場所では裸足が使われる．
5) クリフォード・ギアツ（Clifford Geertz）：米国の人類学者．バリ島の民族誌的研究から，解釈人類学を構築した．
6) 個人から戦争体験や生活体験などを聞き書きし，文字史料では知ることのできない体験の個別性や，歴史のディテールを記録化する作業や研究をいう．
7) エドムント・フッサール（Edmund Gustav Albrecht Husserl）：マルティン・ハイデッガーと並ぶ現象学の創始者．学問＝近代科学以前に日常的に直感される「生活世界」の基盤において，真の学を成立させることを提唱した．
8) ピエール・ブルデュー（Pierre Bourdieu）：フランスの社会学者・文化人類学者．ハビトゥス（habitus）をキーコンセプトに，日常的・慣習的な行為を体系的に論理化した．
9) 映画やラジオなど，大衆社会とマス・メディアの発達で出現した文化産業は，文化の享受者をそれ以前とは異なり莫大な数に広げたが，その本質は労働者に娯楽を提供することで，再生産される労働力を強化することにあるなどと批判された．

●参考文献

アスマン，アライダ(安川晴基訳)『想起の文化——忘却から対話へ』岩波書店，2019
　年(原著第 2 版 2016 年).

今福龍太『クレオール主義』水声社，2017 年(初出 1991 年).

遠州敦子「厠の装置としてのはきもの」柏木博ほか『日本人とすまい①　靴脱ぎ』リ
　ビングデザインセンター，1996 年.

ギアーツ，C(吉田禎吾ほか訳)『文化の解釈学』Ⅰ・Ⅱ，岩波現代選書，1987 年(原
　著 1973 年).

北沢楽天顕彰会編『楽天漫画集大成　大正編』グラフィック社，1973 年.

北村浩「〈日常〉概念の再検討——ドイツ日常史派を手がかりにして」『社会思想史研
　究』第 19 号，1995 年.

ギンズブルグ，カルロ(杉山光信訳)『チーズとうじ虫——16 世紀の一粉挽屋の世界
　像』みすず書房，1984 年(原著 1976 年).

ゲルント，ヘルゲ(及川祥平，クリスチャン・ゲーラット訳)「チェルノブイリ原発事
　故をめぐる「文化伝達」——民俗学における原発複合分析についてのモデル論」及
　川祥平，加藤秀雄，金子祥之，クリスチャン・ゲーラット編『東日本大震災と民俗
　学』成城大学グローカル研究センター，2019 年(原著 1989 年).

河野眞『民俗学のかたち——ドイツ語圏の学史にさぐる』創土社，2014 年.

コッカ，ユルゲン(仲内英三・土井美徳訳)『社会史とは何か——その方法と軌跡』日
　本経済評論社，2000 年(原著 1986 年第 2 版).

小長谷英代「ヴァナキュラー——民俗学の超領域的視点」『日本民俗学』第 285 号，
　2016 年.

コルバン，アラン(渡辺響子訳)『記録を残さなかった男の歴史——ある木靴職人の世
　界 1798-1876』藤原書店，1999 年(原著 1998 年).

渋沢敬三編『明治文化史 12　生活編』洋々社，1955 年.

島村恭則「民俗学とは何か——多様な姿と一貫する視点」古家信平編『現代民俗学の
　フィールド』吉川弘文館，2018 年.

菅豊「ヴァナキュラー文化研究の輪郭線——野生の文化を考える，野生の学問を考え
　る」『現代民俗学研究』第 11 号，2019 年.

生活改善同盟会編『住宅改善の方針』生活改善同盟会，1920 年.

生活改善同盟会編『住宅の間取及設備の改善』生活改善同盟会，1921 年.

大和ハウス工業生活研究所編『住宅内のスリッパに関する調査』大和ハウス工業生活
　研究所，1995 年.

田中純責任編集・門林岳史特集企画『ヴァナキュラー・イメージの人類学』メディ
　ア・デザイン研究所，2010 年.

バウジンガー，ヘルマン(河野眞訳)「現代民俗学の輪郭」愛知大学一般教育研究室
　『一般教育論集』第 1 号，1988 年(原著 1984 年).

長谷正人『ヴァナキュラー・モダニズムとしての映像文化』東京大学出版会，2017
　年.

モース，E・S(斎藤正二・藤本周一訳)『日本人の住まい』下，八坂書房，1979年(原著1885年).

柳田國男「郷土史ということ」『柳田國男全集』27，ちくま文庫，1990年a(初出1925年，『青年と学問』1928年所収).

柳田國男『民間伝承論』『柳田國男全集』28，ちくま文庫，1990年b(初出1934年).

柳田國男『国史と民俗学』『柳田國男全集』26，ちくま文庫，1990年c(初出1944年).

柳田國男『明治大正史世相篇　新装版』講談社学術文庫，1993年(初出1931年).

和歌森太郎『柳田國男と歴史学』日本放送出版協会，1975年.

Lipp, Carola, "Alltagskulturforschung im Grenzbereich von Volkskunde, Soziologie und Geschichte. Aufstieg und Niedergang eines interdisziplinären Forschungskonzepts", *Zeitschrift für Volkskunde*, 89. Jg., 1993.

▶▶▶ より深く知るために

・柳田國男『木綿以前の事』創元社，1939年(『柳田國男全集』17，ちくま文庫，1990年，岩波文庫・改版，2009年).
　　柳田國男の著作の中で，日常学としての，あるいは現在学としての民俗学のあり方を示した古典的な一冊であり，近代日本人の感性の歴史をとらえている.

・湯澤規子『胃袋の近代——食と人びとの日常史』名古屋大学出版会，2018年.
　　日本近代史(経済史)の立場から「日常史」を謳った唯一の本であり，都市の雑踏や工場の喧騒の中で始動してゆく「外食」の発生と展開を，大量消費される沢庵の工場生産を中心に詳述する.

・アルブレヒト・レーマン(識名章喜・大淵知直訳)『森のフォークロア——ドイツ人の自然観と森林文化』法政大学出版局，2005年(原著1999年).
　　ナラティヴを方法に，ドイツ人と森の関係性を文化史的に追った民族誌で，ドイツ民俗学の現状が具体的にわかる一冊.

・菅豊・北條勝貴編『パブリック・ヒストリー入門——開かれた歴史学への挑戦』勉誠出版，2019年.
　　ドイツの日常史や歴史工房を中心とした市民運動の英米版がパブリック・ヒストリーであり，日本で初めてその名を旗印に掲げた入門書を超えた入門書.

第 IV 部

現在から／現在を思考する

第
IV
部

第10章 「近代」の知を問いなおす
──歴史学・歴史叙述をめぐる問い

井 坂 理 穂

　学校で学ぶ歴史が好きか嫌いか，親しみがわくかわかないかは別として，私
たちは生活するなかで様々な歴史にまつわる語りに触れている．たとえばテレ
ビ番組，映画，小説，マンガのなかには，歴史ものが多く含まれている．歴史
上のできごとや人物を題材としたゲームも少なくないだろう．新聞やインター
ネットのニュースサイトの見出しで，歴史認識をめぐる日本と隣国の政府間対
立について目にするときもあれば，自然災害の規模が，「戦後○○番目に」と
いうように，過去の災害と比較されるのを耳にするときもある．

　このように私たちはとりわけ「歴史学」に関心がない場合でも，歴史にかか
わる多種多様な語りに触れあっているわけだが，それらのすべてが過去の状況
やできごとを「ありのまま」に語ったものとは考えていない．たとえば歴史小
説の読者は，それらを「史実」を土台として脚色を加えたフィクションである
と理解しており，その前提のもとに，「これはどこまで本当のことなんだろう
か？」と思ったりする．ところがこれが，注のついた歴史書やドキュメンタリ
ー番組，ましてや学校で用いられる歴史教科書になると，話は違ってくる．こ
れらに対しては，読者や視聴者は何かしらの「実証性」「客観性」「科学的根
拠」を期待する．そこでは多くの場合，これらの歴史描写が過去のできごとや
状況を，文字通りに「ありのまま」に再現することは難しいにしても，できる
限り「正確に」伝えるべきものとしてとらえられている．しかし，そもそも歴
史叙述における「正確さ」とは何を意味するのであろうか？

　近代歴史学は，19世紀前半にドイツの歴史家レオポルト・フォン・ランケ
(第2章参照)が，厳密な史料批判をふまえた実証主義歴史学を提唱したことに
始まるとされる．この歴史学は，ヨーロッパにおける近代国家形成にも寄与す
ることで，アカデミズムにおける地位を確立していった．ただし歴史が「事
実」を「そのまま」表したものではないこと(それは不可能であること)は，すで
に19世紀の段階から様々に指摘されていた．この点はさらに20世紀後半にな

ると，「近代」以降の知のあり方，理念・概念などを問いなおす動きのなかで，鋭い追及を受けるようになる．

　本章では，こうした 20 世紀後半の歴史学・歴史叙述をめぐる問いかけや模索のありさまを，いくつかの代表的な議論を紹介しながら概観する．また後半部では，こうした問いかけや模索が，筆者が専門とする南アジア近代史の分野でどのようになされていたのかを，具体例として提示する．

1　歴史学を問いなおす

1.1　歴史と物語

言語と実在

　歴史家が投げかける問いや，その研究手法，史料の選択，分析や解釈は，歴史家がおかれた環境に大きく規定されており，歴史家はそうした自らの状況を認識する必要がある［カー 1962/2022］．こうした考え方は，20 世紀が進んでいくなかで，より多角的に，先鋭化されたかたちで表されていったのだが，その過程で歴史家が対峙した難問のひとつが，そもそも私たちが実際にあるものとして認識しているものは，本当に認識どおりに存在しているのか，という，哲学的な方向からの問いであった．

　ここで登場するのが，スイスの言語学者フェルディナン・ド・ソシュール（第 2・11 章参照）が 20 世紀前半に出した以下のような議論である．私たちは世界にはいろいろな事物や観念が存在し，言葉はそのそれぞれを指していると考えがちだが，ソシュールはこれを問いなおす．世界にある事物や観念をどのように区分するかは，あらかじめ決まってはいない．現に異なる言語では，事物や観念の区分のしかた，名づけ方は異なっている．さらにソシュールは，言語を「記号表現」（たとえば「イヌ」という音や「犬」という文字）と「記号内容」（「イヌ」「犬」という音や文字が指し示している生き物）との結びつきから成る「記号」のシステムとしてとらえる．そして，この「記号表現」と「記号内容」との間の結びつきはあくまで恣意的であると主張する．たとえば「イヌ」という記号表現と，「イヌ」ときいて私たちが思い浮かべる生き物との結びつきは恣意的なものである．それは言語のなかで「イヌ」が「ネコ」などの他の記号と区別されていることによって成り立っているにすぎない．

このような言語の恣意性という観点に立つと，先に実在があり，それを言葉が表している，という考え方が根元から揺さぶられ，むしろ実在は言葉があって初めて存在する，という話になる．こうした発想は，やがて言語学の領域を超えて広範な学問分野に影響を与え，20世紀後半にいわゆる「**言語論的転回**」という名称で呼ばれる現象を引き起こすことになるのである[1]．

テクスト・物語

　この状況を歴史学の分野でみてみよう．それ以前も歴史家たちの間では，史料の性格・背景を吟味しながら，それをうのみにせず，注意深く分析する必要性については広く認識されていた．しかし前述のような言葉と実在との関係や，言語の恣意性に対する意識は，史料への向かいあい方という点においても，いかに歴史を書き表すかという点においても，歴史家たちにかなりの用心深さを要求することになった．というのも，この考え方のうえに立つと，史料は，過去のある人物やできごとが「実際に」どのようであったのかを表すものというよりも，ある人物やできごとを特定の姿に構築したもの，ということになる．また，それまで当たり前のように用いてきた分類や概念（たとえば国や民族，時代区分の概念など）についても，それらを所与のものとみなすことができなくなる．それらの概念がどのように形成され，広く影響力をもつようになったのかを，ひとつひとつ問う必要が生じるのである．

　こうした流れのなかで，史料や文献（「テクスト」）に向かいあい，そこに何がいかなるかたちで立ち現れているのか，それが他のテクストとどのような関係にあるのか，などを細かく探っていくテクスト分析の手法が発達していった．また，史料を読み，歴史を語る自分が，どのような環境や条件のなかで，どのような**ポジショナリティ**（立ち位置）からそれを行っているのかについても，それまで以上に明確な自覚が促されることになった．

歴史学・歴史叙述の分析

　このような一連の動きは，「近代」の知のあり方を問いなおす動きとしてもとらえられることから，これに「ポストモダニズム」という名称がかぶせられることもある[2]．ただし「ポストモダニズム」という言葉の使い方は人によっ

172

てかなりばらつきがあり，この潮流と結びつけて語られる研究者たち自身が，必ずしもこの言葉を用いていたり，この潮流のなかに自らを位置づけているわけではないことに注意しておきたい．

「ポストモダニズム」という用語の是非はともかくとして，こうしてテクスト分析が活発化するなかで，歴史家たちの行ってきた歴史叙述そのものに切り込む研究も次々に現れる．そのなかには，歴史は過去を時間的経過，因果関係などの「物語」として表したものであると論じる研究もあれば［ダント 1989］，著名な知識人たちが残した歴史に関する叙述を，文学理論を用いて様式(プロット・論証・イデオロギーの様式及び喩法)の観点から分析した研究もあった［ホワイト 2017a］．やや乱暴にまとめるならば，これらの研究が示したのは，歴史とは「事実」をできる限り再現したものというよりも，物語の様式に基づいて構築されたものとしてとらえられるのではないか，ということである．

このうち，後者の文学理論を用いた分析を展開したヘイドン・ホワイト(1928-2018)[3]は，自らの研究を「歴史という学問を歴史化」するものとして位置づけている［ホワイト 2017a］．彼は，専門的歴史家が「科学」の名のもとに学問的歴史学の権威を振りかざしてきたことを批判し，「あらゆる人に異なった目的のために，異なったやり方で，過去についての知識を研究し，使用する権利」があると主張している［岡本 2018: 224］．こうした彼の姿勢に共感を抱く人びとがいる一方で，歴史家たちのなかには，あらゆる人が異なった目的のために異なったやり方で過去を語りうると主張することは，歴史というのは「何でもあり」であるといっていることになりはしないか，との懸念を表す人びともいた．いいかえれば，こうした考え方が，史料的な裏付けをないがしろにした主観的歴史像に道を開くのではないかとの懸念である．この論点については，本章の末尾で改めて取り上げたい．

1.2 「近代」の知を問いなおす

知と権力

20 世紀後半における「近代」の知を問いなおす動きは，様々な学問分野で刺激的な議論を続々と生み出していった．これらのうち，歴史学に大きな影響を与えた問いかけをいくつかみてみよう．

たとえば哲学の分野では，言語と実在の関係のほかに，それまで漠然と共有されていた，人びとが普遍的な理念の実現へと向かって進化していくという物語——いわゆる「大きな物語」——が問いなおされた．その過程で，文明と野蛮，合理と非合理，客観と主観，普遍と特殊，正常と狂気などの二分法的な思考も批判的に検討された［リオタール 1986；岡本 2018: 95-98］．また，近代の制度や言説を歴史的・相対的に分析し，それらにみられる知と権力の相互関係を明らかにしたミシェル・フーコー(1926-84)[4]の議論も，歴史家たちに大きな刺激を与えた．

　このフーコーの影響を受けながら，西洋による東洋に関する言説について広範な文献をもとに検討したのが，英文学，比較文学の研究者であったエドワード・サイード(1935-2003)[5]である．彼の『オリエンタリズム』(1978 年)は，これらの言説が西洋による東洋への支配・ヘゲモニーと結びついていることを多様な事例から示し，文学研究の分野を超えて大きな反響を呼んだ．とりわけヨーロッパ以外の地域を扱う研究者たちの間では，サイードの議論は知のあり方や学問の世界におけるヨーロッパ中心主義を広く指摘する動きへとつながった(その一部には，ともするとヨーロッパを一元化，本質化して語る傾向もみられるのだが)．こうした思想・学問潮流は，「ポストコロニアリズム」とも呼ばれている．

様々な語り

　この「ポストコロニアリズム」の影響を受けた歴史家たちは，ホワイトらが行っていたのと同様に，それまでの歴史学や歴史叙述のあり方を批判的に問いなおすようになる．ただしここでの特徴は，「ヨーロッパ」と「非ヨーロッパ」との関係と絡めるかたちで問いなおしが行われたことである．たとえば南アジア近代史研究者のディペシュ・チャクラバルティ(1948-)[6]は，第三世界における歴史学も含め，歴史学がヨーロッパ史の研究を参照しながら，ヨーロッパで生み出された理論を用いて展開してきたことに注意を促した．チャクラバルティの考えでは，このような状況が生まれたのは，ヨーロッパの帝国主義と第三世界のナショナリズムによって国民国家という政治共同体が普遍化したことで，ヨーロッパで発達した「歴史学」——それは国民国家と深く結びついている——が世界中に広まり，学校教育のなかに組み込まれたためである．彼はこう

した歴史学のたどってきた過程を踏まえたうえで，これまで普遍的なものとして位置づけられてきた「ヨーロッパ」を「地方化する(provincialize)」試みを提唱する[Chakrabarty 2000]．

　この「**ヨーロッパを地方化する**」試みは，歴史学は過去を記憶する方法のうちのひとつにすぎない，というチャクラバルティの認識ともつながっている．彼はインドのあるトライブ(部族)の事例に言及しながら，神的，超自然的なものを含む彼らの語りに向かいあう．トライブによる過去についての語りは，それを「歴史学」がとらえることができないという点で，この学問の限界を明らかにする．彼によれば，そうした歴史学の限界について語ることは，さらには「私たちがまだ完全には理解することも，思い描くこともできないような，国家主義的ではない民主主義の形態を求めて戦うこと，あるいは模索すること」にもかかわってくるのである[Chakrabarty 2000: 102-113；チャクラバルティ 1998: 36-47]．

　チャクラバルティと同様の問題意識は，オーストラリア先住民アボリジニのオーラル・ヒストリーを研究対象とした保苅 実 (1971-2004)[7]の著作のなかでも展開されている．保苅は歴史学者以外の様々な人びとが語る過去の語りに真摯に耳を傾けることを提起する．彼らの歴史物語りのなかでは，歴史を研究する者からみれば「間違った歴史」「危険な歴史」も語られる――たとえばアボリジニの語る歴史のなかでは，ある人物が大蛇を通じて大雨を降らせるなど，私たちからみれば超自然的な現象も起こる．しかし，保苅はこれらを「神話」や「記憶」に分類することで「歴史」から排除するような態度には批判的である．彼は一方では，アカデミックな歴史学者が，こうした超自然的な歴史を普遍的・世俗的な言語を用いて分析せざるをえないことを認める(たとえば大蛇による大雨の物語のなかに，アボリジニによる植民地権力構造への批判を読み取るなど)．しかしもう一方では，そうした普遍化を拒み，その歴史をそのまま，「実際にあった歴史」として物語ることをも提唱するのである．保苅によれば，この両方を「矛盾しつつも同時に行うこと」(傍点原文)こそが，「ギャップを承認しつつもコミュニケーションの可能性を放棄しない態度」を意味するのである[保苅 2018: 250-251, 254]．

　以上，駆け足で 20 世紀後半の(一部，21 世紀初頭も含めた)歴史学における

「近代」の知を問いなおす動きについて，いくつかの興味深い事例を紹介した．ただし，こうした問いかけがどれほど影響力をもっていたのかは，世界のどの地域をみるかによっても，どの地域・時代・テーマを扱っている研究者たちに着目するかによっても，かなり異なっている．そこで次節では，筆者が専門とする南アジア近代史の分野に焦点を当てて，上記のような近代への問いなおしやテクスト分析が，この分野ではいかなる影響を与えたのかをみてみたい．

2 南アジア近代史の分野での模索

2.1 サバルタン研究

「サバルタン研究」グループの出発点

　南アジア近代史の分野で，歴史学・歴史叙述に関する問いなおしの動きが急速に活発化したのは1980年代である．その先頭にたったのは，「サバルタン研究」グループと呼ばれる歴史家たちであった[8]．

　「サバルタン研究」グループとは，それまでの南アジア近代史の分野にみられたエリート主義的な歴史を批判し，「下からの歴史」を掲げて活発な研究・議論を展開した人びとを指す．1982年から出版された『サバルタン研究——南アジアの歴史と社会に関する論文集』シリーズに関わったことからこのように呼ばれている．彼らの多くはインド出身者であったが，イギリスその他の地域出身の南アジア研究者たちも含まれていた．このシリーズの創始者であり，第1巻から6巻までその編者を務めたラナジット・グハ（1923-）[9]によれば，「**サバルタン**」という言葉は，ここでは階級・カースト・年齢・性別・職業その他のかたちで表される従属状況を指す言葉として用いられている（Guha 1982: vii；グハ 1998: 3）[10]．この言葉はまた，こうした従属状況にある人びとを指すのにも使われ，日本語訳では「民衆」などの言葉をあてられていることもある．

　サバルタン研究は，サバルタン諸階級の従属性について検討するとともに，その意識にまで踏み込むことを目指していた．同時代のインドの政治情勢や，イギリスにおける学問潮流などの影響を受けながら，グハは志を同じくする若手研究者たちとともに，近代インドにおける民衆の生活や意識について，彼ら自身の主体性・自律性を認識しつつ，エリートの視点からではなく彼らの視点から歴史を書くことを試みる．ここで重要なのが，この試みの目的が，従属状

図 10-1　インド独立運動の指導者，M・K・ガーンディーの祈りの会（1946 年）
出典：Wikimedia Commons（Mohandas K. Gandhi）
祈りの会には様々な階層，コミュニティの人びとが集まった．こうした写真を
みたときに，私たちの視線はどうしてもガーンディーに向いてしまう．これに
対してサバルタン研究が目指したのは，民衆——たとえば，遠くから壇上のガ
ーンディーを眺めている大勢の人びと——の意識や心性に迫り，彼らの視点か
ら歴史を叙述することであった．彼らは一体，何を求めてここに足を運び，ガ
ーンディーの言葉をどのように理解したのだろうか（それはガーンディーが意
図した内容とは異なっていたかもしれない）．当時の社会は，彼らの目にはど
のように映っていたのだろうか．

態にある人びとについて書くというだけではなく，彼らの視点から歴史を再構
築することにあった点である．たとえば独立運動を叙述する際にも，民衆を単
にエリートに呼応する存在として描くのではなく，彼らがエリートたちとは異
なる独自の考えをもち，エリートとは異なったかたちで社会を認識し，そうし
た考えや認識にもとづいて行動していた様子を描こうとしたのである（図 10-
1 参照）．

サバルタン研究への批判

　こうしたサバルタン研究グループの試みは，彼らが既存の歴史叙述に厳しい
批判を加えたこともあり，様々な反発の声をも引き起こした．そのなかには，
彼らの研究が「サバルタン」という用語は別として，とりわけ新しいものでは
ないと主張するものもあれば，彼ら自身が依然として国民やナショナリズムな
どのエリート主義的な枠組みや，社会進化論的な枠組みから抜け出していない
との指摘もあった．あるいは，サバルタンの主体性や自律性を強調するあまり，
サバルタンを均質的に論じたり，エリートと明確に（ときには非現実的なまでに）

分離した姿で描く傾向があるとの批判もあった.

　このうち,サバルタン内部における差異に関しては,ジェンダーの観点からも批判が加えられた.ガーヤトリー・C・スピヴァク(1942-)[11]は,1980年代後半からサバルタン研究に積極的にかかわるようになった研究者(もともとはフランスの哲学者ジャック・デリダについての研究で知られていた)だが,サバルタン研究が女性の「サバルタン性」(女性のおかれている従属的状況)に対して無関心であることを指摘した[Spivak 1985;スピヴァック 1998b].スピヴァクの見解では,「女性的存在としてのサバルタン」は,歴史をもたず語ることができないサバルタンのなかでも,「さらにいっそう深く影のなかに隠されて」いた[スピヴァク 1998a: 51].

　そのうえでスピヴァクは,それまでのサバルタン研究の試みを,より大きな思想的観点から大胆に位置づけなおすことも試みる.そこで問われたのは,そもそもサバルタンを主体とした歴史叙述は可能であるのか,**サバルタンは語ることができるか**という根源的な問いであった.

サバルタンは語ることができるか

　スピヴァクからいったん離れ,具体的なイメージから考えてみよう.たとえば植民地期にある反乱に参加した農民たちの意識を明らかにしようとするとき,歴史家が手に入れることができる情報は,主に反乱を抑圧する側,エリートたちが残した史料のみである,という状況は容易に想像できる[12].仮に反乱に加わっていた人物のなかで記録を残した者や,官僚が反乱の参加者から聞き取った声が記録として残っていたとしても,これらのテクストを支配者・エリートの言説・認識から完全に独立した「サバルタン」の声そのもの,とみることは難しいだろう.なぜならそこに記されたサバルタンの声は,支配者層,エリート層の言説とのやりとりのなかで構築されたものであったり,エリートによって部分的に選択され,保存されたものであったり,エリートの解釈を経て残されたものであったりするからである.つまりサバルタンは語ることができないのである.

　スピヴァクは,サバルタン研究自体も必然的に「失敗する」と述べ,サバルタンを「客観化」することで,彼らに知の支配を及ぼす危険性を鋭く指摘する

[Spivak 1985: 336；スピヴァック 1998b: 300]．ただし留意したいのは，スピヴァクがその一方で，サバルタン研究グループが史料(たとえば反乱の史料)のなかからサバルタン自身の意識・主体性を表しているかにみえる要素を探り出し，それらをもとに彼らの視点からの歴史叙述を目指していることについては，「戦略」として評価している点である[Spivak 1985；スピヴァック 1998b；田辺 2009]．なぜならそうした試みは，サバルタンが語りうることを意味しないものの，歴史叙述を相対化し，史料(テクスト)の様々な読みの可能性を示すからである．

　このようなスピヴァクの議論(ここではかなり簡略化・単純化したが，原文には難解な表現が多い)は，それ自体が様々に異なる解釈を招いたが，いずれにしてもサバルタン研究の抱えるジレンマを改めて浮き彫りにすることになった．

2.2 サバルタン研究とポストコロニアリズム

サバルタン研究の変化

　上記のようなスピヴァクの「介入」は，サバルタン研究グループの方向性に否応なく影響を与えることになった．1980 年代後半以降，サバルタン研究グループの間では，サバルタンの主体性やサバルタン自体の意識を扱うという意気込みは影を潜め，植民地支配者，エリートたちの言説のなかでサバルタンがいかに語られているか，いかに構築されているか，彼らの声がいかに抑圧され，隠され，「**断片**」化されているかに大きな関心が寄せられるようになる．そこでは詳細なテクスト分析に力が注がれ，「西洋近代」のもとで発達した概念や，様々な社会集団のカテゴリー(国民，民族，宗教，カースト，ジェンダーなど)が問いなおされ，これらが植民地近代に支配権力によってどのように構築・再構築されたのかが論じられた [13]．また，それらが植民地政策にどのように反映されているのか，在地エリートはそのなかで自らの「伝統」「文化」「コミュニティ」「アイデンティティ」をいかに「**想像**」「**創造**」したのかが活発に論じられた [14]．

　さらにこれらの議論・研究は，前述のチャクラバルティにみられるように，歴史学のあり方自体が西洋近代の知の支配と深く結びついていることを指摘し，歴史学自体の再検討を行う動きを伴っていた．こうしたなかで，サバルタン研究は「ポストモダニズム」「ポストコロニアリズム」などの潮流と結びつけら

図10-2　「探検キーワード　サバルタン」(『朝日新聞』1999年10月23日夕刊10-11面)
サバルタン研究はスピヴァクの「介入」以降，ポストコロニアリズム思想の文脈のなか
で広く取り上げられるようになる．しかしスピヴァクの難解な議論に対しては，上記の
記事に含まれる南伸坊のコメントにあるように，「そういうシチメンドウなことでなく，
もうちょっとこう，ほかに言いようはないもんかね」との感想をもった読者も少なくな
かったかもしれない．

れ，南アジア近代史研究の領域を超えて，欧米の人文・社会科学において広く
注目を浴びるようになり，その知名度を一気にあげた(図10-2参照)15).
　このような1980年代後半以降のサバルタン研究の変化については，初期の
段階ではサバルタン研究を支持していた歴史家も含め，一部の南アジア史研究
者たちからの強い反発を招いた．サバルタン研究はいまやサバルタンではなく
エリートについての研究である，との皮肉まじりの見解もしばしば表された．
テクスト分析が重視されるなかで，経済や政治，国家などの果たした役割への
関心が低下していることを指摘する者もいた．あるいは，西洋近代，植民地支
配の影響下で伝統，文化，コミュニティが「想像」「創造」された面が過度に
強調されている，在地社会の主体性やそれまでの時代からの継続性にも着目す

べきである，などの批判も繰り返し表明されている．

歴史学と政治

さらにこの時期のサバルタン研究における近代の諸概念への問いなおしが，それを提起している歴史家たちの意図とはかかわりなく，特定の政治的な意味合いをもちうるのではないかと懸念する声もあった．1980年代後半以降のインドでは，インドの「伝統」，あるいは宗教人口のうえで多数を占めるヒンドゥー教徒の「伝統」の尊重を掲げ，ときには西洋近代的価値観への批判も口にしながら，排他的な論調を展開するヒンドゥー・ナショナリズムの政治勢力が台頭していた．近代を問いなおしたり，西洋起源の歴史学とは異なる過去認識のあり方に着目しようとする研究者たちの主張は，ヒンドゥー・ナショナリズム勢力とは出発点も目指す方向もまったく異なるとはいえ，彼らの声と奇妙に重なりあうかにみえることもあったのである．

また，近代の「普遍的」概念とされてきたものや，それを前提とした制度のなかには，社会的弱者が権利を主張するうえでよりどころにしてきたものも含まれていた．そのため，近代の概念・枠組みを問い直し，これらを相対化してとらえようとする動きが，こうした人びとの権利要求のためのよりどころを脅かすことになりはしないか，との危惧も表された．

スピヴァクの「介入」以降，欧米で広く着目されるようになったサバルタン研究だが，この名前をつけた論集シリーズ自体は，2005年に出版された第12巻を最後に終了する．グループの中心的メンバーの一人は，のちにシリーズを振り返り，サバルタン研究はその時代の産物であり，異なる時代には別のプロジェクトが必要である，と締めくくっている[Chatterjee 2012]．

3 歴史学・歴史叙述のあり方をめぐる模索

改めて，歴史学・歴史叙述を考える

ここまで，20世紀後半における「近代」の知の問いなおしと関連した歴史学の議論について，インドの事例も交えて紹介した．そのなかには，近代と結びついた概念やカテゴリーに対する問いかけ，テクストを分析する際の視角の多様化，自らのポジショナリティへの自覚，多様な歴史像との対話を促す動き

図 10-3 ワルシャワにあるユダヤ人墓地にたたずむヤヌス・コルチャック
（1878/9-1942?）と子どもたちの像（筆者撮影）
ポーランドで生まれ育ったユダヤ人医師・作家・教育者のコルチャックは，ナチ・ドイツ支配下で，自らの運営する孤児院の子どもたちとともに収容所に送られた．このときに命を落としたと思われるが，どのように最期を迎えたのか，詳細は不明である．過去に起きた虐殺，暴力事件の具体的な状況は，史料からはわからないことも多く，それらにどのように迫り，それらをいかに書き表し，伝えていくかは，歴史家たちにとってとりわけ難しい問題である．

などがみられ，それらの試みがもつ政治的・社会的意味を評価する研究者は少なくない．しかしその一方で，すでに随所で触れてきたように，研究者のなかにはこの時代の「ポストモダニズム」の潮流が，「真実」「客観性」「正確さ」などを否定することで，恣意的・主観的・感情的な歴史解釈（とりわけ特定の政治的立場からの）が台頭するのを許した，との見解も繰り返し表明されてきた．この「ポストモダニズム」の政治的影響をめぐる議論は，「ポストモダニズム」の意味や範囲が人それぞれに異なることもあり，しばしば錯綜した様相をみせている．むしろここで扱うべき問いは，「ポストモダニズム」の責任うんぬんではなく，以下の問いであろう——多様な歴史像，過去の語りが存在する，というのはよい．しかしそのうえで，それでも歴史が「ひとつではないが，なんでもありでもない」[成田 2015: 199] というのであれば，それをどのように示しうるのか（図 10-3 参照）．

　これに関連して改めて留意したいのは，多様な過去のとらえ方，語り方があるのを主張することは，「弱者集団の歴史像の正統性を認めさせる可能性」[小田中 2002: 186] をもつ一方で，特定の歴史像が「強者」によって権力を背景に押し出されてきたときに，それに異を唱えるのを難しくする可能性がある，と

いう点である. 前述のように, 歴史の多様性を認める議論は, ときに, 実証性や論理性を基準としてそれぞれの歴史叙述を評価することが不可能であるかに解釈される. もしそのような立場にたつならば, 異なる歴史像が併存したとき, そのどれがより広範囲に影響力をもつのかは, 「むきだしの力関係の場で」[小田中 2002: 186]決まってしまうのではないだろうか.

もしここで, 歴史は「何でもあり」ではない, と主張したいのであれば, それをどのように示しうるのかを考えなければならない. この問いに対して, 史料収集・史料批判や, 自身のポジショナリティを認識することの重要性に加えて, 多くの歴史家たちが主張してきたのは, 歴史叙述に携わる人びとの姿勢である. そのなかには, 「歴史への真摯さ」をあげ, 過去についての特定の表現がどこまでリアリティに肉迫しているかを論議するよりも, 「人びとが過去の意味を創造するプロセスの"真摯さ"を検討評価するほうが有益ではないだろうか」と問う声もある[モーリス-スズキ 2014: 37]. あるいは, 「自らの構築した歴史を矜恃と責任をもって語ること」を説いたうえで, 歴史叙述の説得力についての判定をくだすのは読み手であるとする見解もある[二宮 2011: 154]. そのうえでこれもまた多くの歴史家たちが強調しているのは, 対話の必要性, すなわち, 多様な歴史像が「出会い, 論じあう開かれた場が確保されること」の大切さである[二宮 2011: 154].

しかし, 現在も世界各地でみられるように, 「過去の意味を想像するプロセスの"真摯さ"」からはおよそ離れたところから出てきた歴史像が, 権力を背景に強く押し出されることもある. また, 歴史は「自分(たち)は何者であるか」というアイデンティティの問題と強く結びついているだけに, 歴史をめぐる論争は政治性を帯びやすく, 対立を招きやすい[野家 2009: 2-3]. このようななかで, 歴史をめぐる対話を可能とするような, 広く人びとに開かれた場は, どのように確保することができるのだろうか.

異なる歴史の語りをもつ人びとの間での対話, といったとき, これは学問的歴史学の内部で行われる対話だけを意味するわけではない. こうした対話は, 学問の世界とその外部にある世界とをつなげながら, 広範な人びとに開かれたものである必要がある. これを実現するための手がかりは, たとえば学問の世界に身をおく歴史家たちが, 異なるメディア(とりわけ昨今であればインターネッ

ト，SNS の世界も視野に入れる必要があるだろう）とより積極的に関わりあいながら，歴史に迫るときのプロセス，歴史をめぐるこれまでの議論，多様な歴史像などを，人びとをひきつけるかたちで提示していくことにあるかもしれない．あるいは歴史をいかに叙述するか，表現するかについて，より創造的に試行錯誤を試みることにあるかもしれない．前述のホワイトは，歴史には科学的側面と芸術的側面があると述べ，歴史のなかに文学的効果，詩的効果が入り込むべきではないとする見方を批判する［ドマンスカ 2010: 56］．ホワイトはまた，イギリスの哲学者マイケル・オークショット（1901-1990）の著作をもとに，「実用的な過去」という概念に着目している．「実用的な過去」とは，私たちが出会う実践的な問題を解決するのに必要な情報，考え方，モデル，戦略を求めて参照するような過去（についての観念）を指す［ホワイト 2017b: 12］．ホワイトによれば，この「実用的な過去」を表してきたのは，歴史ではなく文学の分野においてであった．こうした「実用的な過去」という概念への注目も，より広範な人びとを含む歴史対話を考えていくうえで，何らかの手がかりになるかもしれない．

歴史学と文学

　こうした模索のなかで，「歴史でも文学でもあるようなテクスト」を生み出す試みも実際に登場している．イヴァン・ジャブロンカ（1973-）[16] は，その著書『歴史は現代文学である』（2014 年）において，歴史の書法（エクリチュール）の可能性について考察している．ジャブロンカは社会科学（歴史学を含む）は専門家の間で議論されるばかりでなく，それがさらにより広範な読者によって読まれ，評価され，批判されうることが重要であるとして，書法によって社会科学の魅力を増すことを促す［ジャブロンカ 2018: 2］．そこで提起されるのは，研究者の主観性が叙述のなかに組み入れられ，研究者の立場，調査の状況，論理の顛末，確信，疑念などが隠さずに語られるような歴史のテクストである．そこでは研究者が重視すべきなのは，「客観性よりも公正さ」であり，「中立性よりも率直さ」である［ジャブロンカ 2018: 254-255］．

　実際にジャブロンカがこの書法で書いた作品が，『私にはいなかった祖父母の歴史——ある調査』（2012 年）である［ジャブロンカ 2017］．ここでは著者が「歴史家として」，自身には「いなかった」父方の祖父母の足跡を辿る過程が描か

れる(「いなかった」の意味は同書を通じて明らかにされる). 読者はページをめくる
なかで, 著者が歴史のなかで葬り去られた祖父母について, 気の遠くなるよう
な調査を通して明らかにしていく過程, そこでの様々な人びととの出会い, そ
のときどきに著者の感じたことや想像したことがらなどに触れながら, 小説を
読むような感覚で本を読み進めることになる. 同時に, 同書は膨大な史料をも
とに, 20世紀前半のヨーロッパ史に新たな角度から光をあてた専門的歴史家
の仕事でもあり, フランスの歴史学界からも高い評価を受けた.

　もちろん, ジャブロンカの提示する「歴史の書法」については, これに適し
ているテーマと適していないテーマがあることが予想される(さらにこうした文
学的表現が得意な者もいればそうでない者もいるだろう). しかしいずれにせよ,
様々なメディアとの関わりや表現方法に関するこのような模索を繰り返してい
くことは, より広範な人びとの間に, 真摯に歴史に向かいあうというのがどの
ようなことであるのか, 歴史をどのように書き表せばよいのかを考える契機を
つくるうえで重要であろう. そのことは, 歴史は「何でもあり」ではないこと
を効果的に伝え, より開かれた対話の場を確保することに, 少しでもつながっ
ていくのではないだろうか.

＊　　　　＊　　　　＊

　歴史学がその当初から抱えてきた, 過去を「ありのまま」に再現することは
できないとの認識は, 20世紀後半にはポストモダニズム, ポストコロニアリ
ズムと呼ばれる潮流と連関しながら, それまでの歴史学に対する様々な角度か
らの問いかけを呼び起こした. 本章では, ごく限定された時期・地域に焦点を
当てて, こうした問いかけを紹介したが, ここでは扱わなかった時代や地域の
事例も含め, 歴史学・歴史叙述の歴史から私たちが学べることは多い. 過去の
人物やできごと, 事象に迫ろうとする際には, 歴史学自体をめぐる議論やこれ
までの歩みも念頭に, 多様な分析・叙述の可能性に留意しながら, 主体的に歴
史像を探り続けていく必要があるだろう.

●注

1) 「言語論的転回」という用語自体は，アメリカの哲学者リチャード・ローティによって論文集のタイトルに用いられたのが最初だといわれている［長谷川 2016: 100］.

2) 「ポストモダニズム」と結びつけて語られる様々な研究・議論については，これらをわかりやすく紹介した［岡本 2018］を参照されたい.

3) ヘイドン・ホワイト（Hayden White）：アメリカ出身の歴史家. アメリカの複数の大学で教鞭をとる. 代表作に『メタヒストリー』,『実用的な過去』など.

4) ミシェル・フーコー（Michel Foucault）：フランス出身の哲学者. 狂気，監獄，性などのテーマを取り上げ，異なる時代においてどのような知が真理として機能していたのかを明らかにしながら，知と権力との結びつきを論じた.

5) エドワード・サイード（Edward Said）：パレスチナ出身の文学研究者. アメリカに移住し，同国で大学教育を受け，コロンビア大学で長く教鞭をとる. ポストコロニアリズムの代表的研究者として知られる.

6) ディペシュ・チャクラバルティ（Dipesh Chakrabarty）：インド出身の歴史家.「サバルタン研究」グループの中心メンバーの一人. 現在はシカゴ大学教授. 歴史理論，労働史，環境史などに関する著作がある.

7) 保苅実：新潟出身の歴史家. オーストラリアで研究に取り組むなかで，オーラル・ヒストリーの方法について探究. 単著［保苅 2018（初出 2004）］脱稿直後に 32 歳で逝去.

8) サバルタン研究の詳細については［粟屋 1988；粟屋 2017；井坂 2002；グハ 1998；田辺 2009］その他を参照.

9) ラナジット・グハ（Ranajit Guha）：インド出身の歴史家. イギリス，オーストラリアで教鞭をとる. 農民反乱などを研究しながら，サバルタン研究の理論や方法面での発展を目指した.

10) このグループが「サバルタン」という言葉を主要概念として発達させるきっかけとなったのは，イタリアのマルクス主義思想家アントニオ・グラムシ（1891-1937）の著作であった.

11) ガーヤトリー・C・スピヴァク（Gayatri Chakravorty Spivak）：インド出身の文芸批評家. コロンビア大学教授. フェミニズム，ポストコロニアリズムの立場から幅広い分野で議論を展開する.

12) 植民地期インドの識字率は低く，1931 年センサスの段階では 1 割未満であった. 独立後のインドにおいても，識字率が 5 割を超えるのは 1991 年センサス以降のことである.

13) このうち「国民」概念の形成については，ベネディクト・アンダーソンの『想像の共同体』（1983 年，のちに増補・改訂版）［アンダーソン 2007］をはじめ，同時代の欧米で出されたナショナリズム研究の影響がみられる. アンダーソンについては第 12 章を参照のこと.

14) これらの議論では，アンダーソンの著書（注 13）のタイトルに含まれる「想像さ

れた(imagined)」という言葉や, イギリスの歴史家, エリック・ホブズボウムと
テレンス・レンジャーが編纂した論文集『伝統の創造』(1983年)[ホブズボウム,
レンジャー 1992]に登場する「創造(invention)」の言葉がしばしば用いられた.

15) このように欧米(とりわけアメリカ)の学界でサバルタン研究が話題となったこ
とを受けて, 日本でも 1990 年代後半から, ポストコロニアリズムの思想・文芸批
評の文脈でサバルタン研究がさかんに紹介されるようになる. それはあたかも, 現
代においてもグローバルな学問の世界は「西洋」を中心としており, それ以外の地
域から出された議論は, 西洋での関心や評価を介して初めて発信力をもつ, という
ことを示すかのようでもあった. 詳細については[粟屋 2017]を参照.

16) イヴァン・ジャブロンカ(Ivan Jablonka):フランス出身の歴史家. パリ第13
大学教授. 父方の祖父母はポーランド系ユダヤ人であり, 第二次大戦中に命を落と
した彼らの生涯をたどったのが, 著書『私にはいなかった祖父母の歴史——ある調
査』である[ジャブロンカ 2017].

●参考文献

粟屋利江「インド近代史研究にみられる新潮流——「サバルタン研究グループ」をめ
ぐって」『史学雑誌』第 97 編第 11 号, 1988 年.

粟屋利江「サバルタン・スタディーズの射程」歴史学研究会編集『第 4 次 現代歴史
学の成果と課題 1 新自由主義時代の歴史学』績文堂出版, 2017 年.

アンダーソン, ベネディクト(白石隆・白石さや訳)『定本 想像の共同体——ナショ
ナリズムの起源と流行』書籍工房早山, 2007 年(原著 1983 年, 改訂版 1991 年,
2006 年).

井坂理穂「サバルタン研究と南アジア」長崎暢子編『現代南アジア 1 地域研究への
招待』東京大学出版会, 2002 年.

岡本充弘『過去と歴史——「国家」と「近代」を遠く離れて』御茶の水書房, 2018
年.

小田中直樹『歴史学のアポリア——ヨーロッパ近代社会史再読』山川出版社, 2002 年.

カー, E・H(清水幾太郎訳)『歴史とは何か』岩波新書, 1962 年／(近藤和彦訳)『歴
史とは何か 新版』岩波書店, 2022 年(原著 1961 年).

グハ, R 他(竹中千春訳)『サバルタンの歴史——インド史の脱構築』岩波書店, 1998
年(原著 1982, 83, 84, 85 年).

サイード, エドワード・W(板垣雄三・杉田英明監修, 今沢紀子訳)『オリエンタリズ
ム』平凡社, 1986 年(原著 1978 年).

ジャブロンカ, イヴァン(田所光男訳)『私にはいなかった祖父母の歴史——ある調
査』名古屋大学出版会, 2017 年(原著 2012 年).

ジャブロンカ, イヴァン(真野倫平訳)『歴史は現代文学である——社会科学のための
マニフェスト』名古屋大学出版会, 2018 年(原著 2014 年).

スピヴァク, ガヤトリ・C(上村忠男訳)『サバルタンは語ることができるか』みすず
書房, 1998 年 a(原著 1988 年).

スピヴァック，ガヤトリ・チャクラヴォルティ(竹中千春訳)「サバルタン研究——歴史記述を脱構築する」R・グハ他(竹中千春訳)『サバルタンの歴史』岩波書店，1998 年 b(原著 1985 年).

田辺明生「サバルタン・スタディーズと南アジア人類学」『国立民族学博物館研究報告』33-3，2009 年.

ダント，アーサー・C(河本英夫訳)『物語としての歴史——歴史の分析哲学』国文社，1989 年(原著 1965，66 年).

チャクラバルティ，ディペシュ(臼田雅之訳)「マイノリティの歴史，サバルタンの過去」『思想』第 891 号，1998 年(原著 1998 年).

ドマンスカ，エヴァ(岡本充弘訳)「〈インタビュー〉ヘイドン・ホワイトに聞く」『思想』第 1036 号，2010 年.

成田龍一『戦後史入門』河出文庫，2015 年.

二宮宏之『二宮宏之著作集 1　全体を見る眼と歴史学』岩波書店，2011 年.

野家啓一「展望　歴史を書くという行為——その論理と倫理」飯田隆他編『岩波講座哲学 11　歴史／物語の哲学』岩波書店，2009 年.

橋爪大三郎『はじめての構造主義』講談社現代新書，1988 年.

長谷川貴彦『現代歴史学への展望——言語論的転回を超えて』岩波書店，2016 年.

保苅実『ラディカル・オーラル・ヒストリー——オーストラリア先住民アボリジニの歴史実践』岩波現代文庫，2018 年(初出 2004 年).

ホブズボウム，エリック，テレンス・レンジャー編(前川啓治・梶原景昭他訳)『創られた伝統』紀伊國屋書店，1992 年(原著 1983 年).

ホワイト，ヘイドン(岩崎稔監訳)『メタヒストリー——一九世紀ヨーロッパにおける歴史的想像力』作品社，2017 年 a(原著 1973 年).

ホワイト，ヘイドン(上村忠男訳)『実用的な過去』岩波書店，2017 年 b(原著 2014 年).

モーリス-スズキ，テッサ(田代泰子訳)『過去は死なない——メディア・記憶・歴史』岩波現代文庫，2014 年(原著 2005 年).

リオタール，ジャン＝フランソワ(小林康夫訳)『ポスト・モダンの条件——知・社会・言語ゲーム』書肆風の薔薇，1986 年(原著 1979 年).

Chakrabarty, Dipesh, *Provincializing Europe: Postcolonial Thought and Historical Difference*, Princeton and Oxford: Princeton University Press, 2000.

Chatterjee, Partha, "After Subaltern Studies", *Economic and Political Weekly*, 47-35, 2012.

Guha, Ranajit, "Preface", in Ranajit Guha (ed.) *Subaltern Studies I: Writings on South Asian History and Society*, New Delhi: Oxford University Press, 1982.

Spivak, Gayatri Chakravorty, "Subaltern Studies: Deconstructing Historiography", in Ranajit Guha (ed.) *Subaltern Studies IV: Writings on South Asian History and Society*, New Delhi: Oxford University Press, 1985.

The Oxford History of Historical Writing, 5 vols, New York: Oxford University Press, 2011-12.

▶▶▶ より深く知るために───────────────

・岡本充弘『過去と歴史──「国家」と「近代」を遠く離れて』御茶の水書房，2018
　年．
　　歴史理論・歴史認識，ポストモダニズム，歴史と記憶・物語との関係などに関心
　のある方にはぜひお薦めしたい．
・エドワード・W・サイード(板垣雄三・杉田英明監修，今沢紀子訳)『オリエンタリ
　ズム』平凡社，1986 年(原著 1978 年)．
　　西洋による東洋についての言説を幅広く検討し，それらが西洋の支配・ヘゲモニ
　ーと結びついていることを力強く論じる．
・イヴァン・ジャブロンカ(真野倫平訳)『歴史は現代文学である──社会科学のため
　のマニフェスト』名古屋大学出版会，2018 年(原著 2014 年)．
　　歴史でも文学でもあるようなテクストの可能性を論じた刺激的な著作．歴史とは
　何かを問いなおしつつ，読者をひきつけるような，文学としての歴史の書法を
　提唱する．

第11章 アナクロニズムはどこまで否定できるのか
──歴史を考えるコトバ

山口 輝臣

アナクロニズムという言葉がある．略してアナクロ．時代遅れといった意味で，このご時世にスマホ一つ持っていない私のような者を指して使われることが多い．

日本語での早い用例として夏目漱石(1867-1916)によるものがある．1908年に新聞に連載された『三四郎』である．「通りへ出ると，殆んど学生 許(ばかり) 歩いてゐる．(中略)其中(そのなか)に霜降(しもふり)の外套を着た広田先生の長い影が見えた．此(この)青年の隊伍に紛れ込んだ先生は，歩調に於て既に時代錯誤(アナクロニズム)である」[夏目 2017: 567]．広田先生を見る三四郎のまなざしは，明らかに時代遅れというものであり，昨今の使い方からしても，たいへん分かりやすい．

では，こちらはどうだろう？　同じく『三四郎』である．

> 少し行くと古い寺の隣りの杉林を切り倒して，奇麗に地平(ぢならし)をした上に，青ペンキ塗の西洋館を建てゝゐる．広田先生は寺とペンキ塗を等分に見てゐた．
>
> 「時代錯誤(アナクロニズム)だ．日本の物質界も精神界も此(この)通りだ．(略)」．

すぐあとには別の例が続く．古い灯明台のそばに，偕行社(陸軍将校の社交団体)の新式の煉瓦(れんが)作りの建物ができたことに触れ，「二つ並べて見ると実に馬鹿気てゐる．けれども誰も気が付かない，平気でゐる．是(これ)が日本の社会を代表してゐるんだと云ふ」[夏目 2017: 354-355] (**図11-1**)．古い寺や古い灯明台を時代に遅れたものと見ているようでもあるが，逆に，青ペンキ塗の西洋館や新式の煉瓦作りを時代に先んじたものと見ているともとれる．

後者のようなものをアナクロニズムというと，ヘンに思われるかもしれない．だが語源から言うと，ana＝up，chrónos＝time で，ここに ism が付いているから，「本来の時代より前に遡って置かれていること」が原義のようだ．時代の方を基準にいえば，本来より先のものが入り込んでいることである．英語教師である広田先生は，「偉大な暗闇だ．何でも読んでゐる」と作中で言われる

図 11-1　偕行社と灯明台
出典：［高島 1903］（国立国会図書館
デジタルコレクションより）
広田先生はここにアナクロニズムを
見出した．なお，右に見える灯明台
は九段坂公園に現存する．

だけあって［夏目 2017: 383］，語源に忠実な用法である可能性もある．この解釈
の当否はともかく，アナクロニズムにあてられた時代錯誤という訳語は，時代
より前でも後でも対応できる点で，なかなかよくできている．

1　否定されるアナクロニズム

1.1　文学のなかのアナクロニズム

気にしない

　漱石が自らの小説のなかに，時代錯誤というその当時には到底日常語とは思
えぬ言葉を用いたのは，先の引用から推測すると，広田先生による日本の現状
認識を示す語として，これこそが相応しいと考えたからにほかなるまい．では，
漱石はこの語とどこで接したのだろうか？

　迂闊なことは言えないが，英文学を中心とする文学の理論を研究していくな
かで，漱石はごく当たり前にアナクロニズムに出会ったと考えて差し支えなか
ろう．文学理論，とりわけレトリックの分野では，シェイクスピア（1564-1616）
を例にアナクロニズムに言及するのは普通のことだからである．

　たとえば，『ジュリアス・シーザー』の第2幕第1場．ブルータスらが深夜
にシーザー殺害の密議を凝らしていると，時計が鳴る．「あ，時計だ．何時だ
ろう？」［シェイクスピア 1983: 59］．時計の音は，場面の転換を告げるきっかけ
として，重要な役割を果たしている．ところが，紀元前1世紀のローマに，時
を打つ時計はなかった．シェイクスピアは，紀元前1世紀を舞台とする物語の
なかに，かれが生きた時代のモノを混入したのである．レトリックのテキスト

類ではしばしば引かれる有名な，そして原義通りのアナクロニズムである．

攻撃する

シェイクスピアのアナクロニズムを激しく攻撃した人物にトルストイ（1828–1910）がいる．トルストイは「シェイクスピア論および演劇論」（1900年）のなかで，『リア王』を例に，紀元前800年のことであるにもかかわらず，登場人物たちは，中世にしかありえぬような条件のなかにおかれていると指摘し，こう非難する．「シェイクスピアのどのドラマにも横溢しているかような時代錯誤<ruby>時代錯誤<rt>アナクロニズム</rt></ruby>は，十六世紀，十七世紀の初頭では，幻想の可能をそこなわなかったかもしれない．だが現代ではすでに事件の推移を興味をもって追うことは不可能である」[トルストイ 1973: 164]．トルストイは，アナクロニズムに満ちたシェイクスピアなど，非現実的で不自然であり「現代」にそぐわないと決めつけた．

だが，トルストイの攻撃にもかかわらず，『リア王』や『ジュリアス・シーザー』は，それから100年以上経った現在も，世界各地で上演され続けている．観衆がアナクロニズムに気付いていないから，ということもあるかもしれない．だがそれだけではない．その後の文学者たちによって，アナクロニズムをさらに推し進めるといった実験が行われ，文学では，アナクロニズムをそれとして享受できるようになったことが大きい．

逆手に取る

たとえば，天竺を目指し旅に出た高丘親王<ruby>高丘<rt>たかおか</rt></ruby>親王（799–865?）を主人公にした現代小説がある．親王一行は大蟻食い<ruby>大蟻食<rt>オオアリクイ</rt></ruby>いに遭遇する．側近の僧・円覚は，「こんなところに大蟻食いがいてよいものか，いるはずがないぞ」と，つかみかからんばかりの剣幕<ruby>剣幕<rt>けんまく</rt></ruby>．「ここに大蟻食いがいたとしても，べつだん，かまわないではないか」と，高丘親王が言うと，円覚は食ってかかるように，こう言い返す．

みこはなにもご存知ないから，平気でそんな無責任なことをおっしゃいます．それなら，わたしもあえてアナクロニズムの非を犯す覚悟で申しあげますが，そもそも大蟻食いという生きものは，いまから約六百年後，コロンブスの船が行きついた新大陸とやらで初めて発見されるべき生きものです．そんな生きものが，どうして現在ここにいるのですか．［澁澤 1995: 38–

192

39]

　あまりの展開に面食らうが，この部分を私はおもしろいと感じるし，読者の多くもそうではあるまいか．ということは，アナクロニズムをアナクロニズムと知りつつ，それを楽しむ術があるということだろう．人はいつの間にか，そうした力を身につけた．ただそのためには，アナクロニズムをアナクロニズムと見分ける能力，そしてさらにその前提として，アナクロニズムをヘンだと感じ取る感覚がなくてはならないはずだ．

1.2 歴史学のなかのアナクロニズム

史料批判で活用する

　歴史学は，そうした感覚と能力を研ぎ澄ませることで発展を遂げてきた．そのなかでも，文書の真偽を鑑定するにあたり，その道具としてアナクロニズムが使えると気付いたのは，重大な出来事であった．さきほどまでの例をそのまま使えば，紀元前1世紀のものとされる文書のなかに時を刻む時計が出てきたら，その時計は本来の時代より前に遡って置かれていてアナクロニズムであるから，少なくとも紀元前1世紀のものではあり得ず，その文書は後世に偽造されたものと論証できる——こういった使い方である．

　上の例は，時計というモノについてのアナクロニズムであるが，アナクロニズムはモノにだけ起こるわけではない．コトバのアナクロニズムというものもあり得る．文書の作成された時点では使用できないはずのコトバが使用されていれば，アナクロニズムが成立するからである．

　この発見を，「コンスタンティヌスの寄進状」を偽造であると論証したイタリアの人文主義者ロレンツォ・ヴァッラ(1407-57)によるものとし，この先に，**史料批判**とそれを根幹的な方法とする近代歴史学の成立を見通すのが，現在の一般的な「歴史学の歴史」である[ギンズブルグ 2001]．詳しくは，本書の第3章とヴァッラの邦訳[ヴァッラ 2014]にあたってもらうことにして，ここでは，より分かりやすい例を見ていくことにしよう．

その否定こそが歴史学の前提

　「天津教古文書」というものがある．「竹内文書」とも呼ばれる．天津教とい

図 11-2　狩野亨吉
出典：［安倍 1958］
安藤昌益を「発見」したことなどでも知られる哲学者．東京大学教養学部の前身である第一高等学校校長や京都帝国大学文科大学長などを務め，退任後は書画の鑑定を業とした．天津教事件の裁判では証人として出廷し，「天津教古文書」が最近になって作られたものであることを陳述した．証言の根拠となったのは，狩野が 1936 年に発表した論文「天津教古文書の批判」．コトバのアナクロニズムのほか，史料批判のさまざまな手法が駆使されている．

う新宗教の教祖・竹内巨麿(1874-1965)が所有していた史料群の通称である．
1937 年に竹内巨麿が不敬罪で起訴されると，これらの文書の真偽も法廷で争われ，狩野亨吉(1865-1942)(**図 11-2**)や橋本進吉(1882-1945)をはじめ，錚々たる学者が鑑定を担当した．鑑定はたとえば次のような手順を踏んだ．

　「天津教古文書」のなかに「平群真鳥真筆」なるものがある(**図 11-3**)．文面通りに受け取れば，雄略 5 年というから西暦 461 年に，『日本書紀』に登場する豪族である平群真鳥が自ら記した文書となる．狩野亨吉は，この文書のなかに「棟梁皇祖皇太神宮ノ神代文字巻ヲ形仮名唐文字以テ写シ宝巻」と出てくる点に着目する．意味の取りにくいところもあるが，「神代文字」で書かれた巻物を，「形仮名」と「唐文字」で写した宝の巻物，と読み取って大過なかろう．だが，ここにはとんでもないアナクロニズムがある．お分かりになるだろうか？

　　唐はカラと読ませる積りであらうが，それなら漢と書かなければならない
　　ので，唐では時代錯誤になる［狩野 1958：89］．

　まだ分からないという方は，中国の王朝年表を広げ，461 年がそのなかでどこに来るかを考えてみれば，氷解するはずだ．

　たったこれだけで，「平群真鳥真筆」が 5 世紀のものでないことの証明は完了する．5 世紀のものに仕立てようという努力も空しく，偽造した時代——この場合なら 20 世紀前半——の常識が入り込んでしまい，アナクロニズムとなってしまったのである．コトバのアナクロニズムは，文書の真偽判定に抜群の威力を発揮する．

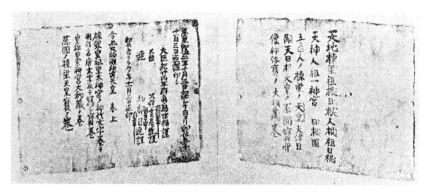

図 11-3　平群真鳥真筆
出典：［安倍 1958］
「天津教古文書」のうち「平群真鳥真筆」. うしろから 3 行目に「唐文字」と見
える. この写真は 1928 年に天津教信者より狩野亨吉が入手したもの.

　このように，歴史学の根幹をなすとされる史料批判において，アナクロニズ
ムの否定はいわば公理である. それは，歴史学のなか深くに埋め込まれている.
アナクロニズムを正面切って容認する歴史家は，どこにもいないであろう.

2　アナクロニズムは排除し切れるのか

2.1　歴史家のアナクロニズム？

宗教以前

　では，歴史学において，アナクロニズムの否定はどこまで徹底できているの
か？

　こんな奇異にも響きかねないことを言うのは，史料のなかではアナクロニズ
ムは一切認められず，それがあるだけで史料の価値は剥奪されてしまうのに，
それを用いている歴史家自身は，平気でアナクロニズムに陥っているかのよう
に見えることが，往々にしてあるからである.

　幕末に西洋との交流が本格化するとともに，日本語のなかに西洋に由来する
新たな語彙が数多く採り入れられたことは，よく知られていよう. その際には，
既存の漢語をあてたり，あるいは新たな漢語を作ったりして，対応していった.
漢字を使っていた地域では，その訳語の選定なども相互に影響があり，中国・
朝鮮・日本で同じ文字のこともあれば，違うこともある. こうした事情から，

訳語に着目し，アナクロニズムを活用することで，史料批判が遂行できる．そういったコトバの一つに「宗教」がある[山口 1999]．

　意外かもしれないが，これは厳然たる事実である．宗教という用例を現在から過去へと遡っていくと，明治を過ぎて幕末に入ったあたりで途切れてしまう．それ以前にも宗教という文字列は稀に見られるが，それらは「宗」と「教」という二語であるか，人名(むねのりと読む？)であるか，いずれかである．

　宗教という用例が，幕末・維新期に登場してくるのは，それが religion をはじめとする一連の西洋諸語の訳語として生まれたからである．漢字であるため気付きにくいが，宗教は，いまで言えば，エコロジーとか SDGs などのように，片仮名やアルファベットで表記されるようなコトバだった．伊藤博文が SDGs を語っていたらヘンであるように，松平定信が宗教を語ることもヘンであり，その理由は，それらがアナクロニズムであるからである．すなわち明治維新よりずっと前の時代のものとされる文書に現在と同義の宗教が出てきたら，その文書は後世に偽造されたものと断定して差し支えない．

宗教以前の宗教

　明治維新以前には宗教という語がなかったのだから，その頃の人びとは，宗教について話したり書いたりしようにも，できなかったはずである．ところが，そうした時代の宗教についての研究は数多くある．嘘だと思うなら，大きな図書館の蔵書検索のウェブサイト——たとえば国立国会図書館サーチや東京大学 OPAC など——に，「古代」+「日本」+「宗教」とか，「近世」+「日本」+「宗教」と入れてみるとよい．山ほど文献が出てくるどころか，名著の誉れ高い本も含まれている．だがこれらはいずれも，宗教というコトバのなかった時代の宗教について研究したものとなる．これらはアナクロニズムではないのだろうか？

　史料のなかに登場するコトバのアナクロニズムは一切認められないのなら，たとえば中世日本に生きた人たちの宗教を問い，かれらの宗教について叙述することも同様なのではあるまいか？　もう少し一般化して，こう言ってもよい．あるコトバのなかった時代の歴史を，アナクロニズムと言われる危険を冒してまで，そのコトバによって考えることは，正当化され得るのか？　この問いは，広く歴史学全体，いやそれどころか，過去について考えようとする営為一般と

関わってくるものであるはずだ．

2.2 普遍はアナクロニズムを超える？

普遍以後

引き続き宗教を例に考えていくことにしよう．

上で掲げたような疑問など，これまで考えたこともなかったという方が多いのではあるまいか．そもそも宗教というコトバが近代以前の日本語になかったということを知らないと，こうした問いを発するのは難しい．その意味で，これは知識が生んだ問いと言ってよい．新たな知識は新たな問いを確かに生む．

そしてまさにそのことが，こうした問いが覆い隠されてきた理由を教えてくれる．宗教はいつかどこかで出現したようなものではなく，いつでもどこにでもあるものだという見方が一般的であることである．これを宗教は普遍的なものであるという常識と言い換えてもよかろう．普遍的であるなら，アナクロニズムなど超越してしまうはずで，中世日本の宗教について考えることに，なんらの問題もないことになる．

しかし，いまや宗教というコトバのなかった時代があったことを知ってしまった以上，何事もなかったように，宗教は普遍でございと頬かむりして，通り過ぎるわけにはいくまい．宗教の**普遍性**を損なわぬように，なおかつ宗教というコトバのなかった時代があったことを，説明できるのだろうか？

普遍を仮想する

もっとも簡単な方法は，宗教というコトバがないだけで，宗教はあると頑張ることだろう．人間の考えることにそう違いのあるはずはない，「だって人間だもの」──というわけである．実のところこうした態度は，religion に接した明治の人びとのものでもあった［小倉・山口 2018］．

かれらは，religion に接し，それがなんであるかすぐには分からず，悩んだ．しかしそれを西洋に特有のものとはしなかった．なによりも religion 自体が自らを普遍的なものと称していたからである．そのため，かれらは，自らの周囲に，そして過去に，religion にあたりそうなものを見出そうとした．religion が，19 世紀において，圧倒的にキリスト教を中心としたものであったことか

ら，その構成要素とされていたもの——教会，教義，教典，聖職者，信者など
——に対応しそうなものを，日本において数多く有していた仏教という単位を
religion と見做すなどしていった．そうした理解のもとで，religion にさまざ
まな訳語を宛てがっていく．religion には，「宗門」や「宗旨」といったそれ
以前からあったものと異なるとの感覚があったこともあり，結果的には，「宗
教」というほぼ造語に等しい，しかしながら漢字の特性からして，おおよその
意味が推測できる訳語が定着していくことになる．

　こうして日本語において religion と等価とされる宗教が成立し，それは普遍
的なものであるとされるに至る．なお，これと同じような現象は，日本のみな
らずインド世界やタイなどでも見られた．こうした現象が連鎖することで，
religion と等価とされるコトバが各地に出現していったのである．

普遍性の構築

　以上の過程を，やや一般化して述べれば，過去には，新たなコトバに遭遇し
た人びとが，人間の普遍性を仮想することにより，そのコトバを理解しようと
努めたことがあったとなるだろう．宗教もまさしくそのひとつであった．

　まさにこのことこそ，宗教の普遍性を証明するものである，と考えたい人も
いるかもしれない．こうした作業が可能だったこと自体が，宗教の普遍性を物
語るというわけだ．そうした見方を否定し去ることはできないし，その必要も
ない．ただこの場合，普遍であるのではなく，普遍になるということになって
くるだろう．普通いうところの普遍とは，すべてのものに通じる性質であり，
いつでもどこでも成り立つものであるとすれば，それとの違いは随分と大きい
ものになってはいまいか．ここでは，上に述べたような形で，人間の普遍性を
仮想しての行為が連鎖していくことにより，宗教の普遍性は構築されていった
ものと考えておくことにしよう．

2.3 アナクロニズムとの和解？

普遍以前

　宗教を素材にしたために，いきなり普遍的かどうかといった次元の話になっ
てしまったが，なにも普遍的なコトバでしか過去を考えてはならないというこ

とはないはずだ．すると，宗教が普遍的であるということを言わずに，アナク
ロニズムを正当化する余地があるかもしれない．①同じコトバはなくとも似た
コトバがあったとか，②少なくとも宗教というコトバにあたるものはあったと
か，そうした点を根拠にすることによってである．

　①は，たとえばこういうことである．なるほど，宗教というコトバはなかっ
たかもしれない．だがそのことは，宗教に近いコトバまでなかったということ
にはなるまい．現に「宗旨」とか「宗門」とか「教」とか「道」といった語が
あったではないか．宗教というコトバこそなかったものの，それに近いコトバ
はあったのだから，宗教を使うことは許される．

　また②は，たとえばこういうことである．江戸時代に宗教というコトバはな
くとも，いまと同じように僧侶もいたし神社もあった．それらを現在は宗教の
構成要素と見做している．そうであるなら，江戸時代のそれらを考えるのに，
宗教というコトバを用いても差し支えない．

理論はともかく研究を

　細かい点を抜きにして言えば，①は，同じコトバはあり得ないが，近いコト
バはあるのだから，そのコトバで十分だし，そうするほかない，ということで
あるし，②は，そうしたところをすり抜けて，コトバはともかくモノはあるの
だから構わない，という主張である．論理的にスキのない美しい議論とは言い
難いが，初歩的な言語論的考察に基づき，コトバとその周辺に区分を持ち込む
ことで，コトバのアナクロニズムを部分的に回避しようという作戦である．

　多くの研究者は，実際のところ，このあたりで手を打っているようだ．なに
せそうでもしない限り，過去について，おちおちコトバを発することすらでき
なくなってしまうからである．言い換えると，この程度の考えで，歴史家の多
くは，とくに後ろ髪を引かれることもなく，研究を遂行しており，しかもそれ
で日頃はさして困っていない．それはかれらが物臭だから，ではない．歴史家
は，コトバのアナクロニズムの可否一般といった理論的な問題に関心があるの
ではなく，まずは過去の具体的な対象に関心があるのだから，それを恙なく研
究することさえできれば，基本的には十分だからである．

3 アナクロニズムと向き合う

3.1 思想史という関心

人の考えに入り込む

ただ，歴史研究もそうしたものばかりではない．これでは困る場面に出くわすこともある．典型的には，人の考えという次元に入り込んでいこうとする場合である．

過去の人がどのようなことを考えていたのか，という関心の持ち方があってよいし，現に数多くある．またそうでなくとも，そこに入り込んでいく必要が出てくることがある．たとえば，過去の出来事を考察するにあたり，どうしてそうなったのかと問うてみよう．それに対する答え方にはいろいろなものがあり得る．某がこのように考えたからという答えも，その一つであろう．またもしそこまで分かるのなら，今度は某がこのように考えていたにもかかわらず，そのようにはならなかったといったことも言えるようになる．たどった過程がそうなった理由とか，ほかのものとなり得た可能性などを議論したければ，こうした点はとくに重要となってくる．このあたりについて，もっとも自覚的に考えてきたのが，**思想史**といわれる領域である．

コトバの変化，考えの変化

一口に思想史といっても多様であり，概括するのは容易でないし，ここでそれを試みることはしない．ただ，その名称からも分かるように，少なくとも人が思考するという行為について，ほかのさまざまな○○史より，はるかに強い関心を持ってきたことだけは間違いない．

そのため，ほかの研究者ならさして気にならぬようなことが，どうしても気になる．たとえば，宗教というコトバで考えるようになったことによって，人びとの思考は変わったのかといったことである．

変わった，と言ってよいだろう．宗教というコトバの登場してくる前は，「宗旨」とか「教」というコトバが用いられていた．それらが religion の訳語として用いられたこともあったように，宗教と近いものではあった．ただ近いというからには違いもある．分かりやすいところでは，「宗旨」という場合，

神道や儒教は含まないことがほとんどなのに対し，神儒仏の三教というように，「教」には神道も含むのが普通であった．一方，現在の宗教は，神道を宗教とする点で「宗旨」とは異なり，儒教を宗教と見做さないことが多い点で「教」とも異なる．神道や儒教は，宗教に関して，そういくつもあるとは思われぬほど大きな単位であるだろう．そうしたものが包摂されるかどうかといった基本的なところですら違う．こうしたことと思考とは関係がないと想定するのは難しい．

　「宗旨」や「教」によって考えるのと，宗教によって考えるのとは，確かに違う．どのように思考するかといったところに関心を持つ研究者にとって，それは抜き差しならぬ違いとすら言い得る．その違いを見定めようとすれば，コトバのアナクロニズムは致し方ないでは済まされまい．むしろそれにどう向き合うかから，研究ははじまる．

3.2　コトバの位相

記号の恣意性

　この違いはなにに拠るのか？　その背景にはなにがあるのか？　こうした点をめぐる議論は，いまでもソシュールの知的遺産をもとに行われている［ソシュール 2016；丸山 2012］．先の初歩的な言語論的考察といえども，それと無縁ではない．具体的には，シニフィアンとシニフィエ，そしてそれにまつわる恣意性という論点である．第2章や第10章でも言及されているが，論旨の都合上，ここでも触れることにしたい．

　シニフィアン(signifiant)と**シニフィエ**(signifié)は，フランス語の動詞 signifier のそれぞれ現在分詞形と過去分詞形で，「意味しているもの」と「意味されているもの」という意味を持つ．現在では，これらを「記号表現」と「記号内容」と訳すことが多い．個人的な趣味でネコを例にとれば，ネコという音声や猫という文字がシニフィアンで，ネコ／猫というシニフィアンによってイメージする四つ足でニャーニャー鳴く小動物がシニフィエである．感覚的に分かりにくいという方には，言語学の入門書にあたることを勧めるが，ここではソシュールの正確な解釈を目指しているわけではないので，ひとまず，コトバには，一体化していて見えにくいが，二つの側面があるという考え方であることさえ

諒解してもらえれば，表現と内容でも，音声と意味でも，あるいは記号と概念でも，理解しやすいもので構わない．

　そして一体化しているにもかかわらず，シニフィアンとシニフィエの関係に必然性はない．たとえば，ネコを猫と書き，ネコと発音する必然性はどこにもない．現に cat と言ったり Katze と呼んだりする人がいるではないか．いつでもどこでもネコと呼ばれているなら，その結びつきは必然であると言えるが，そうではない．これをソシュールは**恣意性**（arbitraire）と呼んだ．

その取り決めの共有

　さらにこの時，ネコという実体が，コトバとは関係なく存在し，それをネコと呼んだり cat と呼んだりしているのではないことにも注意したい．もともとは連続的に存在しているものに，鳴き方やら大きさやらの特徴などによって境界を引く．こうした**分節化**によって，たとえばトラやクマやイヌといったシニフィアンとシニフィエの組み合わせができていき，それらとの差異のなかではじめてネコのそれは定まる．その意味で，コトバによる分節の仕方も恣意的なものである．そしてこうした恣意的な組み合わせが，同様に恣意的なほかの組み合わせと差異の網の目を形成することで，言語は一つの**体系**をなす．

　では，そんな恣意的な組み合わせが通じるのはなぜなのか？　それはそうした組み合わせを，とにもかくにも社会的な取り決めとして共有していくことによって可能になる．取り決めを共有した人びとは，それによってその言語を核とする一つの**共同体**を形成する．言語共同体と言ってよいだろう．そしてまた別の取り決めを受け容れれば，別の共同体の一員となる．言語の体系を支えるのは，その取り決めを共有する共同体ということになる．

　上の知見を，あるコトバのシニフィエはそのコトバだけで定まるのではなく，ほかのコトバとの差異の網の目により形成される言語の体系のなかではじめて定まる――思い切って単純化してこう言い換えると，「宗旨」や「教」というコトバで語っていた言語の体系と，宗教というコトバで語っている言語の体系とは，別個の体系であるということになるだろう．

3.3 コトバのある体系相互の関係

パラダイムの通約不可能性

では，この二つの体系はどのような関係にあるのだろうか？

こうした点をめぐる思考に多大な影響を与えたのが，トーマス・クーン(1922-96)に由来するパラダイム論である［クーン 1971：クーン 2008：野家 2008］．もともとは自然科学の研究者集団に共有された枠組といった程度であったが，それが拡大解釈される形で広い研究領域で参照され，上で述べた言語の体系なども**パラダイム**になぞらえられてきた．

パラダイム論には，「**通約不可能性**」(incommensurability)といわれる命題がある．そのもっとも極端な解釈は，異なるパラダイムのあいだには理解が成り立たないとするものである．これに素直に従うと，「宗旨」や「教」というコトバで語っていた時代の歴史を，宗教というコトバによって語ることなど，許されないどころか，そもそも不可能なこととなってくる．もはやこれはコトバのアナクロニズムがどうこうという次元を超えた話である．

だがさすがに通約不可能性のここまで厳格な解釈は難しかろう．それぞれの体系が異なるパラダイムであると理解できるのは，相当に高度な理解のはずで，まさにそのことが，それらのあいだに理解が成り立たないということとは，両立し難いように思われるからである．

普通いうところの通約不可能性とは，複数のパラダイムを比較し得るような共通の基準は存在しないということである．先の例に即して言えば，「宗旨」や「教」による言語の体系と，宗教による言語の体系とを，中立に記述することのできる言語など存在しないということである．これは，パラダイム論が前提としている考え方，すなわち観察という行為も，実のところなんらかの理論を前提としており，その影響を免れることはできず，純粋無垢の観察事実は存在しないという，いわゆる**理論負荷性**(theory-ladenness)の考え方から導かれる．

アナクロニズムは避けられない

しかし中立な言語のないということは，その二つの体系がお互いを理解できないということを意味しない．むしろそれは，そうした偏りのある言語の体系なりパラダイムなりを通じてよりほかに，ほかのこれまた偏りのある言語の体

系なりパラダイムなりを理解する術のないことを意味する.

　そして歴史研究の現場で日頃から行われていることは, 実のところ, こうした作業の繰り返しにほかならない. その際には, 史料との相互作用によって, 自らの考えもまた変化していく.

　さらに思い返せば, religion と遭遇した 19 世紀日本の人びとは, まさに上のような術を実践していた.「宗旨」や「教」といった自らの言語の体系にあるコトバでそれを理解しようと試み, 宗教という新たな訳語を捻出することで, それを表現した. だからと言って, それにより religion と宗教とがイコールになったわけではない. そんなことはあり得ないというのもまた, コトバへの省察が教えてくれたことである.

　さて, ここまでは説明の便宜上,「宗旨」や「教」による言語の体系と, 宗教によるそれとの二つを対比する形で叙述してきた. しかし宗教というコトバのシニフィエには, 大きな変化があった. たとえば, 19 世紀後半には宗教に神社は含まれないとするのが一般的であったが, 20 世紀に入るころから徐々に宗教に含まれるという主張が増え, 20 世紀後半にはそれが圧倒的となる. 神社が宗教かどうかという根幹的な点ですら, 僅か 100 年ほどでここまで変化する [山口 1999 ; 小倉・山口 2018].

　ということは, コトバをめぐっては, **翻訳**という場を介さずとも, 別の体系になったと見做しうるような変化が起きるのだ. そしてすでに触れたように, これは宗教というコトバに限ることでもなく, またもちろん日本という地域に限定されたことでもない. それこそ, いつでもどこでもなんにでも起こり得ることなのかもしれない.

　以上, いまやアナクロと言われかねないやや古典的な道具立てを用いて, コトバのアナクロニズムについて考えてみた. やはりシニフィアンのアナクロニズムは認めてはならない. 宗教と書かれた江戸時代の文献を, 江戸時代に成立した文献としてはいけない. しかしそれ以外のアナクロニズムについては, コトバというものが社会的な取り決めによって成り立ち, それらによって形成される偏った体系を通じてしか, ほかの体系へと接近する方法がない以上, 全面的に禁じることはできそうにない. 言い換えれば, コトバのアナクロニズムを引き受けなくてはならない場もあるということになる.

＊　　　＊　　　＊

　シェイクスピア学者は，シェイクスピアのアナクロニズムを「芝居は歴史の教科書ではない」と擁護する［小田島 2007: 91］．歴史学をアナクロニズム批判の急先鋒と見做してのことであろう．その見方は誤っていない．だがそうした歴史学も，アナクロニズムを完全に否定し切ることはできない．ただしそれは歴史学も文学だからといった理由からではない．それはコトバによって理解するという行為そのものに，不可避的に付きまとうことだからである．

　しかしだからと言って，過去を考えるにあたり，コトバのアナクロニズムなど気にしなくてよい，ということにはならない．そうならざるを得ない場があるということは，それで構わないということとは違う．むしろそうであるからこそ，安直なアナクロニズムに陥らぬよう，細心の注意をもって，過去の人びとが使っていたコトバを扱わねばならないとすべきであろう．そしてこうした抑制的な態度こそ，過去という異文化に，異なるものへの繊細な感受性を武器に挑もうとする歴史学を活かすものとなるはずである．

　そうであるなら，江戸時代の人びとは宗教について悩んでいたと書くことが，アナクロニズムであると分かるかどうか，その差はやはり大きい．そしてそれが分からぬと，さらに思わぬ誤りを犯しかねない．たとえば，宗教について思考していたという前提が忍び込むと，宗教をモデルに，教義もあるはず，信者もいるはずといった具合に，知らず知らずそこにモデルに沿った宗教を構築してしまう危険性が生じる．実際にそうした文献を見かけることがある．しかもタチの悪いことに，当人はそれがおかしいことに気付けない．

　逆に言えば，そのことに自覚的であるということは，過去への見方を，間違いなく，変えてくれる．その違いは，分かる人だけが分かるという体のものかもしれない．ただそういったものこそが，学問を支えているのではあるまいか．

●参考文献

安倍能成編『狩野亨吉遺文集』岩波書店，1958 年.

ヴァッラ，ロレンツォ（高橋薫訳）『「コンスタンティヌスの寄進状」を論ず』水声社，

2014 年.

小倉慈司・山口輝臣『天皇の歴史 9　天皇と宗教』講談社学術文庫，2018 年(初出 2011 年).

小田島雄志『シェイクスピアの人間学』新日本出版社，2007 年.

狩野亨吉「天津教古文書の批判」安倍能成編『狩野亨吉遺文集』岩波書店，1958 年.

ギンズブルグ，カルロ(上村忠男訳)『歴史・レトリック・立証』みすず書房，2001 年(原著 1999 年).

クーン，トーマス(中山茂訳)『科学革命の構造』みすず書房，1971 年(原著 1962 年).

クーン，トーマス・S(佐々木力訳)『構造以来の道──哲学論集 1970-1993』みすず 書房，2008 年(原著 2000 年).

シェイクスピア，ウィリアム(小田島雄志訳)『ジュリアス・シーザー』白水Uブッ クス(シェイクスピア全集)，1983 年.

澁澤龍彦『高丘親王航海記』巖谷國士ほか編『澁澤龍彦全集』22，河出書房新社， 1995 年(初出 1987 年).

ソシュール，フェルディナン・ド(町田健訳)『新訳 ソシュール 一般言語学講義』研 究社，2016 年(原著 1916 年).

高島信義編『日本陸海軍写真帖』史伝編纂所，1903 年.

トルストイ(中村融訳)「シェイクスピア論および演劇論」『トルストイ全集』17，河 出書房新社，1973 年.

夏目漱石『三四郎』『定本漱石全集』5，岩波書店，2017 年.

野家啓一『パラダイムとは何か──クーンの科学史革命』講談社学術文庫，2008 年 (初出 1998 年).

松田素二『日常人類学宣言！──生活世界の深層へ／から』世界思想社，2009 年.

丸山圭三郎『ソシュールを読む』講談社学術文庫，2012 年(初出 岩波セミナーブッ クス，1983 年).

山口輝臣『明治国家と宗教』東京大学出版会，1999 年.

▶▶▶ より深く知るために─────────────────

・カルロ・ギンズブルグ(上村忠男訳)『歴史・レトリック・立証』みすず書房，2001 年. ポストモダニズムのあとにどのような歴史が可能なのか？　その点を探求した論 文．著者はミクロストリアで知られる歴史家．詳しくは本書第 9 章を参照．

・松田素二『日常人類学宣言！──生活世界の深層へ／から』世界思想社，2009 年. 同様な問いを突き付けられたのは歴史学だけではない．それに真摯に向き合った 人類学者による応答の書．歴史について考える上でも参考になる点が多い．

・小倉慈司・山口輝臣『天皇の歴史 9　天皇と宗教』講談社学術文庫，2018 年. 山口の手になる後半部分は，本章における宗教に関わる叙述の前提となる研究を 平易に記したものともなっている．その方面に関心を持った方はどうぞ．

第12章 「私たちの歴史」を超えて
——ともに生きる社会のために

　旧ユーゴスラヴィアの内戦が激化していた1993年，エリック・ホブズボーム (1917–2012)[1]は，ブダペストで行われた講演で「歴史学は核物理学と同じレベルで危険になりうる」と語った．核物理学が一瞬にして多くの人びとの生命を奪った原爆の開発に用いられたように，歴史学は社会集団間の憎悪を高め大量殺戮の原因にもなるとの警鐘である．敵愾心を煽動するために歴史がもち出されることはくりかえされてきたのであり，彼の言葉は否定できそうにない．しかも殺傷を伴う事態にまで至らなくても，歴史認識が原因となった社会集団間の対立や葛藤は起こりうる．また，平和な日常と多くの人が思っているなかでも，歴史認識における偏見や誤謬によって苦しむ人は存在する．

　けれども，危険だからといって歴史を "禁止する"，というわけにもいかない．できることは，歴史の危険性を認識し，危険な利用を戒め，歴史の語りが生み出した集団間の葛藤や対立の解消に努めることである．以下では，歴史が社会集団の統合にどう活用されるか，そこで生じかねない他者への抑圧や集団間の葛藤，対立の予防やその克服にどのような役目を果たすのかを述べていく．

1　歴史が作り出す「私たち」

1.1　前近代の民族と歴史
建国神話と共通の記憶

　人類は古くから，生きていくために協力するまとまりを作ってきた．そうした集団のなかで，自分たちの来歴を語り，次世代に伝えていく営為はかなり古くから行われてきた．自分たちの祖先がどんな人びとであり，どのようにこの地にやってきたり生まれたりしたか，その後，どのように「国」としてのまとまりを作っていったか，という**建国神話**は，世界中に存在する．

　また，建国神話に続けて，自分たちの祖先の経験——実際に起きたできごとにも基づいて——が物語られ，まとめられることもある．信頼しうる記録を基

に事実のみを語ろうとする近代以降の歴史学に基づく論著とは異なるにしても，歴史の語りであり，それが書物の形態であれば歴史書と言えよう．

アイデンティティ確立と他者

自己が何者かを考えるのは，他者を意識する時である．「私たちの歴史」も，他者を意識する時にまとめられる．強大な帝国に脅かされたり，その危険を感じたりしていた集団において，それは顕著である．例えば，3000 年ほど前，ユダヤ人は，自分たちの国の滅亡と神殿の破壊，他地域への移住を経験した．そのような苦難の経験のなかで，自分たちの来歴を語り正典としてまとめ，自分たちの拠りどころとしていった．これが旧約聖書である．

東アジアの朝鮮で，13 世紀末にまとめられた史書『三国遺事』も強大な国家からの圧迫と無関係ではない．この書には，古朝鮮の歴史，すなわち天界から降りてきた者の子である檀君が朝鮮を長く治めたとする記述が見える．モンゴル帝国による支配を受けていた朝鮮（当時の国号は高麗）の人びとが，自分たちの独自性を意識し，維持しようとしてそれを記したのである．日本における，『日本書紀』や『古事記』の成立も，大和王権が中国を意識してのことである．そして，18 世紀の日本では，持続して影響を与え続けてきた中国の文化的影響力を払拭する試みとして，国学が成立する．なお，自分たちの歴史や文化を語る際，自分たちに影響を与えている他者の存在を忘れようとしても意識するという現象は，普遍的に見られる．これを三谷博は「**忘れえぬ他者**」という言葉を用いて説明している［三谷 2013］．

1.2 国民国家と歴史

近代以降の国民の創出

地球上では，近代以前から，直接，顔を接するようなレベルを超えて，言語とともに重要な記憶を共有し，政治や経済社会生活で密接な関係を持つ人びとのまとまりが作られていた．しばしば，そのまとまりは，○○人とか××民族として名づけられたり，名のったりしていた．そして，そうした人びとのまとまりが，そのまま近代国家の国民となることもあった．しかし，そうならないことも多々ある．いくつかの民族が集まって一つの国家を作る，逆に一つの

民族が複数の国家に分かれてそれぞれの国民となった事例は珍しくない.

　そもそも近代国家の国民は，前近代における人間のまとまりとは異なる. ベネディクト・アンダーソン (1936-2015)[2] は，「**想像の共同体**」という言葉で，お互いに直接的な接触を持たない人びとが，深い結びつきを意識し，「国民」となることについて考察した. そして彼は，国民とは，印刷技術の発達と資本主義の結びつきによる書籍の流通の拡大や，標準化された教育，そこで養成された官僚の国内の様々な地域の勤務などが生み出した，近代の産物であると述べた.

　20 世紀末以降の歴史学では，近代以降の国民の創出や国家による国民の統合がどのように行われてきたのかが，重要なトピックの一つとなった. そこでは，身分などの不平等を解消し均一な国民を作り出すという肯定的側面ばかりではなく，異質な文化の排除，抑圧や強制的同化，差別が注目されるようになった. 西川長夫 (1934-2014)[3] をはじめとする論者による，こうした議論は，国民国家論と呼ばれる. 近代国家の国民は，近代以前の人びとのまとまりから，自然に，痛みもなしに，まとまっていったものではないのである.

東アジアの特殊事情

　ただし，前近代における人びとのまとまりとそこでの言語や文化，共通の記憶などが，国民の創出や国民統合と全く無関係であると考えてしまうこともできない. それらが重要な役割を果たすことは大いにありうる.

　東アジアでは，近代国家の領域や国民における前近代との連続性は意識されている. というより常識としてあまり疑われない状態にある. この地域では，前近代に記された史書も多く残されており，「私たちの歴史」を相当に古くさかのぼって語ることが可能である. 中国の古代王朝の始点は 4000 年ないし 5000 年前，日本の初代天皇即位は二千数百年前，朝鮮では檀君が国を開いて 5000 年になるとの言説が語られることがある. 千年単位で自分たちの国の歴史を語りうる国民は東アジア以外では少数であろう.

　しかも，東アジアの現代の国家はしばしば「忘れえぬ他者」として相互を意識している. 中国人や韓国・北朝鮮の人びとは，自国の近代国家形成を語る時に，日本の侵略について触れ，それとの抗争を語らないわけにはいかない. 台

湾人の場合は，やや複雑な事情がある．強く意識する対抗的な存在は，植民地宗主国（＝日本）ではなく（第二次世界大戦後，中国大陸，つまりは台湾の外部からやってきた国民党の強権政治の記憶が強烈であることや，現代中国との距離が重要であるためである），日本の植民地支配への厳しい批判が語られることは少ない．とはいえ台湾でも，植民地支配や戦争によって生じた被害の記憶が完全に忘れられているわけではない．東アジアの現代国家においては，前近代の歴史とともに近代の侵略／被侵略と結びついた歴史を想起しながら，それぞれの「私たちの歴史」が語られている現実を無視することはできない．

グローバリゼーションと民主化の影響

　近代国家では，国民すべてが国家予算の決定や法律の制定，行政施策の遂行に直接，間接に参画する．そのためには，自国と自国民がこれまでどのようなことを行ってきたかを知っておく必要がある．そこで，その国の領域を空間的範囲とし，その国民の祖先が行ってきたこととその意義を語る「国史」が整理され，広く教えられることとなる．ただしそうした国史は，他国・他国民を完全に排除して語ることはできない．つまり，ある国の国史には他国・他国民に関連した歴史記述を含まないわけにはいかない．だが，それは相手側から見ると，とうてい納得のいかないものであることもありうる．

　しかし，そのことが常に国際的紛争を起こすわけではない．両国間の国力の差が相当に大きい場合は，「弱小国」側の異議申し立ては難しい．また国家間・国民間の関係が重要でも密接でもなければ，大きな問題は起きない．さらに，他国で語られている自分たちに関わる歴史に多大な問題があり，国際的な対立に発展しそうな場合でも，政府が自国民をコントロールして解決を図ることも可能である（もっとも，それができるのは，非民主的な国家に限られる）．戦後初期の日本の歴史教科書には隣国の国民感情を傷つけるような記述があったが[4]，外交問題にはなっていない．1982年には，日本の歴史教科書の記述が，中国や韓国で問題となったが，比較的早く鎮静化している．それには上述のような事情が関係している．

　だが，1990年代以降，歴史認識が原因となった国家間・国民間の対立や葛藤が目立つようになっている．これは，**グローバリゼーション**と世界的な**民主**

化の進展が影響している．国境を越えた政治協力，経済活動，人的交流が拡大するなかで，人びとは他国の歴史認識に無関心ではいられない．しかも，市民は自由に情報を発し行動するようになった．歴史認識について過激な他国批判を行えば人気が得られるとして，そうした行動をとる政治家やジャーナリストの活動もとめられない．それは相手の国にも伝わり，相互の国民感情の悪化を招く．現代社会ではいつでも起こりうる現象である．

2 国史が生み出す対立と抑圧

2.1 国史が生み出す他国との軋轢

史実認定をめぐる困難

こうした複数の「国史」の対立については，いつ誰が何を行ったか等々の史実をしっかり確定すれば解決できるのではないかという意見もある．たしかに史実は国民ごとに異なるわけではない．その確定は重要である．

だが，過去の事象について微細な点，その背景や関係者が考えていたことを完全に把握し，説明することはできない．過去に起こったことを再現したり，その時点にタイムスリップして観察したりすることは，不可能だからである．ただし，残された史料からほぼこのようなことが起こったという推論はできるし，無理がない見解と認められれば，それは定説となる．

とは言え，それでも細部において不明とせざるを得ないことは相当に多い．史料の残りにくい，また，語られにくい歴史事象は特にそうである．例えば，大規模な殺害や弾圧などの人権侵害は，証拠を残さず秘密裏に遂行されるか，あるいは予期せぬ混乱のなかで行われる．つまり，正常な精神状態のもとで何が起こっていたかを把握し，記録することが困難であり，それに関する，包括的な記録や精度の高い統計が残されることはあまりないのである．

そうしたなかで，些細な間違いや裏付けの薄いまま流布してきた話をとらえて，被害者の言っていることは嘘であり，大量虐殺などの人権侵害の史実そのものがなかったといった言説が語られることも多い．**歴史修正主義**[5] として批判されるこうした言説が，加害者のいる国で蔓延したならば，被害者をかかえる国家との間の対立，葛藤はより深まることになる．

史実の評価の不一致

どこで何が起きたか等の基本的な史実については見解の相違はないが，しかしそれをどう見るかという点で一致しないこともある．それ自体は，歴史研究の世界ではごく一般的であるが——したがって同じ国の歴史学者が論争を繰り広げることも日常的である——それが国家意識と結びついて，ある国の国民と，別な国の国民の認識が異なってしまい，対立を生み出すケースもある．

例えば，渤海という国が，698年に建国され926年に滅び，現在の中国東北部やロシアの沿海州，朝鮮の北部を領域としていたということに異論をとなえる者はいない．だが，渤海をどうとらえるかについて，中国，韓国・北朝鮮の学界では見解の相違がある．中国では，渤海の支配者・住民を靺鞨人であり中国の歴史の一部であると説明するが，韓国・北朝鮮では，渤海は高句麗の末裔が作った，自国の源流の一つであるととらえられている（後出**図 12-1b** 参照）．

日本と韓国・北朝鮮の間でも，歴史に関する見方の相違があることは，周知の通りである．韓国・北朝鮮では植民地支配下の経済的収奪や人権無視の圧政ぶりが強調されるのに対して，日本では日本人と朝鮮人は良好な関係を保ち，植民地下の朝鮮は経済発展を遂げていたという語りを目にすることは珍しくない．ベストセラーになるような非専門家向けの書籍では特にそうである．歴史上の人物についても，伊藤博文(1841-1909)を殺害した安 重 根 (1879-1910)は，韓国では愛国烈士として尊敬を集めているが，日本ではテロリストとして非難の対象にされることすらある [6]．

2.2 マイノリティが直面する困難
国史における軽視

国史はさらに，自国内での葛藤の原因にもなりうる．近代国家は，様々な民族的マイノリティを含んで成り立っている．だがしばしば，マジョリティの記憶をもとにした「私たちの歴史」が国史として語られ，民族的マイノリティは疎外されることになる．

この問題への対応は難しい．もっとも，20世紀のある時期までは，それが難問であること自体も意識されていなかった．一国内の民族の違いによる問題は将来，克服されるととらえられていたのである．

例えば，ソ連では，民族自治を保障する政策をとっていたものの，やがて「ソビエト人」という存在が生まれると考えられていた．移民国家のアメリカ合衆国も，「人種のるつぼ」の語を用いて，金属の融解により新たな物質が生まれるように，人びとはまじりあい均質的になると標榜していた．なお，日本では，そもそも自国が**単一民族国家**である，つまり民族的少数者は存在しないと多くの人が語っていて，問題自体が意識されていなかった．こうしたなかで民族的マイノリティの歴史は無視ないし軽視されてきたのである．

だが，20世紀末以降，各国において民族的マイノリティの文化的復権を求める動きが活発となった．これを受けて，それぞれの国史のなかでも民族的マイノリティについての記述はある程度増えていった．しかし，民族的マイノリティが集団として大切にする歴史であっても，国民としての「私たち」の歴史には組み入れにくいものもありうる．民族的マイノリティへの抑圧，差別の歴史などについて，国民のなかのマジョリティが，それに触れられることを忌避する，あるいはその事実を否認するといったこともある．その場合，国史としての「私たちの歴史」のなかで，その事実を語ることが困難となる．

管理される民族史

自分たちのルーツを別の国に持つ，つまり移民とその子孫である民族的マイノリティは，さらに複雑な問題に直面する．これらの人びとは，自身が移動する前にいた，あるいは自分の祖先がいた国と現在の居住国で語られる国史において対立的な解釈がある場合，居心地の悪さや精神的苦痛を感じることになる．一方，居住国の政府にとってみれば，こうした人びとは，ルーツである国への帰属を復活／強化させて，社会秩序の混乱や国際関係の緊張を作りかねない存在に見える．それは歴史の語りを利用して助長される可能性もある．一部の国家では，それに対処し，歴史の管理を行っている．

例えば，中国では東北地区を中心に，つまり主に朝鮮半島のすぐ近くに朝鮮族が居住している．これらの人びとは，19世紀半ば以降，移住，定着し，世代を重ねて，中華人民共和国成立後，同国の国籍を持ち，文化的権利を認められた少数民族として位置づけられた．朝鮮族自治州や自治県も存在し（**図12-1a**），現状においてマジョリティの漢民族との対立や葛藤は見られない．しか

図 12-1a　延辺朝鮮族自治州（網掛け部分）
出典：［高崎 1996］をもとに作成.

図 12-1b　渤海の最盛期の領域
出典：［韓国国史編纂委員会 2005］

延辺朝鮮族自治州となった領域は，20 世紀前半には，領域内の人口の 9 割程
度が朝鮮人であった．現在は朝鮮族の比率は 3 割程度となっているが，公共機
関などは朝鮮語での表記を行い，行政や地区の共産党幹部は一定数が朝鮮族と
なっている．渤海の領域は現在の朝鮮族自治州，北朝鮮の一部を含む.

し，かつて，一部朝鮮人の「民族主義的傾向」が中国共産党によって批判され
たこともあった．秩序の不安定化のリスクが潜在していることを，おそらく現
在の中国政府も認識している.

　このため中国朝鮮族と韓国・北朝鮮との紐帯をことさら意識させる歴史の語
りは，中国では避けられる．渤海を中国史に位置づけることもこれと関係して
いる．また，1920 年代以降，満洲で展開された抗日闘争についても，そこに
朝鮮民族も参加したことは周知の事実であるものの，あくまで中国共産党指導
下の部隊を中心とする中国東北地区の人民の闘いとして語られる．朝鮮民族に
着目した歴史記述を行う場合も，金日成(1912-94)が朝鮮独立を目指して祖国
光復会を結成して満洲と朝鮮北部の国境付近に住む朝鮮人をそこに組織したこ
とはわざわざ書かれないし，中国共産党指導下の部隊に，後に朝鮮民主主義人
民共和国・朝鮮労働党の幹部となる人びとがいたことは強調されない．法的規
定があるわけではないが，政治的に指導統制されているのである.

　そして，民族関係に言及する際に強調されるのは，抗日闘争における二つの
民族の団結の史実とその意義である．このことは，中国朝鮮族が中華人民共和
国における重要な一員であることを漢民族と朝鮮民族双方に認識させる．それ

は，現状の秩序のもとでの良好な民族関係の維持を確かに支えている．

　しかし，歴史認識や情報の政策的管理が，完全かつ永遠に続けられるかは不明である．また，それが政治権力による抑圧性を帯びるならば，歴史を自由に学び語れないことへの不満が蓄積され，やがて社会的葛藤を生み出しかねない．

3　他者理解としての歴史学

3.1 歴史の非共有と共有

国民ないし民族独自の史実の評価

　では，歴史が原因となった，国民間ないし民族間の対立や葛藤はどのように予防ないし解決されるべきだろうか．これには政治やメディアの果たすべき役割もある．ただもちろん，歴史学ができること，やらなければならないこともある．そもそも，しっかりした歴史研究がなければ政治家やメディア関係者も解決に向けた仕事はできない．

　まず，複数の国史や民族史の間で過去に何が起こったかについての見解の不一致がある場合は，史料を共有し，意見を交換して，史実の解明に努めるべきである．その際，歴史研究者は，自身の帰属する国や民族的共同体のなかでの世論や常識がどうであれ，自身の専門的知見，職能を生かして，史実として確定しうることが何かを述べなければならない．

　一方，史実の評価や解釈は，多様であってよい．というより，多様にならざるを得ない．同じ現象を見たり，ともに何かを体験したりしても，人によって感じ方は様々である．無限にある過去の出来事のうちの何が重要と考えるか，ある出来事を楽しいと思うか，悲しいと感じたか，その度合いがどうであるかもまた，千差万別である．ただし，国民，あるいは民族としてのまとまりを維持するうえでの重要性や民族としての体験や文化にかかわって，共有されるべき歴史の評価や解釈が生まれることもある．

　1920〜30 年代の満洲での抗日闘争を見るとき，中国で評価されることは，漢民族と朝鮮民族の団結であり，そこに金日成が参加していたことではない．中国では漢民族と朝鮮民族の良好な関係の維持が重要だからである（国家の管理もあるが，それは中国朝鮮族も望むことである）．他方，北朝鮮で何より意義ある歴史として語られるのは，金日成が満洲の地で抗日闘争を闘い，独自の民族解

放統一戦線である祖国光復会を作り，朝鮮内にも組織を浸透させたことである．北朝鮮では金日成こそが自国・自民族の絶対的な指導者であり，その遺訓のもとで暮らしていると考えられているので，そうした評価となる．

力道山(1924-63，日本名・百田光浩，朝鮮名・金信洛)という人物についての日本人と在日朝鮮人のそれぞれの集団内での記憶や語りも異なる．日本人の多くは，力道山を単純に著名なプロレスラーとして記憶しているが，在日朝鮮人の間では，自分の出自を忘れず祖国の統一を願った同胞であることが語られる．そうした在日朝鮮人の語りは，差別に直面し，祖国を意識しながら生活してきた民族集団としての体験が関係している．

共通の価値観による史実の評価

このように国民，民族の違いは，時に，史実，人物をどう評価するか，どこに注目するかの違いを生む．しかし，個人にとって，重要な属性は国民や民族のみではない．宗教やある種の政治的志向の共有(エコロジカルな暮らしの実践，「小さな政府」を望むなど)，ジェンダーや職能でのまとまりを大切にする人もいる．そして，それを重視した史実の評価や解釈もあるだろう．国民や民族という基準は史実の評価において，絶対的な地位を占めるわけではない．

当たり前であるが，例えば日本人であれば安重根をテロリストと評価しなければならない，ということにはならない．そもそも安重根を尊敬することを公言していた日本人もいる．そのなかには右翼ナショナリストを自任する人物も含まれる．安重根は，日本が強権的に韓国を支配することに反対し，同時に東アジアの平和のために韓国と日本とが対等，平等な関係を築くべきと主張していた．この主張は，日本人の右翼ナショナリストが標榜していたアジア主義，すなわち，欧米列強の圧迫に抗してアジア諸民族が提携すべきという考えと通底するものがあった．付け加えれば，日本の右翼運動では，国家や同胞を救うための命を惜しまぬ実力行使は義挙と見なされ，それを行う者は志士仁人として称賛された．日本人右翼ナショナリストが安重根に心情的に近しさを感じる素地は十分にあったのである[7]．

また，近年の日本では，三・一運動について「反日」のイメージが付与されている．2019年の三・一運動百周年の際には，その記念集会が行われている

216

ことに関連して，外務省が，韓国を訪れる日本人への注意喚起を行ってもいる．しかし，日本においても，三・一運動は，民族的対立の原因になるような事件としてのみ考えられてきたわけではない．1948 年には，マルクス主義者であり，民衆による社会変革を志向する「国民的歴史学運動」を唱えた石母田 正（第 1 章参照）が，三・一運動について論じた文章を発表している．石母田はそこで三・一運動を，前年の日本の米騒動とともに，世界的な革命運動の潮流の影響を受け，強権的な政治に対し民衆が立ち上がり，政治的転換とその後の社会運動を準備した意義ある歴史的事件であることを述べていた．反帝国主義という思想や被圧迫民衆としての位置という共通性を重視すれば，三・一運動は，民族の違いを超えて評価の対象となる．実際，戦後直後から現在まで，在日朝鮮人主催の集会への参加など，三・一運動を記念する活動に参画している日本人も少なくない．

　国民や民族，それ以外の多くの属性や政治的志向が何であれ尊重すべき普遍的な価値もある．その点を踏まえて考えるべき歴史事象は多い．三・一運動についても，その「宣言書」は，武力による強権的支配の廃止，人類の平等と民族の自主決定権，独自の文化の尊重を訴えている．その意義は，民族に優劣があり権利に差をつけるべきだという思想の信奉者は別として，だれもが認めるはずである．

3.2 体験と認識の多様性
複合的社会の人びとの生活と意識

　国民や民族を超えた，共通の歴史事象の評価や解釈を持つことは重要である．ただし，同時にやはり，歴史事象の受けとめ方は社会集団によって差異が生じることも再度確認する必要がある．これに関連して，同じ空間のなかでも，様々な人びとのまとまりがあることに注意すべきである．

　植民地期の朝鮮もそうである．1930 年代半ばの朝鮮では人口の 2.7% 程度，京城府（現在のソウルの中心部）について見れば，30% 近くが日本人であった．しかし，1935〜36 年に朝鮮語雑誌『朝光』に連載された，京城の市井の人びとが織りなす日常を描いた朴泰遠(1910–86)の小説「川辺の風景」には，日本人は登場しない．薬局や理髪店の主人と店員，酒場の女給，名士とその「妾」，

217

図 12-2a 『東亜日報』1936 年 2 月 2 日付　　　　図 12-2b 『京城日報』1936 年 2 月 2 日付
　　　　1 面　　　　　　　　　　　　　　　　　　　　　　1 面

植民地期朝鮮では，朝鮮総督府の「御用新聞」である『京城日報』をはじめと
するいくつかの日本語紙のほか，三・一独立運動には，民族主義系の『東亜日
報』などの朝鮮語紙も刊行されていた．朝鮮語紙では，日本帝国全体にかかわ
る政治の動きのほか，朝鮮人に関わる事件，独自の問題，日本人との差別待遇
などを多く報じた．

姑との折り合いが悪くて田舎から出てきた女性，嫁ぎ先の娘を心配する母，食
堂の権利を騙して高く売りつけようとする男等々，この作品の数十名の登場人
物はいずれも朝鮮人である．この時期の朝鮮では，日本語を理解する者は
10% 程度で，都市でも朝鮮人町と日本人町があり，買い物に行く店や市場，
映画館や劇場も民族ごとに別というのが普通であった．メディアについても，
新聞は日本語紙と朝鮮語紙があり，ラジオも日本語と朝鮮語それぞれの言語で
の放送を行っていた．
　ちなみに，朴泰遠は，明後日は立春という設定でこの小説を終えているので，
1936 年 2 月 2 日の新聞を読んでみると，朝鮮語紙では，普通学校の入学難問
題が扱われているが(図 12-2a)，日本語紙ではそれは報道されていない(図 12-
2b)．普通学校とは，「国語」＝日本語を常用しない朝鮮人が通う学校であり，
その数は限られていたために，初等教育であるにもかかわらず，希望しても入
学できない者が多く問題となっていた．一方の日本人(および日本語を常用する
朝鮮人)が通う小学校は義務教育で，すべての日本人が入学可能であった．朝
鮮人はその不合理な現実に不満を感じていたが，日本人は気に留めていなかっ
たのである．同じ京城／ソウルにいても，朝鮮人と日本人はそれぞれの社会が

あり，そこで意識されることも異なっていたと言えよう．

　もちろん，そのようななかでも朝鮮人の生活空間にも否応なしに日本帝国の権力，日本の文化が侵入していたことは確かである．それは1930年代後半から40年代にかけての皇民化政策の徹底のなかで，甚だしくなっていた．ただそれでも，朝鮮人の生活空間が完全に失われたわけではない．第二次世界大戦末期，「〔動員されて日本に配置される朝鮮人が増えているが，認識不足の者が多く〕百人入ッテ来ル中デ五人位シカ大東亜戦争ノアルコトヲ知ラヌ」と嘆いた日本人政治家がいたことが示すように，知っている情報も意識も相当な差があった[8]．植民地権力の教化には限界があり，それが及ばない場所で朝鮮人は独自のコミュニケーションや暮らしを維持していたのである．そして日本人は，そうした朝鮮人の動向を知らないままにいた．

　それを物語るエピソードとして，敗戦直後の朝鮮にいた日本人がスコットランド民謡「オールド・ラング・サイン（Auld Lang Syne）」のメロディで朝鮮語の歌が歌われるのをしばしば聞いて奇異に思ったという話がある．このメロディは日本人にとっては「蛍の光」として知られているが，朝鮮民族は20世紀初頭にそれに自国の永遠を願う歌詞を付し愛国歌としていた．そのことを知る在朝日本人はほとんどいなかったのである．

歴史学の有用性

　ここからわかるように，社会——とりわけ，複数の民族がともに暮らすような社会——の構成員は多様であり，そこで起きた出来事もそれぞれに即した意義がある．歴史研究はそのことを踏まえて行わなければならない．つまり，自分と同じではない人びとが置かれていた状況，何がその視野に入っていてどう認識されていたか，背負ってきた歴史や文化，それに規定された意識などの把握につとめたうえで，それらの人びとにとっての起こった出来事の意味を解釈しなければならない．

　さらに言えば，そもそも，過去に生きていた人びとは同じ国民や民族であっても他者である．その意味で，歴史研究は，他者理解の営みである．そこでは，自己が無意識の上で前提としていることを問いなおしつつ，現在を生きている者の視野から抜け落としがちな様々な要素を視野に入れることが求められる．

こうした歴史学の訓練を積むことは他者理解の能力を伸長させるであろう．そして，その能力は，現在起こっている出来事への対応，日々の社会生活においても必要であり，他者との対立を回避するうえでも役立つはずである．

　また，自他を隔てるものは，この章で着目してきた国籍や民族のほか，自身が馴染んでいる気候や風土，受けてきた教育や，宗教，生業，ジェンダーなど無数にある．逆に言えば，他者とのみ考えていた存在であってもある属性に着目すれば，その人は「私たち」の一人であるということはとても多い．そこに注目することで，人びとはより多くの過去の体験，歴史の解釈に気付くことができる．そうした，様々な「私たちの歴史」を個々人が確認していくことは，民族や国籍といった特定の基準の「私たちの歴史」を相対化し，それが排他的な性質を帯びていくことを防ぐはずである．

　以上のように，歴史学は，個々人の他者理解と物事を多角的にとらえる能力を養い，様々な人びととのつながりを意識させる．そのことは安定的な社会の維持にも寄与する．歴史学は危険な利用もされるが，私たちの社会のために間違いなく重要な役割を果たしている．

＊　　　　＊　　　　＊

　グローバリゼーションの進むなかで，国家の障壁は次第にとり払われてきた．いまや，国籍や民族をそれほど意識せずに日々の生活を送る人もめずらしくないかもしれない．しかし，当面，国家は消滅せず，一定の役割を果たし続けるだろうし，自分の国籍や民族が何であるかが，日常生活にも重大な影響を与えている環境のなかで暮らす人びともいる．そうしたなかでは，今後も，国や民族を単位とする歴史が研究され，語られ，それを意識することは必要となる．

　そもそも，均一の人類の歴史だけが地球上に存在することは想像できない．また，社会集団ごとの多様な歴史認識とその公表の自由は，必要かつ有益である．それがあってこそ，自身が知らなかった史料，考えてもみなかった視点からの歴史の解釈——研究の深化に不可欠である——に出会うことができる．

　しかし，国民や民族が歴史事象をとらえる際に特別に重視され，ほかの基準があまりかえりみられない時，国家間の対立や一国内のマイノリティの抑圧が生じる可能性は高い．そのことは，国境を越えた人的交流や情報流通が活性化

図 12-3　英国国会議事堂広場の前に建てられた
　ガーンディー像
出典：Wikimedia Commons（Statue of Mahatma
Gandhi）
2015 年 3 月，英国ロンドンの国会議事堂前広場
にマハートマー・ガーンディーの銅像が設置され
た．ガーンディーは，英国の植民地支配に抵抗し，
インドの独立を求めた人物であるが，人間の平等
や暴力の否定という普遍的な価値に関連して，人
類史上，貢献した人物でもある．除幕式には，キ
ャメロン英国首相（当時）らが出席した．

している現代において，深刻な問題にもなりうる．

　そのような時代に生きている私たちが歴史を考える際に，国民や民族を絶対
的な基準とすることは危険である．国民や民族という基準ももちろん重要であ
るにせよ，それを超えた普遍的な価値をもとに歴史を考えることも必要である．
そして，自分とは異なる属性や理念を持つ人びと，自分とは異なる感性や認識，
慣習のもとで生きていたという意味で他者である過去の人びとにとって，その
人びとの経験，直面していたことがどのような意味を持っているかを考えてい
かなければならない（図 12-3 参照）．

　そのことは，複雑な事象を，柔軟で多様な視点からとらえる個人の能力を育
む．また，そこでとらえられた様々な人びとによる歴史事象の評価や解釈が提
示されることは，異なる社会集団間の相互理解の促進につながる．同時に，そ
のようにして豊富化された歴史の解釈は，人類全体の財産ともなりうるであろ
う．

●注
1)　エリック・ホブズボーム（Eric Hobsbawm）：ケンブリッジ大学にて博士学位を
　取得し，ロンドン大学教授を務めた歴史学者．ナショナリズムや資本主義などにつ
　いての多くの著作を残した．日本語訳のある著書として『20 世紀の歴史』など．
　後述の講演の記録は，下記のサイトで読むことができる．（http://www.osaar

chivum.org/blog/the-new-threat-to-history）

2） ベネディクト・アンダーソン（Benedict Anderson）：ナショナリズム論，東南アジア政治を論じた政治学者．コーネル大学教授などを務めた．日本語に訳された著書に『定本 想像の共同体』など．

3） 西川長夫：フランス文学，思想の研究から出発し，国家論や植民地主義の問題の分野で議論をリードした研究者．立命館大学教授などを務めた．著書に『国境の越え方──国民国家論序説』など．

4） 1946 年から 48 年まで使用された文部省編の尋常小学校の教科書『くにのあゆみ』では，朝鮮の植民地化について「韓国とは……相談をした結果，明治 43 年（西暦 1910 年），わが国が韓国を併合しました」と記している．

5） ただし，歴史の解釈について別の見方を提示し，「修正」すること自体は問題ではないし，常に歴史学者が行っていることである．アメリカ外交史の伝統的な解釈に対する左派的な歴史学者の見解を「リヴィジョニズム revisionism（修正主義）」と呼ぶこともある．その点を考えると，自国・自国民の加害の否定を狙った歴史修正主義は，史実の隠蔽，歴史の捏造といった，その問題性を明確にする別の呼び方がふさわしいかもしれない．

6） 念のため言っておけば，通常，歴史研究者は，歴史事象の複雑性を十分意識するので，植民地支配やある歴史上の人物について，全面的に肯定したり完全に否定したりすることはない．また，日韓の歴史学界でも見解の対立ばかりではなく，史実の確定やその評価で一致していることは多い．この段落で述べているのは，非専門家の市民の一部でみられる特徴的な傾向である．

7） 安重根の思想をアジア主義に通じるものと理解し，それを理由に彼を尊敬すると述べた日本人の右翼活動家としては，野村秋介がいる［野村 1992: 212-216］．また，伊藤博文暗殺事件とほぼ同時代に出された，ある著書では「世人或は伊藤公を狙撃せる安重根……を以て志士仁人とするものある」との語が見える［三浦 1915: 47］．もちろん，この語に続けてそれが誤謬であることを述べてはいるが，安を志士仁人と見る日本人は当時からいたのであろう．

8） 1944 年 2 月 1 日，帝国議会衆議院戦時特殊損害保険法案委員会での赤松寅七議員の発言．もっとも，日本に配置された被動員者は朝鮮農村在住の教育程度が高くない人びとを中心としていたという事情も考慮すべきである．また，戦争目的や戦局について十分知っているのが 100 人中 5 人程度，という意味であったかもしれない．しかしいずれにしても日本人とは異なる情報流通の環境のなかで暮らしていた朝鮮人は相当多かったと見るべきである．

●参考文献

アンダーソン，ベネディクト（白石隆・白石さや訳）『定本 想像の共同体──ナショナリズムの起源と流行』書籍工房早山，2007 年（原著 1983 年，改訂版 1991 年，2006 年）．

石母田正『歴史と民族の発見──歴史学の課題と方法』平凡社，2003 年（初出 1952 年）．

韓国国史編纂委員会(三橋広夫訳)『韓国の中学校歴史教科書——中学校国定国史』明石書店，2005 年.

金富子ほか編『Q&A　朝鮮人「慰安婦」と植民地支配責任』御茶の水書房，2018 年.

木村幹『日韓歴史認識問題とは何か』ミネルヴァ書房，2014 年.

高崎宗司『中国朝鮮族——歴史・生活・文化・民族教育』明石書店，1996 年.

中根隆行『〈朝鮮〉表象の文化誌——近代日本と他者をめぐる知の植民地化』新曜社，2004 年.

西川長夫『増補　国境の越え方——国民国家論序説』平凡社，2001 年(初出 1992 年).

野村秋介『汚れた顔の天使たち』二十一世紀書院，1992 年.

朴泰遠(牧瀬暁子訳)『川辺の風景』作品社，2005 年.

橋谷弘『帝国日本と植民地都市』(歴史文化ライブラリー)，吉川弘文館，2004 年.

原尻英樹・六反田豊・外村大編著『日本と朝鮮　比較・交流史入門——近世，近代そして現代』明石書店，2011 年.

古畑徹『渤海国とは何か』(歴史文化ライブラリー)，吉川弘文館，2017 年.

ホブズボーム，エリック(大井由紀訳)『20 世紀の歴史』上・下，ちくま学芸文庫，2018 年(原著 1994 年).

三浦了覚『禅と武士道』山形活版社，1915 年.

水野直樹・和田春樹編『朝鮮近現代史における金日成』神戸学生青年センター出版部，1996 年.

三谷博『愛国・革命・民主——日本史から世界を考える』筑摩選書，2013 年.

三谷博編著『歴史教科書問題』日本図書センター，2007 年.

李海燕『戦後の「満州」と朝鮮人社会　越境・周縁・アイデンティティ』御茶の水書房，2009 年.

李洙任編著『共同研究　安重根と東洋平和』明石書店，2017 年.

▶▶▶ より深く知るために ─────────────

・外村大『在日朝鮮人社会の歴史学的研究——形成・構造・変容』緑蔭書房，2004 年.
　日本人にとっては「見えない人びと」であった，在日朝鮮人の独自の社会の歴史を論じている.

・高橋哲哉『歴史／修正主義』(思考のフロンティア)，岩波書店，2001 年.
　世界的な歴史修正主義の台頭の背景やそうした現実にどのように対処すべきかを論じている.

・クリスティナ・クルリほか(柴宜弘ほか訳)『バルカンの歴史——バルカン近現代史の共通教材』明石書店，2013 年.
　バルカン諸国の歴史研究者，歴史教育者による，自民族中心の歴史認識を相対化し，多元的な歴史観の養成を目的に作られた歴史資料集.

【執筆者一覧】 執筆順
＊所属は全員，東京大学大学院総合文化研究科．

桜井英治（さくらい・えいじ）
教授／日本中世史
『日本中世の経済構造』，『網野善彦著作集』（全18巻・別巻1，編集委員），『岩波講座日本歴史』（全22巻，編集委員，以上岩波書店），『贈与の歴史学——儀礼と経済のあいだ』（中公新書）ほか．

渡辺美季（わたなべ・みき）
教授／琉球史，東アジア海域史
『近世琉球と中日関係』（吉川弘文館），『海域アジア史研究入門』（桃木至朗編，岩波書店），G・スミッツ『琉球王国の自画像——近世沖縄思想史』（翻訳，ぺりかん社）ほか．

田中 創（たなか・はじめ）
准教授／古代ローマ史
『古代地中海の聖域と社会』（浦野聡編，勉誠出版），リバニオス『書簡集』1・2（翻訳，京都大学学術出版会）ほか．

杉山清彦（すぎやま・きよひこ）
教授／大清帝国史，中央ユーラシア史
『大清帝国の形成と八旗制』（名古屋大学出版会），『中国と東部ユーラシアの歴史』（共著，放送大学教育振興会），『海域アジア史研究入門』（桃木至朗編，岩波書店）ほか．

黛 秋津（まゆずみ・あきつ）
教授／バルカン・黒海地域史，欧州-中東国際関係史
『三つの世界の狭間で——西欧・ロシア・オスマンとワラキア・モルドヴァ問題』，『黒海地域の国際関係』（六鹿茂夫編，以上名古屋大学出版会）ほか．

岡田泰平（おかだ・たいへい）
教授／東南アジア近現代史
『「恩恵の論理」と植民地——アメリカ植民地期フィリピンの教育とその遺制』（法政大学出版局），『戦争と性暴力の比較史へ向けて』（上野千鶴子・蘭信三・平井和子編，岩波書店）ほか．

大塚 修（おおつか・おさむ）
准教授／中東イスラーム地域史
『普遍史の変貌——ペルシア語文化圏における形成と展開』（名古屋大学出版会），『1187年 巨大信仰圏の出現』（千葉敏之編，山川出版社）ほか．

長谷川まゆ帆（はせがわ・まゆほ）
名誉教授／フランス近世史
『近世フランスの法と身体——教区の女たちが産婆を選ぶ』（東京大学出版会），『女と男と子どもの近代』（山川出版社），『エゴ・ドキュメントの歴史学』（長谷川貴彦編，岩波書店）ほか．

岩本通弥（いわもと・みちや）
名誉教授／家族論，日本民俗学
『方法としての〈語り〉——民俗学をこえて』（編著，ミネルヴァ書房），『ふるさと資源化と民俗学』（編著，吉川弘文館），『民俗学の可能性を拓く——「野の学問」とアカデミズム』（共編著，青弓社）ほか．

井坂理穂（いさか・りほ）
教授／南アジア近代史
Language, Identity, and Power in Modern India: Gujarat, c. 1850–1960（Routledge），『食から描くインド』（共編，春風社），『現代インド5——周縁からの声』（共編，東京大学出版会）ほか．

山口輝臣（やまぐち・てるおみ）
教授／日本近代史
『明治国家と宗教』（東京大学出版会），『明治神宮の出現』（吉川弘文館），『はじめての明治史——東大駒場連続講義』（ちくまプリマー新書）ほか．

外村 大（とのむら・まさる）
教授／日本現代史・日朝関係史
『在日朝鮮人社会の歴史学的研究——形成・構造・変容』（緑蔭書房），『朝鮮人強制連行』（岩波新書），『日本と朝鮮 比較・交流史入門——近世，近代そして現代』（共編著，明石書店）ほか．

東京大学教養学部歴史学部会 HP
http://www.komaba-rekishi.com/

東大連続講義 歴史学の思考法

2020 年 4 月 24 日　第 1 刷発行
2023 年 7 月 5 日　第 9 刷発行

編　者　東京大学教養学部歴史学部会

発行者　坂本政謙

発行所　株式会社　岩波書店
〒 101-8002 東京都千代田区一ツ橋 2-5-5
電話案内 03-5210-4000
https://www.iwanami.co.jp/

印刷・理想社　カバー・半七印刷　製本・牧製本

ISBN 978-4-00-061406-1　Printed in Japan

岩波テキストブックス α

歴 史 学 入 門 新版	福 井 憲 彦	A5 判 210 頁 定価 2200 円
な ぜ 歴 史 を 学 ぶ の か	リ ン・ハ ン ト 長谷川貴彦訳	B6 判 136 頁 定価 1760 円
〈世界史〉をいかに語るか ——グローバル時代の歴史像	成 田 龍 一 長谷川貴彦編	A5 判 230 頁 定価 3190 円
歴 史 と は 何 か	E. H. カ ー 清水幾太郎訳	岩 波 新 書 定価 946 円
歴 史 と は 何 か 新版	E. H. カ ー 近 藤 和 彦訳	四六判 410 頁 定価 2640 円

———— **岩 波 書 店 刊** ————

定価は消費税 10% 込です
2023 年 7 月現在